JANDY NELSON

Über mir der Himmel

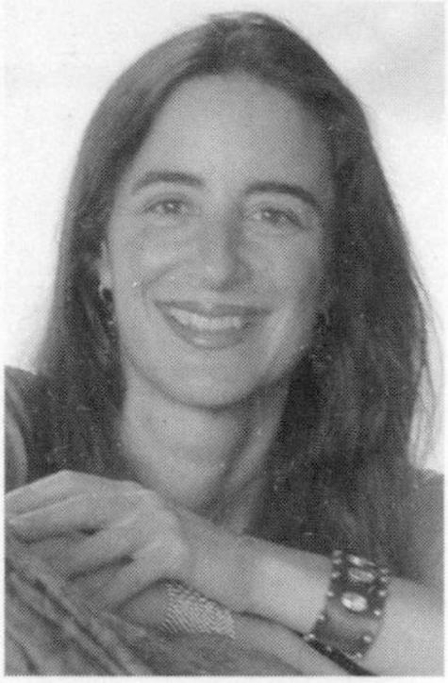

© Mark Routhier c/o Mohrbooks

DIE AUTORIN

Jandy Nelson hat Lyrik und kreatives Schreiben mit dem Schwerpunkt Kinder- und Jugendliteratur studiert. Nach ihrem Studium war sie viele Jahre lang als literarische Agentin tätig und veröffentlichte nebenher erste Gedichte. *Über mir die Himmel* ist ihr erster Roman. Jandy Nelson lebt und arbeitet in San Francisco.

JANDY NELSON

Über mir der Himmel

Aus dem Amerikanischen
von Catrin Frischer

cbj

cbj
ist der Kinder- und Jugendbuchverlag
in der Verlagsgruppe Random House

Verlagsgruppe Random House FSC-DEU-0100
Das für dieses Buch verwendete
FSC®-zertifizierte Papier *München Super Extra*
liefert Arctic Paper Mochenwangen GmbH.

1. Auflage
Sonderausgabe April 2012
Gesetzt nach den Regeln der Rechtschreibreform

Die Originalausgabe erschien 2010
unter dem Titel »The Sky is Everywhere«
bei Dial Books, an imprint of Penguin Group,
New York
Übersetzung: Catrin Frischer
Umschlagbild: Gettyimages/Rebecca van Ommen
Umschlaggestaltung: schwecke.mueller
Werbeagentur GmbH, München
kg · Herstellung: CZ
Satz: KompetenzCenter, Mönchengladbach
Druck und Bindung: GGP Media GmbH,
Pößneck
ISBN: 978-3-570-40101-9
Printed in Germany

www.cbj-verlag.de

Für meine Mutter

Teil eins

1. Kapitel

GRAMA SORGT SICH um mich. Und das nicht nur, weil meine Schwester Bailey vor vier Wochen gestorben ist, meine Mutter sich sechzehn Jahre lang nicht bei mir gemeldet hat oder gar, weil ich plötzlich nur noch an Sex denke. Nein, sie ist besorgt, weil eine ihrer Topfblumen Flecken hat.

Den größten Teil meiner siebzehn Jahre war Grama unerschütterlich der Überzeugung, ebendiese Topfblume, ein eher unscheinbares Gewächs, sei Spiegel meines gefühlsmäßigen, seelischen und körperlichen Wohlbefindens. Und in diesem Glauben bin ich aufgewachsen.

Schräg gegenüber von mir, in der anderen Ecke des Raumes, beugt sich Grama – in voller Länge von ein Meter achtzig und geblümtem Kleid – sorgenvoll über die schwarz gefleckten Blätter.

»Dieses Mal wird es vielleicht nicht besser? Was willst du damit sagen?«, fragt sie Onkel Big, den Baumpfleger, residierenden Oberkiffer und irren Wissenschaftler obendrein. Zu jedem Thema weiß er etwas, doch über Pflanzen weiß er alles.

Auf jeden anderen mag es seltsam wirken, völlig abgedreht womöglich, dass Grama bei dieser Frage mich anstarrt … auf Onkel Big aber nicht, denn der starrt mich auch an.

»Dieses Mal ist der Zustand sehr ernst.« Bigs Stimme dröhnt wie von einer Bühne oder Kanzel, seine Worte sind schwergewichtig, sogar *Reich mir mal das Salz* klingt aus seinem Munde wie die Verkündung der Zehn Gebote.

Verstört legt Grama die Hand ans Gesicht und ich kritzele weiter mein Gedicht auf den Rand von *Sturmhöhe*. Ich hab mich in die Sofaecke gekauert. Ich hab keine Lust zu reden, könnte meinen Mund genauso gut zur Aufbewahrung von Büroklammern nutzen.

»Aber früher hat diese Pflanze sich immer wieder erholt, Big, damals zum Beispiel, als Lennie sich den Arm gebrochen hat.«

»Da hatten die Blätter weiße Flecken.«

»Oder erst letzten Herbst, als sie das Probespiel für die erste Klarinette hatte, aber doch wieder an der zweiten bleiben musste.«

»Braune Flecken.«

»Oder als …«

»Dieses Mal ist es anders.«

Ich schaue auf. Sie beäugen mich noch immer, ein hochgewachsenes Duett aus Trauer und Besorgnis.

Grama ist der Gartenguru von Clover. Sie hat den außergewöhnlichsten Blumengarten in Nordkalifornien. Ihre Rosen explodieren in Farben, die ein ganzes Jahr Sonnenuntergänge in den Schatten stellen, der Duft ist berauschend, schon wenn man ihn einatmet, so will es die Legende, ist es möglich, sich auf der Stelle zu verlieben. Aber Gramas berühmtem grünen Daumen zum Trotz scheint diese Pflanze der Flugbahn meines Lebens zu folgen, völlig losgelöst von Gramas Bemühungen oder der eigenen pflanzlichen Vernunft.

Ich lege Buch und Stift auf den Tisch. Grama rückt ganz nah an die Pflanze heran, flüstert ihr von der Bedeutung des *joie de vivre* zu, stapft dann rüber zum Sofa und setzt sich neben mich. Und Big kommt dazu, der seine enorme Gestalt neben Grama plumpsen lässt. Wir drei, jeder mit dem gleichen ungebärdigen schwarzen Haar auf dem Kopf, bleiben so sitzen, starren auf gar nichts und der Nachmittag vergeht.

Das sind wir, seit meine Schwester Bailey vor einem Monat mit einer tödlichen Arrhythmie zusammengebrochen ist, bei einer Probe von *Romeo und Julia* der hiesigen Laienbühne. Es ist, als hätte jemand den Horizont weggesaugt, während wir woandershin geschaut haben.

2. Kapitel

Am Morgen des Tages, an dem Bailey gestorben ist,
hat sie mich geweckt.
Sie hat mir einen Finger ins Ohr gesteckt.
Das hab ich gehasst.
Dann hat sie Blusen anprobiert und gefragt:
Welche magst du lieber, die grüne oder die blaue?
Die blaue.
Du guckst ja nicht mal, Lennie.
Na dann, die grüne. Echt, ist mir egal, welche Bluse
du anziehst …
Hab mich auf die andere Seite gedreht, hab
weitergeschlafen.
Sie hat die blaue angehabt,
fand ich später heraus,
und das waren die letzten Worte,
die ich je mit ihr gesprochen habe.

(Gefunden auf dem Pfad zum Rain River, auf Lollipapier geschrieben)

Mein erster Tag zurück in der Schule beginnt erwartungsgemäß, die Pausenhalle teilt sich wie das Rote Meer, als ich reinkomme, Gespräche werden gedämpft, Augen werden feucht vor nervösem Mitgefühl und alle starren mich an, als würde ich Baileys toten Körper in den Armen halten. Vermutlich tu ich das auch. Ihr Tod haftet mir an, ich spüre ihn und alle sehen ihn mit bloßen Augen wie einen dicken schwarzen Mantel, in den ich mich an einem schönen Frühlingstag gehüllt habe. Was ich allerdings nicht erwartet habe, ist ein noch nie da gewesener Aufruhr wegen so eines neuen Jungen, Joe Fontaine, der während meiner vierwöchigen Abwesenheit zu uns gekommen ist. Überall, wo ich hingehe, dasselbe:

»Hast du ihn schon gesehen?«

»Er sieht aus wie ein Zigeuner.«

»Wie ein Rockstar.«

»Ein Pirat.«

»Ich hab gehört, er spielt in einer Band namens *Dive*.«

»Er ist ein Musikgenie.«

»Irgendwer hat gesagt, dass er früher in Paris gelebt hat.«

»Dass er Straßenmusik gemacht hat.«

»Hast du ihn schon gesehen?«

Ich hab ihn gesehen, denn als ich meinen Platz im Orchester wieder einnehmen will, den, den ich schon seit einem Jahr belege, sitzt er drauf. Selbst vom Kummer benommen wandert mein Blick von den schwarzen Stiefeln aufwärts über die Meilen von mit Jeansstoff bedeckten Beinen und über den endlosen Torso, bis sie schließlich an einem so lebhaft wirkenden Gesicht hängen bleiben, dass ich mich fragen muss, ob ich möglicherweise ein Gespräch zwischen ihm und meinem Notenständer unterbrochen habe.

»Hi«, sagt er und springt auf. Er ist baumlang. »Du musst Lennon sein.« Er deutet auf meinen Namen auf dem Stuhl. »Ich hab gehört von … Es tut mir leid.« Mir fällt auf, wie er seine Klarinette hält, nicht wie eine Kostbarkeit, sondern mit festem Griff um den Hals, wie ein Schwert.

»Danke«, sage ich und jeder verfügbare Quadratzentimeter seines Gesichts erstrahlt von seinem Lächeln. Wow! Ist der von einem Windstoß aus einer anderen Welt in unsere Schule geweht worden? Der Typ sieht auf eine kürbislaternenartige Weise unverfroren glücklich aus. Nichts könnte fremdartiger anmuten in dem mürrischen Gehabe, das die meisten von uns zur Perfektion zu treiben versuchen. Er hat massenhaft in alle Richtungen wippende, wuschelige braune Locken und Wimpern, so lang und dick wie Spinnenbeine. Wenn er blinzelt, scheint er einen mit seinen strahlend grünen Augen anzuplinkern. Sein Gesicht ist offener als ein offenes Buch, eigentlich hat es etwas von einer Wand voller Graffiti. Mir fällt auf, dass ich mit dem Finger *wow* auf meinen Schenkel schreibe und ich beschließe, lieber den Mund aufzumachen, damit wir diesen spontanen Anstarrwettbewerb abbrechen können.

»Alle sagen Lennie zu mir«, sage ich. Nicht so originell, aber besser als *uuah*, was die Alternative gewesen wäre, und es erfüllt seinen Zweck. Eine Sekunde lang guckt er auf seine Füße und ich formiere mich neu für Runde zwei.

»Übrigens hab ich schon überlegt, ob das wohl Lennon nach John sein könnte?« Wieder hält er meinen Blick fest –

es ist nicht auszuschließen, dass ich gleich ohnmächtig werde. Oder in Flammen aufgehe.

Ich nicke. »Mom war Hippie.« Wir befinden uns schließlich im *nördlichen* Nordkalifornien – dem äußersten Vorposten des Freaktums. In der elften Klasse allein gibt es ein Mädchen namens Electricity, einen Jungen namens Magic Bus und zahllose Blumen. Tulip, Begonia und Poppy – alles Namen, die Eltern in Geburtsurkunden eintragen ließen. Tulip ist eine Zweitonnenwalze von Kerl, er wäre der Star unseres Footballteams, wenn wir denn so eine Schule mit Footballteam wären. Sind wir aber nicht. Wir sind so eine Schule mit freiwilliger Morgenmeditation in der Turnhalle.

»Jaja«, sagt Joe. »Meine Mom auch und mein Dad und die Tanten, Onkel, Brüder und Cousinen … Willkommen in der Fontaine-Kommune.«

Ich lache laut. »Ich weiß Bescheid.«

Aber Moment mal – sollte ich wirklich so leicht lachen können? Und sollte es sich so gut anfühlen? Wie das Eintauchen in kühles Flusswasser.

Ob uns jemand beobachtet hat? Ich drehe mich um, Sarah kommt gerade herein, besser gesagt, sie explodiert in den Musikraum. Seit der Beerdigung habe ich sie kaum gesehen und ein Schuldgefühl durchzuckt mich.

»Lenniiieeee!« Sie schießt auf uns zu in schönster Zum-Cowgirl-mutierter-Goth-Gestalt: eng anliegendes schwarzes Jahrgangskleid, Shitkicker Cowboystiefel, blondes Haar so schwarz gefärbt, dass es blau aussieht, und als Krönung des Ganzen ein riesiger Cowboyhut. Ich registriere die halsbrecherische Geschwindigkeit, mit der sie sich nähert, und überlege noch, ob sie wohl tatsächlich vorhaben könnte, mir in die Arme zu springen, bevor sie es versucht und wir beide in Joe hineinschlittern, der es irgendwie schafft, sein Gleichgewicht und unseres zu halten, sodass wir nicht alle miteinander aus dem Fenster fliegen.

Das ist Sarah in gedämpfter Stimmung.

»Gute Arbeit«, flüstere ich ihr ins Ohr, während sie mich umarmt wie ein Bär, obwohl sie gebaut ist wie ein Vogel. »So haut man den neuen Prachtjungen von den Socken.« Sie prustet los und es ist ein wunderbares wie verstörendes Gefühl für mich, jemanden im Arm zu halten, den es vor Lachen und nicht vor Kummer schüttelt.

Sarah ist die begeisterungsfähigste Zynikerin auf diesem Planeten. Sie würde die perfekte Cheerleaderin abgeben, wenn sie nicht so angewidert wäre von der Vorstellung des Schulgemeinschaftsgeists. Wie ich ist sie Literaturfanatikerin, doch sie liest dunkler, in der zehnten Klasse hat sie Sartre gelesen – *Der Ekel* –, da hat sie auch angefangen Schwarz zu tragen (sogar am Strand), Zigaretten zu rauchen (obwohl sie aussieht wie das gesündeste Mädchen auf weiter Flur) und sich mit ihrer Existenzkrise verrückt zu machen (sogar wenn sie bis in die frühen Morgenstunden abfeierte).

»Lennie, willkommen zurück, meine Liebe«, sagt jemand anders. Mr James, den ich im Stillen Yoda nenne, sowohl aufgrund der äußeren Erscheinung als auch wegen der inneren musikalischen Qualitäten, hat sich am Klavier hingestellt und schaut mit dem gleichen Ausdruck abgrundtiefer Traurigkeit zu mir hinüber, mit dem ich von Erwachsenen in letzter Zeit immer angesehen werde. Ich hab mich dran gewöhnt. »Uns allen tut es so sehr leid.«

»Danke«, sage ich zum hundertsten Mal an diesem Tag. Sarah und Joe sehen mich auch beide an, Sarah mit Sorge, Joe mit einem Grinsen, das von Küste zu Küste der USA reicht. Ob der wohl alle so ansieht? Hat er vielleicht eine Schraube locker? Egal, was es auch sein mag oder was er auch haben mag, es ist ansteckend. Ehe ich weiß, wie mir geschieht, gehe ich bei seinem Von-Küste-zu-Küste-Grinsen mit und erhöhe noch um Puerto Rico bis Hawaii. Ich muss aussehen wie die Lustige Witwe. Tss. Und damit nicht genug, jetzt überlege ich auch noch, wie es wohl sein mag, ihn zu küssen, ihn so richtig zu küssen – uh-oh. Das ist ein Problem, ein völlig neues, überhaupt nicht Lennie-gemäßes Problem, das sich zum ersten Mal (*warum, verdammte Scheiße?!*) auf der Beerdigung bemerkbar machte: Ich versank in Finsternis und plötzlich fingen all diese Typen im Raum an zu leuchten. Freunde von Bailey, vom Job oder vom College, die meisten kannte ich nicht, kamen zu mir und sprachen mir ihr Beileid aus. Ob es nun an meiner Ähnlichkeit mit Bailey lag oder ob sie Mitleid mit mir hatten, ich weiß es nicht, jedenfalls ertappte ich später einige von ihnen dabei, wie sie mich auf so eine hitzige, dringliche Art anschauten. Und ich stellte fest, dass ich ihr Starren auf die gleiche Weise erwiderte, so als wäre ich eine ganz andere; und die Dinge dachte, an die ich vorher kaum gedacht hatte, Dinge, die ich mich schämte, in einer Kirche zu denken und erst recht bei der Beerdigung meiner Schwester.

Dieser vor mir strahlende Junge scheint in einer Klasse für

sich zu strahlen. Er muss aus einem sehr freundlichen Teil der Milchstraße stammen, denke ich, während ich versuche, das durchgeknallte Lächeln auf meinem Gesicht herunterzufahren. Doch dann kann ich nicht an mich halten und sage zu Sarah: »Der sieht aus wie Heathcliff.« Mir ist nämlich gerade aufgegangen, dass das den Nagel auf den Kopf trifft, na ja, vielleicht mal abgesehen von der Sache mit dem glücklichen Lächeln – aber plötzlich wird mir der Teppich unter den Füßen weggezogen und ich knalle auf den kalten, harten Beton des Lebens, denn mir fällt wieder ein, dass ich nach der Schule nicht nach Hause rennen und Bailey von einem neuen Jungen im Orchester erzählen kann.

Meine Schwester stirbt immer und immer wieder, den ganzen Tag lang.

»Len?« Sarah berührt mich an der Schulter. »Geht's?«

Ich nicke und mit meiner Willenskraft zwinge ich den außer Kontrolle geratenen Zug des Kummers, der auf mich zurasen wollte, zu verschwinden.

Hinter uns stimmt jemand die Titelmelodie von »Der Weiße Hai« an. Ich dreh mich um, Rachel Brazile gleitet auf uns zu. »Sehr witzig«, meckert sie den Saxophonisten Luke Jacobus an, der für diese Einlage verantwortlich ist. Er ist nur eines von vielen Orchester-Opfern, die Rachel in ihrem Fahrwasser zurückgelassen hat. Einer von den Jungs, die sich davon haben blenden lassen, dass all dieser hochnäsige Horror in einen spektakulären Körper gestopft ist, um dann noch weiter von großen Rehaugen und Rapunzelhaaren getäuscht zu werden. Sarah und ich sind überzeugt davon, dass Gott ironisch drauf war, als er sie erschaffen hat.

»Wie ich sehe, hast du den Maestro bereits kennen gelernt«, sagt sie zu mir. Ganz beiläufig berührt sie Joes Rücken, als sie auf ihren Platz rutscht – den der ersten Klarinette –, auf dem eigentlich ich sitzen sollte.

Sie öffnet ihren Kasten und fängt an, ihr Instrument zusammenzubauen. »Joe hat am Konservatorium in *Fronce* Unterricht genommen. Hat er dir das erzählt?« Natürlich kann sie nicht *Frankreich* sagen wie normale Sterbliche. Ich spüre, wie sich Sarahs Nackenhaare aufstellen. Sie hat null Toleranz für Rachel, seit die die erste Position an sich gerissen hat. Aber Sarah weiß nicht, was wirklich vorgefallen ist – niemand weiß das.

Rachel schraubt an der Blattschraube ihres Mundstücks, als ob sie die Klarinette erwürgen wollte. »Joe war in deiner Abwesenheit eine *fabelhafte* Zweite«, sagt sie und zieht das Wort *fabelhaft* von hier bis zum Eiffelturm.

Ich speie kein Feuer wie: »Schön, dass alles nach deinen Wünschen gelaufen ist, Rachel.« Ich sage kein Wort, wünsche mir nur, ich könnte mich ganz klein zusammenrollen und wegkullern.

Sarah hingegen sieht aus, als wünschte sie sich ungehinderten Zugriff auf eine Streitaxt.

Inzwischen ist im Raum ein Durcheinander von willkürlichen Tönen und Tonleitern losgebrochen. »Seht zu, dass ihr fertig werdet mit dem Stimmen, wir fangen heute pünktlich an«, ruft Mr James vom Klavier her. »Und nehmt eure Bleistifte zur Hand, ich habe Änderungen am Arrangement vorgenommen.«

»Dann geh ich mal lieber und schlag auf was«, sagt Sarah,

wirft Rachel einen angewiderten Blick zu und zieht mit hoher Nase ab, um auf ihre Pauke zu schlagen.

Rachel zuckt die Achseln, lächelt Joe an – nein, sie lächelt nicht, sie zwinkert: o Scheiße. »Na, ist doch wahr«, sagt sie zu ihm. »Du warst – ich meine, du bist – *fabelhaft.*«

»Ach was.« Er bückt sich und packt seine Klarinette ein. »Ich bin ein Stümper, hab nur den Stuhl warm gehalten. Jetzt kann ich wieder dahin zurück, wo ich hingehöre.« Er zeigt mit seiner Klarinette zu den Hörnern.

»Du bist nur bescheiden«, sagt Rachel und wirft die Märchenlocken über die Stuhllehne. »Du hast *so* viele Farben auf deiner Tonpalette.«

Ich sehe Joe an und erwarte angesichts dieser schwachsinnigen Äußerung, irgendwelche Anzeichen eines innerlichen Stöhnens ausmachen zu können, sehe aber Anzeichen von etwas ganz anderem. Er schenkt auch Rachel ein Lächeln von geografischer Weite. Mein Hals wird ganz heiß.

»Weißt du, ich werde dich vermissen«, sagt sie schmollend.

»Wir sehen uns wieder«, antwortet Joe und erweitert sein Repertoire noch um einen Augenaufschlag. »Nächste Stunde, in Geschichte.«

Ich bin wie in der Versenkung verschwunden, was eigentlich gut ist, denn plötzlich hab ich nicht die geringste Ahnung, was ich mit meinem Gesicht, meinem Körper oder dem zerschmetterten Herz anfangen soll. Ich setze mich auf meinen Platz und stelle fest, dass dieser grinsende, wimpernklimpernde Idiot aus Fronce kein bisschen so aussieht wie Heathcliff. Hab mich geirrt.

Ich mache meinen Klarinettenkasten auf, nehme mein Blatt in den Mund, um es anzufeuchten, beiße es aber stattdessen entzwei.

Um 16.48 an einem Freitag im April
hat meine Schwester die Rolle der Julia geprobt,
kaum eine Minute später
war sie tot.
Zu meinem Erstaunen hielt die Zeit nicht an
mit ihrem Herzschlag.
Leute gingen zur Schule, zur Arbeit, in Lokale,
sie krümelten Cracker in Krabbensuppe,
fürchteten sich vor Prüfungen,
sangen in Autos bei hochgekurbelten Fenstern.
Tagaus, tagein hämmerte der Regen mit Fäusten
auf das Dach unseres Hauses –
ein Beweis für den furchtbaren Fehler,
den Gott gemacht hatte.
Jeden Morgen beim Aufwachen
lauschte ich dem unerbittlichen Hämmern,
schaute durchs Fenster ins Trübe
und war erleichtert,
dass wenigstens die Sonne den Anstand hatte,
sich zum Teufel zu scheren.

(Gefunden auf einem Stück Papier, aufgespießt auf einen tief hängenden Zweig – in der Flying-Man-Schlucht)

3. Kapitel

Der Rest des Tages zieht vorüber wie hinter einer Nebelwand. Vor dem letzten Klingeln schleiche ich mich hinaus und tauche in die Wälder ab. Für den Heimweg will ich nicht die Straße nehmen, will nicht riskieren, irgendjemanden aus der Schule zu treffen, schon gar nicht Sarah, die mir mitgeteilt hat, dass sie, während ich mich versteckt habe, Bücher über Verlust und Trauer gelesen hat und nach Meinung sämtlicher Experten sei es nun Zeit für mich, über das zu reden, was ich durchmache. Aber sie und die Experten – und Grama übrigens auch – kapieren es nicht. Ich kann nicht. Ich brauche ein neues Alphabet, eins, das aus fallender Bewegung besteht, aus Kontinentalverschiebungen, aus tiefer, alles verschlingender Dunkelheit.

Auf meinem Weg durch die Redwood-Bäume saugen meine Schuhe den Regen von Tagen auf. Warum, frage ich mich, geben Hinterbliebene sich überhaupt mit Trauerkleidung ab, wo der Schmerz selbst doch so eine unverkennbare Garderobe bereitstellt? Der Einzige, der heute nichts an mir bemerkt hat – abgesehen von Rachel, die nicht zählt –, war der Neue. Er wird mich immer nur als diese neue, schwesterlose Person kennen.

Ich sehe ein Stück Papier auf dem Boden liegen, das trocken genug ist, um darauf zu schreiben, also setze ich mich auf einen Stein, ziehe den Stift heraus, den ich jetzt immer in der hinteren Hosentasche trage, und kritzele aus der Erinnerung ein Gespräch hin, das Bailey und ich mal hatten. Ich falte den Zettel und vergrabe ihn in der feuchten Erde.

Als ich schließlich aus dem Wald heraus auf die Straße zu unserem Haus trete, überkommt mich Erleichterung. Ich will zu Hause sein, wo Bailey am lebendigsten ist, wo ich sie immer noch sehen kann, wie sie sich aus dem Fenster lehnt, wie ihr das wilde schwarze Haar ums Gesicht weht, wenn sie sagt: »Kommschon, Len, wir gehen runter an den Fluss – und das pronto.«

»He, du.« Tobys Stimme erschreckt mich. Der Junge, mit dem Bailey seit zwei Jahren zusammen war, ist teils Cowboy, teils Skater, ganz Liebessklave meiner Schwester – und in letzter Zeit total von der Bildfläche verschwunden, trotz Gramas vieler Einladungen. »Wir müssen wirklich versuchen, ihn zu erreichen«, sagt sie immer wieder.

Er liegt auf dem Rücken in Gramas Garten, Lucy und Ethel, die rötlichen Hunde der Nachbarn, haben sich schlafend neben ihm ausgestreckt. Im Frühling ist das ein ganz normales Bild. Wenn die Engelstrompeten und der Flieder blühen, hat Gramas Garten etwas absolut Einschläferndes. Nach ein paar Augenblicken inmitten der Blüten finden sich sogar die Energiegeladensten auf dem Rücken liegend beim Wolkenzählen wieder.

»Ich … äh … jäte ein bisschen Unkraut für Grama«, sagt er. Offenbar ist ihm seine Rückenlage peinlich.

»Ja, so was passiert selbst den Besten von uns.« Bei dieser Surfertolle und dem breiten, sonnig-sommersprossigen Gesicht kann die Ähnlichkeit zwischen Mensch und Löwe kaum größer sein. Als Bailey und ich ihm zum ersten Mal begegneten, waren wir straßenlesend unterwegs (in unserer Familie sind wir alle Straßenleser, die paar Leute, die in unserer Straße wohnen, wissen das und schleichen in ihren Autos nach Hause, es könnte schließlich sein, dass einer von uns ganz besonders entrückt draußen herumstrolcht.) Ich hab *Sturmhöhe* gelesen wie üblich und sie las *Bittersüße Schokolade*, ihr Lieblingsbuch, als ein großartiges kastanienbraunes Pferd Richtung Reitweg an uns vorbeitrabte. *Schönes Pferd*, dachte ich und wandte mich wieder Cathy und Heathcliff zu, doch wenige Sekunden später musste ich noch mal aufschauen, denn ich hörte, wie Baileys Buch dumpf auf dem Boden aufschlug.

Sie war nicht mehr an meiner Seite, sondern ein paar Schritte hinter mir stehen geblieben.

»Was hast du?«, fragte ich, als ich meiner plötzlich lobotomisierte Schwester gewahr wurde.

»Hast du diesen Typen gesehen, Len?«

»Welchen Typen?«

»Gott, was ist bloß los mit dir, diesen tollen Typen auf dem Pferd. Es ist, als wäre er meinem Roman entsprungen oder so. Nicht zu fassen, dass du ihn nicht gesehen hast, Lennie.« Ihre Verzweiflung über mein allgemeines Desinteresse an Jungs war ebenso tief wie meine Verzweiflung über ihr allzu spezielles Interesse an ihnen. »Er hat sich umgedreht, nachdem er an uns vorbeigeritten ist, und er hat mich angelächelt – der sah vielleicht gut aus … so wie dieser Revolutionär in diesem Buch.« Sie hob ihr Buch auf und wischte den Dreck vom Einband. »Du weißt schon, der, der Gertrudis auf sein Pferd zieht und sie in einem Anfall von Leidenschaft entführt –«

»Ist ja gut, Bailey.« Ich drehte mich wieder um, las weiter und erreichte schließlich unsere Veranda, wo ich in einen Sessel sank und mich prompt in der rasenden Leidenschaft dieser beiden Menschen auf den englischen Mooren verlor. Am liebsten war mir die Liebe zwischen zwei Buchdeckeln und nicht im Herzen meiner Schwester, wo sie dazu führte, dass Bailey mich monatelang nicht beachtete. Trotzdem schaute ich immer wieder zu ihr hinüber, wie sie am Reitweg auf einem Felsen posierte und so offensichtlich vorgab zu lesen, dass ich nicht glauben konnte, dass sie wirklich Schauspielerin war. Dort blieb sie stundenlang sitzen und wartete auf die Rückkehr ihres Revolutionärs. Der kehrte auch zurück, doch als es endlich so weit war, kam er aus der anderen Richtung und hatte sein Pferd irgendwo gegen ein Skateboard eingetauscht. Es stellte sich heraus, dass er nicht einem Roman entsprungen war, sondern der Clover High, wie wir anderen auch, aber er hing mit den Rancherkids und den Skatern herum, und da Bailey ausschließlich Theaterdiva war, hatten sich ihre Wege bis zu jenem Tag nie gekreuzt. Zu diesem Zeitpunkt spielte es allerdings schon keine Rolle mehr, woher er kam und worauf er sich fortbewegte, denn das Bild von ihm als galoppierender Reiter hatte sich tief in Baileys Psyche eingebrannt und ihr das rationale Denkvermögen geraubt.

Eigentlich bin ich nie Mitglied des Toby-Shaw-Fanklubs gewesen. Weder diese Cowboysache, noch dass er es fertigbrachte, auf seinem Skateboard von einem 180°-Ollie zu einem Fakie-Feeble-Grind überzuleiten, konnten aufwiegen, dass er Bailey dauerhaft in einen Liebeszombie verwandelt hatte.

Das war das eine und dazu kam noch, dass er mich so beachtenswert fand wie eine Ofenkartoffel.

»Alles okay mit dir, Len?«, fragt er aus seiner liegenden Position heraus und holt mich wieder in die Gegenwart zurück.

Aus irgendeinem Grund sage ich die Wahrheit. Ich schüttele den Kopf, hin und her, von Unglauben zu Verzweiflung … und wieder zurück.

Er setzt sich auf. »Ich weiß«, sagt er und ich sehe an diesem verlassenen Ausdruck in seinem Gesicht, dass es wahr ist. Ich will ihm danken, weil er mich nicht zwingt, ein Wort zu sagen, aber mich trotzdem versteht, doch ich schweige weiter, während die Sonne wie mit einer Kanne über unsere wirren Köpfe Hitze und Licht ausgießt.

Er klopft auf das Gras, ich soll mich zu ihm setzen. Irgendwie will ich, bin jedoch zögerlich. Wir waren eigentlich nie ohne Bailey zusammen.

Ich mache eine Kopfbewegung Richtung Haus. »Ich muss nach oben.«

Das ist wahr. Ich möchte zurück ins Allerheiligste, mit vollem Namen: das innerste Kürbisallerheiligste, vor Kurzem von mir so benannt, nachdem Bailey mich davon überzeugt hatte, dass die Wände unseres Zimmers einfach orange sein mussten, ein brüllend unbescheidenes Orange zudem, das seither das Tragen von Sonnenbrillen in unserem Zimmer erforderlich gemacht hatte. Ehe ich diesen Morgen zur Schule gegangen bin, habe ich die Tür bewusst geschlossen und mir gewünscht, eine Barrikade gegen Grama und ihre Pappkartons errichten zu können. Ich will das Allerheiligste so behalten, wie es ist, und das heißt, es soll genau so bleiben, wie es war. Anscheinend glaubt Grama, das bedeutet, *ich hab nicht mehr alle Äste in der Krone*, gramamesisch für *durchgeknallt*.

»Kleine Wicke.« Sie kommt in einem grelllila Kleid mit Gänseblümchenmuster auf die Veranda. In der Hand hält sie einen Pinsel. Zum ersten Mal seit Baileys Tod sehe ich sie wieder mit einem Pinsel. »Wie war dein erster Tag?«

Ich geh zu ihr rüber, atme ihren vertrauten Duft ein, Patchouli, Farbe, Gartenerde.

»War gut«, sage ich.

Sie mustert mein Gesicht genau, so wie sie es tut, wenn sie sich anschickt, es zu zeichnen. Zwischen uns tickt das Schweigen, so wie immer in letzter Zeit. Ich spüre ihre Frustration, spüre, wie sie wünscht, sie könnte mich schütteln wie ein Buch, wie sie hofft, die Wörter würden alle einfach aus mir herausfallen.

»Im Orchester ist ein neuer Junge.«

»Ach, tatsächlich? Was spielt er?«

»Anscheinend alles.« Ehe ich in der Mittagspause in die

Wälder geflüchtet bin, hab ich ihn mit Rachel über den Hof gehen sehen, eine Gitarre schwenkend.

»Lennie, ich hab mir gedacht … es wäre vielleicht jetzt gut für dich, ein echter Trost …« Uh-oh. Ich weiß, worauf das hinausläuft. »Ich meine, als du bei Marguerite Unterricht hattest, konnte ich dir dieses Instrument nicht aus der Hand reißen –«

»Die Dinge ändern sich«, unterbreche ich sie. Dieses Gespräch kann ich jetzt nicht führen. Nicht schon wieder. Ich versuche, an ihr vorbei nach drinnen zu gehen. Ich will einfach nur in Baileys Wandschrank sitzen, an ihre Kleider gedrückt, in dem Duft von Lagerfeuern am Fluss, von Kokossonnenöl, Rosenparfüm – und ihr.

»Hör mal«, sagt sie leise und richtet mit ihrer freien Hand meinen Kragen. »Ich hab Toby zum Essen eingeladen. Er hat offensichtlich nicht mehr alle Äste in der Krone. Geh und leiste ihm Gesellschaft, hilf ihm beim Jäten oder sonst was.«

Wahrscheinlich hat sie zu ihm etwas ganz Ähnliches über mich gesagt, um ihn dazu zu bringen, endlich rüberzukommen, geht mir auf. Würg.

Und dann, ohne weitere Umstände, tupft sie den Pinsel auf meine Nase.

»Grama!« Aber das rufe ich schon ihrem Rücken zu, denn sie ist auf dem Weg zurück ins Haus. Mit der Hand versuche ich, die grüne Farbe abzuwischen. Bailey und ich haben einen großen Teil unseres Lebens so verbracht, ständig wurden wir von Gramas kühnem grünen Pinsel attackiert. Immer nur grün übrigens. Gramas Gemälde bedecken jede Wand im Haus vom Boden bis zur Decke, sie sind hinter

Sofas und Stühlen gestapelt, unter Tischen, in Schränken und jedes einzelne zeugt von ihrer unvergänglichen Hingabe zur Farbe Grün. Sie hat jede Nuance von Limonen- bis Waldgrün und benutzt sie in erster Linie, um ein einziges Motiv zu malen: gertenschlanke Frauen, die halb nach Meerjungfrau, halb nach Marsianerinnen aussehen. »Das sind meine Damen«, hat sie Bailey und mir immer erzählt. »Sie sind halb hier, halb da.«

Ihrer Anweisung folgend lasse ich Klarinettenkasten und Tasche fallen, pflanze mich zwischen einem trägen Toby und den schlafenden Hunden ins warme Gras und helfe »jäten«.

Toby nickt gleichgültig in seinem Blumenkoma. Ich bin eine grünnasige Ofenkartoffel. Toll.

Ich mache mich zur Schildkröte, ziehe die Knie an die Brust und lege den Kopf in die Spalte dazwischen. Mein Blick wandert vom Blauregen, der sich über das Spalier ergießt, zu den Narzissen, die in mehreren Gruppen tratschend im Wind stehen, und es ist eine unbestreitbare Tatsache, dass der Frühling heute seinen Regenmantel abgestreift hat und einfach angeberisch herumstolziert – mir wird ganz übel davon, es ist, als habe die Welt schon vergessen, was uns passiert ist.

»Ich werde ihre Sachen nicht in Kartons packen«, sage ich, ohne nachzudenken. »Niemals.«

Toby rollt sich auf die Seite, er schützt sein Gesicht mit der Hand vor der Sonne, damit er mich sehen kann, und zu meiner Überraschung sagt er: »Natürlich nicht.«

Ich nicke und er nickt zurück, dann lasse ich mich ins

Gras fallen und verschränke die Arme über dem Kopf, damit er nicht sieht, dass ich darunter heimlich ein wenig lächele.

Dann nehme ich meine Umgebung erst wieder wahr, als die Sonne sich hinter einen Berg verzogen hat, und dieser Berg ist Onkel Big, der über uns aufragt. Toby und ich müssen beide eingeschlafen sein.

»Ich fühle mich wie Glinda die Gute Hexe«, sagt Big, »als sie in dem vor Oz gelegenen Mohnfeld auf Dorothy, die Vogelscheuche und zwei Totos herunterschaut.« Ein paar narkotisierende Frühlingsblüten können es nicht mit Bigs Trompetenstimme aufnehmen. »Also, wenn ihr nicht aufwacht, werde ich es wohl auf euch schneien lassen müssen.« Ich grinse benommen zu ihm hoch, sein enormer Schnauzbart sitzt angriffslustig über seiner Oberlippe wie die Große Schrägheitserklärung. An Stelle einer Aktentasche trägt er eine rote Kühltasche bei sich.

»Wie geht die Verteilungsarbeit voran?«, frage ich und tippe mit dem Fuß auf die Kühltasche. Wir haben Schinkenprobleme. Nach der Beerdigung war in Clover offenbar die Losung ausgegeben worden, bei uns zu Haus mit einem Schinken vorbeizuschauen. Schinken waren überall, sie füllten den Kühlschrank, die Gefriertruhe, sie lagen nebeneinander aufgereiht auf den Küchenschränken, hockten in der Spüle und im kalten Backofen. Onkel Big ging an die Tür, wenn die Leute vorbeikamen, um uns ihr Beileid auszusprechen. Ein übers andere Mal konnten Grama und ich seine dröhnende Stimme hören: »O, ein Schinken, wie aufmerksam, danke, kommt doch herein.« Im Laufe der Tage wurde Bigs Reaktion auf die Schinken immer dramatischer – damit wir auch etwas davon hatten. Jedes Mal wenn er ausrief »Ein Schinken!«, sahen Grama und ich uns in die Augen und mussten ein unangemessenes Gekicher unterdrücken.

Jetzt ist es Bigs Mission, dafür zu sorgen, dass auch jeder im Umkreis von 20 Meilen sein tägliches Schinkenbrot bekommt.

Er stellt die Kühltasche auf den Boden ab und reicht mir die Hand, um mir aufzuhelfen. »Möglicherweise wird dies in wenigen Tagen ein schinkenloses Haus sein.«

Als ich stehe, küsst Big meinen Kopf, dann zieht er Toby hoch. Als der steht, nimmt Big ihn in die Arme, und ich beobachte, wie Toby, der selber ziemlich groß ist, in der gewaltigen Umarmung verschwindet. »Wie hältst du dich denn so, Cowboy?«

»Nicht so gut«, gibt er zu.

Big lässt ihn los, behält eine Hand auf seiner Schulter und legt die andere auf meine. Er schaut von Toby zu mir. »Wir kommen nicht drum rum, wir müssen da durch … das gilt für jeden von uns.« Das sagt er wie Moses, also nicken wir beide, als hätte man uns eine große Weisheit anvertraut. »Und dir holen wir jetzt mal ein bisschen Terpentin.« Er zwinkert mir zu. Big ist ein großer Zwinkerer – seine fünf Ehen beweisen das. Nachdem er von seiner geliebten fünften Frau verlassen worden war, hatte Grama darauf bestanden, dass er zu uns zog. Sie sagte: »Euer armer Onkel wird noch verhungern, wenn er noch länger in diesem liebeskranken Zustand verbleibt. Ein trauerndes Herz vergiftet jedes Rezept.«

Das hat sich als wahr erwiesen, zumindest was Grama angeht. Alles, was sie jetzt kocht, schmeckt wie Asche.

Toby und ich folgen Big ins Haus, wo er vor dem Bild seiner Schwester stehen bleibt, meiner verschwundenen Mutter: Paige Walker. Ehe sie vor sechzehn Jahren weggegangen ist, hat Grama ein Porträt von ihr gemalt, das nie vollendet, aber dennoch aufgehängt wurde. Es schwebt über dem Kaminsims im Wohnzimmer, eine halbe Mutter mit langem grünen Haar, das wie Wasser ein unvollendetes Gesicht umspielt.

Grama hat uns immer erzählt, unsere Mutter würde zurückkommen. »Sie kommt wieder«, hat sie immer gesagt, so als wäre Mom Eier kaufen gegangen oder zum Schwimmen an den Fluss. Grama hat das so oft und mit solcher Überzeugung gesagt, dass wir es, ehe wir es besser wussten, lange Zeit nicht infrage gestellt haben. Wir haben nur sehr viel Zeit damit verbracht, auf das Klingeln des Telefons oder der Türklingel zu warten und auf das Eintreffen der Post.

Ich tippe mit meiner Hand ganz sachte an Bigs, der die Halbmutter anstarrt wie jemand, der in ein leises, schwermütiges Gespräch vertieft ist. Er seufzt, legt mir einen Arm und Toby den anderen um und wir trotten alle in die Küche wie ein dreiköpfiger, sechsbeiniger, zehn Tonnen schwerer Trauersack.

Das Abendessen ist – wie nicht anders zu erwarten – ein Schinken-und-Asche-Eintopf, den wir kaum anrühren.

Danach liegen Toby und ich auf dem Fußboden im Wohnzimmer herum, hören Baileys Musik, schauen uns zahllose Fotoalben an und lassen uns mehr oder weniger das Herz in tausend Stücke sprengen.

Ich muss ihn von der anderen Seite des Zimmers her immer wieder heimlich anschauen. Ich sehe beinahe vor mir, wie Bailey um ihn herumstolziert und ihm von hinten die Arme um den Hals schlingt, so wie es ihre Angewohnheit war. Dann hat sie ihm ekelerregend peinliche Sachen ins Ohr geflüstert und er hatte sie auch geneckt und beide haben sie immer so getan, als wäre ich gar nicht da.

»Ich kann Bailey spüren«, sage ich schließlich, das Gefühl ihrer Anwesenheit ist überwältigend. »In diesem Zimmer, bei uns.«

Überrascht schaut er von dem Album auf seinem Schoß auf. »Ich auch. Das denke ich schon die ganze Zeit.«

»Das ist so schön«, sage ich, Erleichterung bricht mit diesen Worten aus mir hervor.

Er lächelt und kneift dabei die Augen zusammen, als würde ihn die Sonne blenden. »Das ist es, Len.« Ich erinnere mich, dass Bailey mir mal erzählt hat, mit Menschen würde Toby nicht besonders viel reden, aber auf der Ranch könne er verschreckte Pferde mit ein paar Worten zur Ruhe bringen. Wie der heilige Franziskus, hab ich zu ihr gesagt, und ich glaube fest daran – das leise Murmeln seiner Stimme ist beruhigend wie Wellen, die bei Nacht an den Strand schwappen.

Ich widme mich wieder den Fotos von Bailey als Wendy in der Peter-Pan-Aufführung der Grundschule von Clover. Keiner von uns erwähnt es noch mal, aber das tröstliche Gefühl von Baileys Nähe verlässt mich den Rest des Abends nicht.

Später stehen Toby und ich vorm Garten und verabschieden uns. Der schwindelerregende, betrunken machende Duft der Rosen umfängt uns.

»War toll, was mit dir zu machen, Lennie, mir geht's besser.«

»Mir auch«, sage ich und pflücke eine Lavendelblüte. »Viel besser, echt.« Ich sage das leise zum Rosenbusch, denn ich bin mir nicht sicher, ob ich will, dass er es hört, aber als ich wieder in sein Gesicht gucke, ist es lieb, seine Löwenzüge wirken weniger ausgewachsen, eher löwenbabyartig.

»Ja«, sagt er und schaut mich an. Seine dunklen Augen glänzen und sind traurig. Er hebt den Arm und eine Sekunde lang denke ich, er will mein Gesicht mit der Hand berühren, aber er fährt sich nur mit den Fingern durch sein Sonnenhaar.

In Zeitlupe gehen wir die paar verbleibenden Schritte bis zur Straße. Sobald wir da angekommen sind, tauchen Lucy und Ethel aus dem Nichts auf und klettern an Toby hoch, der auf die Knie gegangen ist, um ihnen auf Wiedersehen zu sagen. Mit einer Hand hält er das Skateboard, mit der anderen zaust und streichelt er die Hunde, denen er Unverständliches ins Fell flüstert.

»Du bist wirklich der heilige Franziskus, was?« Ich hab was übrig für die Heiligen – für die Wunder, nicht für die Kasteiungen.

»Das wird behauptet.« Ein mildes Lächeln streift über die Weiten seines Gesichts und landet in seinen Augen. »Hauptsächlich von deiner Schwester.« Für den Bruchteil einer Sekunde will ich ihm sagen, dass ich es war, die das gesagt hat, nicht Bailey.

Er beendet sein Abschiednehmen und steht wieder auf. Dann lässt er das Skateboard auf den Boden fallen und stellt den Fuß drauf. Er steigt nicht auf. Ein paar Jahre vergehen.

»Ich geh jetzt mal«, sagt er und geht nicht.

»Mmm«, sage ich. Noch ein paar Jahre ziehen ins Land.

Bevor er endlich auf sein Brett springt, umarmt er mich und wir halten uns unter dem traurigen, sternenlosen Himmel so fest, dass es mir einen Moment lang so vorkommt, als gäbe es hier nur ein gebrochenes Herz, nicht zwei.

Aber dann spüre ich plötzlich etwas Hartes an der Hüfte, ihn, *das. Verdammte Scheiße noch mal!* Schnell weiche ich zurück, sage tschüss und renne wieder ins Haus.

Ich weiß nicht, ob er weiß, dass ich ihn gefühlt habe.

Ich weiß gar nichts.

Jemand aus Baileys Theaterkurs
rief Bravo am Ende der Trauerfeier
und alle sprangen auf
und klatschten.
Ich weiß noch, ich dachte, das Dach würde abheben
vom Donner unserer Hände.
Dass Trauer ein Raum war
voll hungrig verzweifeltem Licht.
Wir klatschten für neunzehn Jahre
einer Welt mit Bailey darin,
hörten nicht auf zu klatschen,
als die Sonne sank, der Mond aufging,
als all diese Leute in unser Haus strömten,
mit Essen und wahnsinnigem Kummer.
Hörten nicht auf zu klatschen
bis zum Morgengrauen,
als wir die Tür
hinter Toby schlossen,
der seinen traurigen Heimweg vor sich hatte.
Wir müssen uns von diesem Fleck bewegt haben,
müssen uns gewaschen, geschlafen
müssen gegessen haben
aber in meinem Kopf verharrten Grama, Onkel Big und ich
so
wochenlang
starrten auf die geschlossene Tür
mit nichts in den Händen
als Luft.

(Gefunden auf einem aus einem Heft gerissenen Blatt Papier, das die Main Street hinunterwehte)

4. Kapitel

Folgendes geschieht nach Joe Fontaines erstem Trompetensolo im Orchester: Als Erste bin ich hin, ohnmächtig sinke ich gegen Rachel, die Cassidy Rosenthal anstößt, die auf Zachary Quittner kippt, der auf Sarah fällt, die gegen Luke Jacobus taumelt … bis wir alle in einem benommenen Haufen auf dem Boden liegen. Dann hebt sich das Dach, die Wände stürzen ein, und mit einem Blick aus dem Fenster stelle ich fest, dass sich nicht weit von uns eine Gruppe Mammutbäume entwurzelt hat, über den Hof kommt und auf den Musikraum zuhält, eine Bande riesiger hölzerner Männer klatscht die Zweige aneinander. Zu guter Letzt tritt der Rain River über seine Ufer und windet sich nach links und nach rechts, bis er dann den Weg in den Musiksaal der Clover High findet, wo er uns alle davonträgt – *so* gut ist er.

Wir musikalisch Normalsterbliche hingegen müssen uns erst berappeln, um das Stück zu beenden, das tun wir auch, doch als wir am Ende der Probe unsere Instrumente einpacken, ist es im Saal still wie in einer leeren Kirche.

Schließlich erlangt Mr James, der Joe angestarrt hat, als wäre er ein Pfau, die Sprache wieder und sagt: »So, so. Um es mal mit euren Worten zu sagen: schöne Scheiße.« Alle lachen. Ich drehe mich um, denn ich will sehen, wie Sarah es fand. Unter einer riesigen Rastamütze ist nur so gerade eben ein Auge zu erkennen. *Oberhammergeil* lese ich von ihren Lippen ab. Ich schaue rüber zu Joe. Er wischt seine Trompete ab und er ist rot geworden, ob wegen der Reaktion oder wegen des Spielens weiß ich nicht genau. Er schaut hoch, fängt meinen Blick und hebt dann erwartungsvoll die Augenbrauen, beinahe so, als wolle er mir zu verstehen geben, dass der Sturm, der da eben aus seiner Trompete gekommen ist, für mich war. Aber warum sollte das so sein? Und warum erwische ich ihn immer wieder dabei, wie er mich beim Spielen beobachtet? Das ist kein Interesse, also, damit will ich sagen, nicht *so* ein Interesse, das merke ich. Er beobachtet mich wie ein Forschungsobjekt, intensiv, so wie Marguerite im Unterricht, wenn sie zu ergründen versuchte, was in aller Welt ich falsch machte.

»Daran brauchst du nicht mal zu denken«, sagt Rachel, als ich mich wieder umdrehe. »Auf diesem Trompeter steht mein Name. Abgesehen davon ist der eine Nummer zu groß für dich, Lennie. Denn wann hast du denn das letzte Mal einen Freund gehabt? Ach so, ja, nie.«

Ich denke daran, ihr die Haare in Brand zu stecken.

Ich denke an mittelalterliche Foltergeräte: insbesondere das Streckbrett.

Ich denke daran, ihr zu erzählen, was letztes Jahr im

Herbst beim Vorspiel für die erste Klarinette tatsächlich passiert ist.

Stattdessen ignoriere ich sie, wie ich sie das ganz Jahr ignoriert habe, wische meine Klarinette ab und wünsche, ich hätte tatsächlich nur Joe Fontaine im Kopf und nicht das, was mit Toby vorgefallen ist. Wenn ich dieses Gefühl wieder wachrufe, wie er sich an mich presst, rasen jedes Mal Schauer durch meinen Körper. Das ist ganz bestimmt nicht die angemessene Reaktion auf den Steifen vom Freund deiner Schwester! Und was noch schlimmer ist, in meiner ganz privaten Gedankenwelt mache ich mich nicht wie im wirklichen Leben von ihm los, sondern bleibe bei ihm, umschlungen von seinen Armen unter dem ruhigen Himmel – und mir wird heiß vor Scham.

Ich klappe meinen Klarinettenkasten zu und wünsche mir, mit diesen Gedanken an Toby ebenso verfahren zu können. Ich schaue mich um – die anderen Blechbläser haben sich um Joe geschart, als ob der Zauber ansteckend wäre. Seit dem ersten Tag nach meiner Rückkehr habe ich kein Wort mit ihm gewechselt. Mit jemand anderem in der Schule eigentlich auch nicht. Nicht mal mit Sarah.

Mr James klatscht in die Hände, um sich die Aufmerksamkeit des Orchesters zu verschaffen. Mit seiner aufgeregten, knarzigen Stimme redet er über die Proben des Sommerorchesters, denn in knapp einer Woche ist die Schule zu Ende. »Für diejenigen, die hier sind: Wir werden proben, im Juli fangen wir an. Wer kommt, wird mitbestimmen, was wir spielen. Ich denke da an Jazz« – er schnippt mit den Fingern wie ein Flamencotänzer – »vielleicht ein bisschen heißen spanischen Jazz, aber ich bin offen für Vorschläge.«

Er hebt die Arme wie ein Prediger vor der Gemeinde. »Findet den Rhythmus, meine Freunde, und haltet ihn.« Damit beendet er jede Probe. Doch nach einer Weile klatscht er noch einmal in die Hände. »Hätte ich fast vergessen: Diejenigen, die vorhaben, nächstes Jahr für die All-State vorzuspielen, mögen bitte die Hand heben.« O nein. Ich lasse meinen Bleistift fallen und bücke mich, um eine eventuelle Blick-Kollision mit Mr James zu vermeiden. Als ich nach meiner sorgfältigen Inspektion des Fußbodens wieder auftauche, vibriert mein Telefon in der Hosentasche. Ich drehe mich zu Sarah um, deren sichtbares Auge aus der Höhle zu treten scheint. Heimlich hole ich mein Handy hervor und lese ihre SMS.

Warum hast du nicht die Hand gehoben???

Beim Solo musste ich an dich denken – an diesen Tag!

Kommst du rüber heut Abend???

Ich gebe ihr Zeichen: *Kann nicht.*

Sie nimmt einen ihrer Schlagstöcke und mimt eindrucksvoll, dass sie ihn sich mit beiden Händen in den Bauch rammt. Ich weiß, dass hinter dem Harakiri die Wunde immer größer wird, doch ich weiß nicht, was ich dagegen machen soll. Zum ersten Mal in unserem Leben bin ich an einem Ort, den sie nicht finden kann, und ich hab keine Karte für sie.

Schnell packe ich meine Sachen zusammen, damit ich ihr aus dem Weg gehen kann, was leicht ist, weil Luke Jacobus sie in eine Ecke getrieben hat, und dabei überfällt mich die

Erinnerung an den Tag, den sie erwähnt hat. Das war am Anfang unseres ersten Oberstufenjahres, wir hatten beide die Aufnahmeprüfung ins Orchester geschafft. Mr James, besonders frustriert über uns alle, war auf einen Stuhl gesprungen und hatte gebrüllt: »Was ist denn bloß los mit euch, Leute? Ihr denkt, ihr seid Musiker? Ihr müsst euren Arsch in den Wind halten!« Dann hatte er gesagt: »Kommt, mir nach. Diejenigen, die das können, nehmen ihre Instrumente mit.«

Im Gänsemarsch verließen wir den Musiksaal, liefen den Pfad zum Wald hinunter, wo der Fluss rauschte und röhrte. Wir blieben alle am Ufer stehen, während er auf einen Felsen kletterte, um uns eine Ansprache zu halten.

»So, nun hört, lernt und dann spielt, spielt einfach nur. Macht Krach. Macht irgendwas. Macht Musiiiiiiiik.« Dann fing er an, den Fluss zu dirigieren, den Wind, die Vögel in den Bäumen wie ein absoluter Vollidiot. Nachdem wir unseren hysterischen Anfall hinter uns hatten und uns wieder beruhigten, fing von denen, die Instrumente mitgebracht hatten, einer nach dem anderen an zu spielen. Unglaublich, ich war eine der Ersten, und nach einer Weile vermischten sich Fluss, Wind und Vögel mit Klarinetten, Flöten und Oboen zu einem gloriosen kakofonischen Getümmel und Mr James leitete seine Aufmerksamkeit vom Wald wieder auf uns um, sein Körper wiegte sich, seine Arme fuchtelten nach links und rechts und er sagte: »Das ist es, das ist es. *Das ist es!*«

Und das war es.

Nachdem wir wieder in den Musiksaal zurückgegangen

waren, kam Mr James zu mir und gab mir die Visitenkarte von Marguerite St. Denis. »Ruf sie an«, sagte er. »Sofort.«

Ich denke an Joes virtuosen Auftritt heute und spüre es in meinen Fingern. Ich balle sie zu einer Faust. Was immer es war, was immer diese Sache war, die Mr James uns an diesem Tag im Wald entdecken lassen wollte, ob Hemmungslosigkeit oder Leidenschaft, Innovation oder einfach Mut, Joe hat es.

Er hat den Arsch im Wind. Meiner ist auf dem Stuhl der zweiten Klarinette.

5. Kapitel

Lennie?
Mmmh?
Bist du noch wach?
Mmm.
Wir haben es getan.
Was getan?
Toby und ich haben es getan. Sex, letzte Nacht.
Ich dachte, das hättet ihr längst getan, so 10.000 Mal.
Nee.
Aha.
Es war unglaublich.
Glückwunsch auch.
Mann, warum kannst du dich nie für mich freuen,
dass ich Toby habe?
Weiß nicht.
Was ist? Bist du eifersüchtig?
Weiß nicht … sorry.
Schon okay. Vergiss es, schlaf jetzt.
Red doch drüber, wenn du willst.
Ich will nicht mehr.
Okay.
Okay.

(Gefunden auf einem Pappbecher am Ufer des Rain River)

Ich weiss, er ist es, und wünschte, ich wüsste es nicht. Würde ich doch an irgendwen, nur nicht gleich an Toby denken, wenn ich das Ping eines Kieselsteins an der Fensterscheibe höre. Ich sitze in Baileys Wandschrank, schreibe ein Gedicht an die Wand und versuche, die Panik im Zaum zu halten, die in meinem Körper herumsaust wie ein gefangener Komet.

Ich ziehe Baileys Bluse aus, die ich über meine gezogen habe, packe den Türknauf und katapultiere mich wieder zurück ins Allerheiligste. Auf dem Weg zum Fenster drücken sich meine nackten Füße in die drei im Raum verteilten, platt getretenen blauen Läufer, Stücke vom Himmelsblau, die Bailey und ich jahrelang in halsbrecherischen Tanzwettbewerben in Grund und Boden gestampft haben, wenn wir einander an Albernheit zu übertreffen versuchten, ohne dabei selber eine Miene zu verziehen. Ich hab immer verloren, denn Bailey verfügte über Waffen wie das *Frettchengesicht*, welches in Kombination mit ihren meisterhaften *Monkey Moves* absolut tödlich war. Wenn sie diese Nummer abzog (was mehr Beherrschung abverlangte, als ich je aufbringen konnte), war ich zum Scheitern verurteilt und endete unweigerlich als hilfloses Häuflein Hysterie auf dem Boden.

Ich lehne mich über die Fensterbank und sehe, wie nicht anders erwartet, Toby unter einem fast vollen Mond. Die Meuterei in meinem Inneren habe ich nicht erfolgreich unterdrücken können. Ich atme tief durch, dann gehe ich nach unten und öffne die Tür.

»Hey, was ist los?«, sage ich. »Alle schlafen.« Meine Stimme krächzt, unbenutzt, mir könnten Fledermäuse aus dem Mund fliegen. Ich betrachte ihn eingehend unter der Verandalampe. In seinem Gesicht rast der Kummer. Als würde ich in einen Spiegel gucken.

»Ich dachte, wir könnten vielleicht ein bisschen rumhängen«, sagt er. Und in meinem Kopf hör ich nur: *Latte, Latte, Erektion, Steifer, Hammer, Ständer, Latte, Latte, Latte* – »Ich muss dir was erzählen, Len, weiß nicht, wem ich's sonst erzählen soll.« Das Dringliche in seiner Stimme rast durch mich hindurch wie ein Schaudern. Die rote Warnleuchte über seinem Kopf könnte nicht greller aufblitzen, aber ich kann trotzdem nicht Nein sagen, will es nicht.

»Treten Sie ein, Sir.«

Er berührt meinen Arm im Vorbeigehen auf eine freundliche, brüderliche Art, die mich entspannt. Vielleicht kriegen Jungs ja immerzu Steife, aus keinem besonderen Grund – ich hab ja null Ahnung vom Latten-Abc. Bis jetzt hab ich nur drei Jungs geküsst, bin also total unerfahren mit real existierenden Jungs, allerdings Expertin, wenn es um die in Büchern geht, besonders Heathcliff, der keine Erektionen kriegt – Moment mal, wenn ich so darüber nachdenke … dann muss er *andauernd* welche kriegen mit Cathy auf den Mooren. Heathcliff muss doch ein total ausgetickter Ständertyp sein.

Ich mache die Tür hinter Toby zu und bedeute ihm, still zu sein, während er mir die Treppe hinauf zum Allerheiligsten folgt, das schallisoliert ist, um den Rest des Hauses vor Jahren jaulender Klarinettentöne zu schützen. Grama würde einen Infarkt kriegen, wenn sie wüsste, dass er mich vor einem Schultag gegen zwei Uhr nachts besucht. *Egal, welche*

Nacht, Lennie. Das hat sie ganz bestimmt nicht im Sinn gehabt, als sie ihn erreichen wollte.

Sobald die Tür des Allerheiligsten geschlossen ist, lege ich die Indie-Selbstmordmusik auf, die ich in letzter Zeit immer höre, und setze mich neben Toby auf den Boden, mit unseren Rücken an der Wand, die Beine sind ausgestreckt. Schweigend lehnen wir da wie zwei Steinplatten. Mehrere Jahrhunderte gehen ins Land.

Als ich es nicht mehr aushalte, mache ich einen Witz: »Möglicherweise hast du dieses Ding mit dem starken, stillen Typen doch zu weit getrieben.«

»O, sorry.« Verlegen schüttelt er den Kopf. »Ich merk nicht mal mehr, dass ich es tu.«

»Was tust?«

»Nicht reden …«

»Echt. Was denkst du denn, was du tust?«

Er legt den Kopf zur Seite, lächelt schief und anbetungswürdig. »Ich wollte auf Eiche machen, so wie die da unten im Garten.«

Ich lache. »Dann war das sehr gut, du bringst die perfekte Eichenimitation.«

»Danke … glaub, ich hab Bailey verrückt gemacht mit meinem Schweigen.«

»Neenee, sie mochte das, hat sie mir erzählt. Weniger Anlässe, nicht einer Meinung zu sein … plus mehr Bühnenzeit für sie.«

»Stimmt.« Er schweigt eine Weile, dann sagt er mit einer Stimme, die zittrig ist vor Gefühlen: »Wir waren so verschieden.«

»Ja«, sage ich leise. Diametrale Gegensätze, Toby immer heiter und ruhig (wenn nicht zu Pferd oder zu Brett), während Bailey alles auf einmal machte: gehen, reden, denken, lachen, feiern – und zwar mit Lichtgeschwindigkeit und mit dem entsprechenden Leuchten.

»Du erinnerst mich an sie …«, sagt er.

Ich will herausplatzen: *Was? Du hast dich immer so verhalten, als wäre ich eine Ofenkartoffel!* Aber stattdessen sage ich: »Kann nicht sein, ich hab nicht diese Strahlkraft.«

»Du hast jede Menge … ich hab da ernsthafte Defizite«, sagt er und klingt ganz erstaunlich nach Kartoffel.

»Für sie nicht«, sage ich. Sein Blick erwärmt sich – und das bringt mich um. Wo bleiben wir nur mit all dieser Liebe?

Ungläubig schüttelt er den Kopf. »Ich hab Glück gehabt. Dieses Schokoladenbuch …«

Das Bild fällt mich an: Bailey, wie sie vom Stein springt, an dem Tag, an dem sie sich begegnet sind, als Toby auf seinem Brett zurückkam. »Ich wusste, du würdest zurückkommen!«, hatte sie gerufen und das Buch in die Luft geworfen. »Genau wie in dieser Geschichte. Ich hab es gewusst!«

Ich habe das Gefühl, in Tobys Kopf läuft derselbe Tag noch einmal ab, denn unsere höfliche Ungezwungenheit ist kreischend zum Stillstand gekommen – all diese Vergangenheitsformen in unseren Sätzen türmen sich plötzlich auf, als wollten sie uns erdrücken.

Ich sehe die Verzweiflung über sein Gesicht kriechen, so wie sie vermutlich auch über meines kriecht.

Ich schaue mich um in unserem Zimmer, das jubilierende Orange, das wir über das schlafmützige Blau geklatscht haben, das wir jahrelang hatten. Bailey hatte gesagt: »Wenn das nicht unser Leben ändert, dann weiß ich auch nicht, was es tun wird. Dies, Lennie, ist die *Farbe Außergewöhnlich.*« Ich erinnere mich noch, wie ich dachte, ich möchte nicht, dass unser Leben sich ändert, und ich habe nicht verstanden, warum sie das wollte. Ich erinnere mich noch, wie ich dachte, dass ich das Blau immer gemocht hatte.

Ich seufze. »Ich bin echt froh, dass du aufgetaucht bist, Toby. Ich hatte mich in Baileys Schrank versteckt und mich stundenlang zum Wahnsinn getrieben.«

»Gut. Dass du froh bist, mein ich, ich wusste nicht, ob ich dich nerven sollte, aber ich konnte auch nicht schlafen … hab so irre Sachen auf dem Brett gemacht, dass ich mich hätte umbringen können, dann bin ich hier gelandet und hab eine Stunde unter dem Pflaumenbaum gesessen und versucht zu entscheiden …«

Das volle Timbre von Tobys Stimme lenkt meine Aufmerksamkeit plötzlich auf die andere Stimme im Raum, der Sänger, der aus dem Lautsprecher grölt, klingt bestenfalls wie jemand, dem es gerade an die Gurgel geht. Ich stehe auf, um etwas Melodischeres aufzulegen, als ich mich dann wieder hinsetze, vertraue ich ihm an: »In der Schule kapiert es niemand, nicht wirklich, nicht mal Sarah.«

Er legt den Kopf an die Wand. »Weiß nicht, ob es möglich ist, so was zu verstehen, wenn man nicht drinsteckt wie wir. Ich hatte keine Ahnung …«

»Ich auch nicht«, sage ich und mit einem Mal will ich Toby drücken, weil ich so erleichtert bin, dass ich heute Nacht nicht mehr so allein drinstecken muss.

Er schaut auf seine Hände runter, seine Stirn ist gefurcht, als würde er darum ringen, wie er etwas ausdrücken soll. Ich warte.

Und warte.

Ich warte hier immer noch. Wie hat Bailey diese Funkstille durchgestanden?

Als er aufschaut, ist sein Gesicht voller Mitgefühl, ganz Löwenjunges. Die Worte sprudeln aus ihm hervor, eins aufs andere. »Dass Schwestern sich so nahestehen können, hab ich gar nicht gewusst … Es muss furchtbar für dich sein, Lennie. Es tut mir so leid. Immerzu denke ich daran, wie es ohne sie für dich sein mag.«

»Danke«, flüstere ich. Und ich meine es auch so und ganz plötzlich will ich ihn berühren, mit meiner Hand über seine Hand streichen, die nur ein paar Zentimeter von mir entfernt auf seinem Schenkel liegt.

Ich schaue schnell zu ihm rüber, er sitzt so dicht neben mir, dass ich sein Shampoo rieche, und ein verstörender, entsetzlicher Gedanke setzt sich in mir fest: Er sieht wirklich gut aus, erschreckend gut. Wie kann es sein, dass ich das nie bemerkt habe?

Das kann ich beantworten: Er ist Baileys Freund, Lennie. Was ist eigentlich los mit dir?

Liebe Gedanken, schreibe ich mit dem Finger auf meine Jeans, *benehmt euch*.

Tut mir leid, flüstere ich Bailey in meinem Kopf zu, ich

wollte nicht auf diese Art an Toby denken. Und ich versichere ihr, dass es nicht wieder vorkommen wird.

Aber er ist der Einzige, der es versteht, füge ich hinzu. O Scheiße.

Nach einer wortlosen Weile holt er eine Flasche Tequila aus der Jackentasche und schraubt sie auf.

»Willst du was?«, fragt er. Na toll, das wird helfen.

»Klar.« Ich trinke äußerst selten, aber vielleicht wird es helfen, vielleicht wird es mir diesen Wahnsinn austreiben. Ich greife nach der Flasche und unsere Finger berühren sich dabei einen Augenblick zu lang, als ich sie nehme. Das bilde ich mir nur ein, beschließe ich, setze die Flasche an die Lippen, nehme einen kräftigen Schluck und spucke alles ganz entzückend wieder über uns aus. »Igitt, ist das widerlich.« Mit dem Ärmel wische ich mir über den Mund. »Puh.«

Er lacht, streckt die Arme aus und zeigt mir, wie ich ihn zugerichtet habe. »Ist gewöhnungsbedürftig.«

»Sorry«, sage ich. »Wusste gar nicht, dass das so eklig ist.«

Als Antwort prostet er mit der Flasche in die Luft und nimmt dann einen Schluck. Ich bin fest entschlossen, es noch einmal zu versuchen, ohne im hohen Bogen auszuspucken. Ich greife nach der Flasche, setze sie an die Lippen und lasse die Flüssigkeit meine Kehle hinunterbrennen, danach nehme ich gleich noch einen Schluck, einen größeren.

»Sachte«, sagt Toby und zieht mir die Flasche weg. »Ich muss dir was erzählen, Len.«

»Okay.« Ich genieße die Wärme, die über mich gekommen ist.

»Ich hatte Bailey gefragt, ob sie mich heiratet …« Das sagt er so schnell, dass ich es nicht gleich mitkriege. Er schaut mich an und versucht meine Reaktion darauf einzuschätzen. Die ist: Was zum Geier soll das, verdammt noch mal!

»Dich heiraten? Ist das ein Witz?« Sicher nicht die Reaktion, die er sich gewünscht hat, aber ich bin wie vom Schlag gerührt, er könnte mir ebenso gut eröffnet haben, er plane eine Karriere als Feuerschlucker. Die beiden waren erst neunzehn und Bailey hatte eine tief verwurzelte Ehephobie.

»Was hat sie gesagt?« Ich fürchte mich vor der Antwort.

»Sie hat Ja gesagt.« Das sagt er mit ebenso viel Hoffnung wie Hoffnungslosigkeit, die Verheißung lebt noch in ihm. *Sie hat Ja gesagt.* Ich nehme den Tequila, kippe, schmecke nichts und spüre auch das Brennen nicht. Mich verblüfft, dass Bailey das gewollt hat, es verletzt mich, dass sie es gewollt hat, es verletzt mich tief, dass sie es mir nie erzählt hat. Ich muss wissen, was sie gedacht hat, und kann nicht fassen, dass ich sie nicht fragen kann. Nie mehr. Ich schaue Toby an, sehe die Ernsthaftigkeit in seinen Augen, die wie ein weiches kleines Tier ist.

»Es tut mir leid, Toby.« Ich versuche, meine Ungläubigkeit und meine verletzten Gefühle zu deckeln, komme dann aber doch nicht dagegen an. »Ich weiß nicht, warum sie mir das nicht erzählt hat.«

»Wir wollten es euch allen in der Woche darauf erzählen. Ich hatte nur gebeten …« Wie er dieses *wir* benutzt, das große *wir*, das waren immer Bailey und ich gewesen, nicht

Bailey und Toby. Plötzlich fühle ich mich von einer Zukunft ausgeschlossen, die nicht mal stattfinden wird.

»Aber was sollte aus ihrer Schauspielerei werden?«, sage ich statt: *Und was sollte aus mir werden*?

»Sie hat gespielt …«

»Jaja, aber …« Ich sehe ihn an. »Du weißt, was ich meine.« Und dann sehe ich an seinem Gesichtsausdruck, dass er überhaupt nicht weiß, was ich meine. Klar, manche Mädchen träumen von Hochzeiten, aber Bailey hat von der Juilliard geträumt, der Juillard School in New York City. Ich hab mir mal im Netz die Leitlinie von denen angesehen: *Eine künstlerische Ausbildung von größtem Format für begabte Musiker, Tänzer und Schauspieler aus aller Welt zu bieten, sodass sie ihr volles Potenzial als Künstler, Leitende und Weltbürger entfalten können.*

Schon wahr, nach der Ablehnung hat sie sich im letzten Herbst an der Clover-State-Uni immatrikuliert und in keinem anderen College beworben, aber ich war mir sicher gewesen, dass sie es noch einmal versuchen würde. Denn, mal ehrlich, wie könnte sie das nicht tun? Das war ihr Traum.

Wir lassen das Thema fallen. Der Wind ist stärker geworden und fängt an, im Haus zu klappern. Ich spüre, wie mich Kälte packt und ziehe mir eine Wolldecke vom Schaukelstuhl, die ich mir über die Beine lege. Nach dem Tequila fühlt es sich an, als ob ich zu nichts zerschmelze, das will ich auch, ich will verschwinden. Ich hab das dringende Verlangen, die ganze orange Wand vollzuschreiben. Ich brauche ein Alphabet von aus Büchern herausgerissenen Enden, von aus Uhren gerupften Zeigern, von kalten Steinen, von Schuhen, in denen nur der Wind allein steckt. Ich lasse den Kopf auf Tobys Schulter fallen. »Wir sind die traurigsten Menschen der Welt.«

»Jap«, sagt er und drückt einen Augenblick lang mein Knie. Ich ignoriere die Schauer, die mich durchlaufen. *Sie wollten heiraten.*

»Wie werden wir das schaffen?«, sage ich leise. »Tag für Tag für Tag ohne sie ...«

»O, Len.« Er dreht sich zu mir, streicht mit der Hand das Haar um mein Gesicht herum glatt.

Ich warte darauf, dass er seine Hand zurückzieht, sich wieder umdreht, aber das tut er nicht. Weder die Hand noch den Blick nimmt er von mir. Die Zeit läuft langsamer. Irgendetwas verändert sich im Raum – zwischen uns. Ich schaue in seine kummervollen Augen und er in meine und ich denke, *sie fehlt ihm ebenso sehr wie mir*, und da küsst er mich. Sein Mund: weich, heiß, so lebendig, ich muss aufstöhnen. Ich wünschte, ich könnte sagen, ich würde zurückweichen, aber das tu ich nicht. Ich erwidere seinen Kuss und ich will nicht aufhören, weil es sich in diesem Augenblick so anfühlt, als hätten Toby und ich irgendwie gemeinsam die Zeit überwunden und Bailey zu uns zurückgeholt.

Er macht sich los und springt auf. »Ich versteh das nicht.«

Er ist in so was wie einer Instant-Panik – nur noch Wasser hinzufügen – und läuft im Zimmer auf und ab.

»Gott, ich sollte gehen, ich sollte jetzt *wirklich* gehen.«

Aber er geht nicht. Er setzt sich auf Baileys Bett, schaut zu mir rüber und seufzt, als ob er vor einer unsichtbaren Macht kapitulieren würde. Er sagt meinen Namen und seine

Stimme ist so heiser und hypnotisch, dass sie mich vom Boden hoch und über Meilen von Scham und Schuld hinwegzieht. Ich will nicht zu ihm gehen, doch ich will auch zu ihm. Ich habe keine Ahnung, was ich tue, aber trotzdem gehe ich durchs Zimmer, ein wenig schwankend wegen des Tequila, bis an seine Seite. Er nimmt meine Hand und zieht sanft daran.

»Ich will einfach in deiner Nähe sein«, flüstert er. »Nur dann sterbe ich nicht, weil ich sie so vermisse.«

»Geht mir genauso.« Mit dem Finger streiche ich über die Sommersprossen auf seiner Wange. Erst steigen ihm Tränen in die Augen, bald auch mir. Ich setze mich neben ihn, dann legen wir uns auf Baileys Bett, wie Löffel aneinandergeschmiegt. Ehe ich in seinen starken, schützenden Armen einschlafe, ist mein letzter Gedanke, dass wir hoffentlich nicht mit unseren Gerüchen die letzten Überreste von Baileys eigenem Duft auslöschen, der noch am Bettzeug haftet.

Dann wache ich wieder auf, Auge in Auge mit ihm, unsere Körper sind aneinandergepresst, unser Atem vermischt sich. Er sieht mich an.

»Du bist schön, Len.«

»Nein«, sage ich. Dann würge ich ein Wort heraus. »Bailey.«

»Ich weiß«, sagt er. Aber er küsst mich dennoch. »Ich kann nichts dagegen machen.«

Er flüstert mir genau in den Mund.

Ich kann auch nichts dagegen machen.

Wenn

Doch

Mein

Schatten

Aufstehen

Und

Neben

Mir

Her

Gehen

Würde

(Gefunden auf der Rückseite eines Französischtests in einem Pflanzkübel der Clover High)

6. Kapitel

Es waren einmal zwei Schwestern,
die sich dasselbe Zimmer teilten,
dieselben Kleider,
dieselben Gedanken im selben Moment.
Diese beiden Schwestern hatten keine Mutter
aber sie hatten einander.
Die ältere Schwester ging der jüngeren voran,
sodass die jüngere immer wusste, wohin sie gehen sollte.
Die ältere nahm die Jüngere mit zum Fluss,
wo sie sich auf dem Rücken treiben ließen
wie tote Männer.
Das ältere Mädchen sagte manchmal:
Tauch den Kopf ein Stück unter Wasser,
und dann mach die Augen auf und schau hoch in die Sonne.
Darauf sagte das jüngere Mädchen:
Dann kriege ich Wasser in die Nase.
Darauf die Ältere:
Nun komm, tu's.
Und das jüngere Mädchen tat es
Und ihre ganze Welt war lichterfüllt.

(Gefunden auf einer Heftseite, die sich in einem Zaun auf dem Bergrücken verfangen hatte)

JUDAS, BRUTUS, BENEDICT Arnold und ich.

Und das Schlimmste ist, wenn ich meine Augen zumache, sehe ich jedes Mal wieder Tobys Löwengesicht vor mir, seine Lippen nur einen Hauch von mir entfernt ... Ein Schauer durchläuft mich von Kopf bis Fuß, und das sind nicht die Schuldgefühle, die ich eigentlich haben sollte, das ist Verlangen. Sobald ich dann die Vorstellung zulasse, wie wir uns küssen, sehe ich, wie Baileys Gesicht sich schockiert und betrogen verzerrt, als sie uns von oben beobachtet: Ihr Freund, ihr *Verlobter* küsst ihre verräterische kleine Schwester *auf ihrem eigenen Bett.* Uah! Die Scham bewacht mich wie ein Hund.

Ich befinde mich im selbst verhängten Exil, wiege mich im Wald hinter der Schule in einer Astgabel meines Lieblingsbaumes. Hierher komme ich jeden Tag in der Mittagspause und verstecke mich bis zum Klingeln der Schulglocke, ritze mit meinem Stift Wörter in die Zweige und erlaube meinem Herzen, im Verborgenen zu zerbrechen. Ich kann nichts verstecken, jeder in der Schule kann mir bis auf die Knochen schauen.

Ich lange in die braune Tüte, die Grama für mich gepackt hat, da knacken unter mir Zweige. Uh-oh. Ich schaue runter und da ist Joe Fontaine. Ich erstarre. Er soll mich nicht entdecken: Lennie Walker, Irrenhauspatientin, die in einem Baum zu Mittag isst (man muss schon irre sein, wenn man sich in einem Baum versteckt). Er dreht wirre Kreise unter mir, als würde er jemanden suchen. Ich atme kaum, aber er geht nicht weiter, sondern lässt sich rechts von meinem Baum nieder. Dann raschele ich ungewollt mit der Tüte, er schaut hoch, sieht mich.

»Hi«, sage ich, so, als gäbe es keinen normaleren Ort zum Mittagessen.

»He, da bist du ja –« Er hält inne, versucht eine Erklärung zu liefern. »Ich hab mich gefragt, was hier wohl ist …« Er schaut sich um. »Der perfekte Ort für ein Pfefferkuchenhaus oder vielleicht eine Opiumhöhle.«

»Du hast dich bereits verraten«, sage ich und staune über meine eigene Kühnheit.

»Okay, schuldig im Sinne der Anklage. Ich bin dir gefolgt.« Er lächelt mich an, dieses Lächeln, wow, kein Wunder, dass ich dachte –

Er fährt fort: »Und ich kann erraten, dass du allein sein möchtest. Wahrscheinlich bist du nicht so weit gelaufen und dann auf einen Baum geklettert, weil du dich nach einer Unterhaltung verzehrst.« Hoffnungsvoll schaut er mich an. Er bezaubert mich, sogar in meinem erbärmlichen emotionalen Zustand, meinen Tobytumulten und obwohl Cruella de Vil Anspruch auf ihn erhebt.

»Willst du hochkommen?« Ich biete ihm einen Ast an und er springt in etwa drei Sekunden den Baum hoch, findet gleich neben mir einen passenden Platz und klimpert mich mit seinen Wimpern an. Diese Gabe mit dem Wimpernplinkern hatte ich nicht mehr auf dem Schirm. Wow zum Quadrat.

»Was gibt's zu essen?« Er zeigt auf die braune Tüte.

»Du machst wohl Witze? Erst störst du brutal meine Einsamkeit und jetzt willst du auch noch schnorren. Wo haben sie dich denn aufgezogen?«

»In Paris«, sagt er. »Ich bin also ein Schnorrer *raffiné*.«

O, gut, *j'étudie le français*. Und Mannomann, kein Wunder, dass die ganze Schule nur von ihm spricht, kein Wunder, dass ich ihn küssen will. Ich vergebe sogar Rachel augenblicklich für das idiotische Baguette, das ihr heute aus dem Rucksack lugte. Er fährt fort: »Aber ich bin in Kalifornien geboren und hab in San Francisco gelebt bis ich neun war. Vor einem Jahr sind wir wieder dahin zurückgegangen und jetzt sind wir hier. Aber ich will immer noch wissen, was in der Tüte ist.«

»Du würdest es nie erraten«, sage ich. »Ich aber auch nicht. Meine Großmutter findet es echt witzig, uns – mir alles Mögliche in die Tüte zu packen. Ich weiß nie, was drin ist. Gedichte, Blüten, eine Handvoll Knöpfe. Sie scheint völlig vergessen zu haben, wozu eine braune Tüte eigentlich da ist.«

»Oder vielleicht hält sie andere Ernährungsformen für wichtiger.«

»Genau«, sage ich überrascht. »Okay, willst du einen Blick riskieren?« Ich halte die Tüte hoch.

»Ich hab plötzlich Angst gekriegt. Ist da manchmal auch was Lebendiges drinnen?« Plink. Plink. Plink. Okay, es könnte eine Weile dauern, bis ich gegen dieses Wimperngeplinker immun geworden bin.

»Weiß man nie …«, sage ich und bemühe mich, nicht so schmachtend zu klingen, wie mir zumute ist. Außerdem versuche ich so zu tun, als würde mir dieser Kinderreim mit *Liebespaar, küsst euch mal* nicht gerade in den Kopf kommen.

Er nimmt die Tüte, langt mit großartiger Geste hinein – und was zieht er heraus?

Einen Apfel.

»Ein Apfel? Enttäuschend!« Er wirft ihn mir zu. »Äpfel kriegen alle.«

Ich dränge ihn weiterzumachen. Er greift rein und zieht eine Ausgabe von *Sturmhöhe* heraus.

»Mein Lieblingsbuch«, sage ich. »Das ist wie ein Schnuller. Ich hab es dreiundzwanzig Mal gelesen. Sie steckt es immer mit rein.«

»*Sturmhöhe* – dreiundzwanzig Mal? Das ist das tristeste Buch, das je geschrieben wurde, wie tickst du überhaupt?«

»Muss ich dazu was sagen? Ich verbringe die Mittagspause in einem Baum.«

»Stimmt.« Er greift noch einmal in die Tüte und holt eine lila Pfingstrosenblüte heraus. Ihr köstlicher Duft umfängt uns sofort. »Wow«, sagt er, als er ihm in die Nase steigt. »Ein Gefühl, als würde ich levitieren.« Er hält mir die Blüte unter die Nase. Ich schließe die Augen, stelle mir vor, dass mich der Duft auch aus den Schuhen hebt. Und kann es nicht. Aber mir fällt etwas anderes ein.

»Mein absoluter Lieblingsheiliger ist auch ein Joe«, erzähle ich ihm. »Joseph von Cupertino, der levitierte. Immer wenn er an Gott dachte, ist er ekstatisch in die Luft geschwebt.«

Joe legt den Kopf schräg, guckt mich mit hochgezogenen Augenbrauen skeptisch an. »Kauf ich dir nicht ab.«

Ich nicke. »Gibt haufenweise Zeugen. Passierte ihm andauernd. Mitten in der Messe.«

»Okay, ich bin total neidisch. Dann bin ich wohl nur so ein Möchtegern-Levitator.«

»Schadeschade«, sage ich. »Ich hätte dich zu gern trompetend zur Schule rüberschweben sehen.«

»Ja, verdammt!«, ruft er. »Du könntest mitkommen, dich an meinem Fuß festhalten oder so.«

Wir wechseln schnell einen forschenden Blick und wissen beide nicht, was wir voneinander halten sollen, so überrascht sind wir, derart leicht einen Draht zueinandergefunden zu haben – es dauert nur einen Augenblick und ist kaum wahrzunehmen, wie ein Marienkäfer, der auf dem Arm landet.

Er legt die Blume auf meinem Bein ab und ich spüre die Berührung seiner Finger durch meine Jeans. Jetzt ist meine braune Tüte leer. Er gibt sie mir und dann sind wir still, lauschen dem Rascheln des Windes ringsherum und sehen, wie die Sonne in unmöglich dicken, nebligen Strahlen durch die Mammutbäume dringt – wie in einer Kinderzeichnung.

Wer ist dieser Typ? Ich habe mit ihm in diesem Baum mehr geredet als mit irgendjemand anderem in der Schule seit meiner Rückkehr. Aber wie kann er *Sturmhöhe* gelesen und sich trotzdem in Rachel Zickowitzki verliebt haben? Vielleicht weil sie in *Fronce* gewesen ist? Oder vielleicht, weil sie so tut, als würde sie Musik mögen, von der sonst niemand je gehört hat, wie die der unglaublich beliebten Kehlsänger von Tuva.

»Neulich hab ich dich gesehen«, sagt er und nimmt den Apfel in die Hand. Er wirft ihn mit der einen und fängt ihn mit der anderen. »An der großen Wiese. Ich hab auf dem Feld Gitarre gespielt. Du warst auf der anderen Seite des

Weges. Es sah aus, als ob du auf einem Auto einen Zettel schreiben würdest, aber dann hast du das Papier einfach fallen lassen –«

»Verfolgst du mich etwa?«, frage ich und versuche, das plötzliche Entzücken über diese Vorstellung aus meiner Stimme herauszuhalten.

»Ein bisschen vielleicht.« Er hört auf, den Apfel zu werfen. »Und vielleicht macht mich was neugierig.«

»Was denn?«, frage ich.

Er antwortet nicht, zupft Moos von einem Ast. Seine Hände fallen mir auf, seine langen Finger, die voller Schwielen von den Gitarrensaiten sind.

»Was?«, wiederhole ich, ich brenne darauf zu wissen, was ihn so neugierig gemacht hat, dass er mir auf einen Baum nachsteigt.

»Es ist die Art, wie du Klarinette spielst …«

Das Entzücken löst sich in Luft auf. »Ja?«

»Oder besser gesagt, die Art, wie du nicht spielst.«

»Was meinst du damit?«, frage ich und weiß genau, was er meint.

»Du hast jede Menge Technik. Schnelle Griffe, schneller Zungenschlag, dein Klangspektrum, Mann … aber es ist so, als ob es da aufhören würde. Das kapier ich einfach nicht.« Er lacht. Ihm scheint nicht bewusst zu sein, welche Bombe er da eben hochgehen lassen hat. »Es ist, als würdest du schlafen oder so.«

Das Blut steigt mir ins Gesicht. Schlafwandlerisch spielen! Ich fühle mich ertappt, bin wie ein Fisch im Netz. Könnte ich doch ganz und gar aus dem Orchester aussteigen, so wie ich es gewollt hatte. Ich gucke in die Bäume, jeder ragt nur von seiner eigenen Einsamkeit umgeben in den Himmel. Er starrt mich an, das spüre ich, und wartet auf eine Reaktion, aber es kommt keine – auf diesem Gebiet ist Unbefugten der Zugang untersagt.

»Hör mal«, sagt er vorsichtig, denn ihm dämmert endlich, dass sein Zauber an Kraft verloren hat. »Ich bin dir hier raus gefolgt, weil ich fragen wollte, ob wir zusammen spielen können.«

»Warum?« Meine Stimme ist lauter und aufgebrachter, als mir recht ist. Eine vertraute Panik nimmt meinen Körper schleichend in Besitz.

»Ich will John Lennon mal in echt spielen hören, ich meine, wer will das nicht, was?«

Sein Witz macht eine Bruchlandung und verglüht zwischen uns.

»Nee, ich glaub nicht«, sage ich, als die Schulglocke ertönt.

»Hör mal –«, fängt er an, aber ich lasse ihn nicht ausreden.

»Ich will nicht mit dir spielen, klar?«

»Gut.« Er schleudert den Apfel in die Luft. Ehe er auf dem Boden aufschlägt und ehe er aus dem Baum springt, sagt er: »War sowieso nicht meine Idee.«

7. Kapitel

ICH WACHE AUF, weil Ennui, Sarahs Jeep, unten auf der Straße hupt. Es ist ein Überfall. Ich wälze mich auf die andere Seite, schaue aus dem Fenster und sehe, wie sie aus dem Auto hüpft, in ihrem altmodischen schwarzen Lieblingskleid und Springerstiefeln, das Haar, endlich wieder blond, zu einem Nest gezupft, die Zigarette zwischen blutroten Lippen in einer gespenstisch weißen Puderschicht. Ich gucke auf die Uhr: 7.05. Sie schaut zu meinem Fenster hoch und winkt mit den Armen wie eine Windmühle im Orkan.

Ich ziehe mir die Decke über den Kopf und warte auf das Unvermeidliche.

»Ich bin hier, um dein Blut zu saugen«, sagt sie ein paar Augenblicke später.

Ich luge unter der Decke hervor. »Du bist umwerfend als Vampir.«

»Ich weiß.« Sie geht ganz nah an den Spiegel über meiner Kommode und wischt sich mit ihrem schwarz lackierten Finger Lippenstift von den Zähnen. »Ist ein guter Look für mich … Heidi als Goth.« Ohne die Ausstaffierung könnte

Sarah als Goldlöckchen auftreten. Sie ist ein von der Sonne verwöhntes Beachgirl, was sie zu verschleiern versucht, indem sie als Gothgrungepunkhippierockeremometalfreakchicobercoolclevermannstolleshiphoprastagirl daherkommt. Sie geht durchs Zimmer, beugt sich über mich, schlägt die Decke zurück und hopst zu mir ins Bett, mit Boots und allem.

»Du fehlst mir, Len.« Ihre riesigen blauen Augen strahlen auf mich herunter, total aufrichtig und so gar nicht zu ihrem Aufzug passend. »Lass uns vor der Schule frühstücken gehen. Weil's der letzte Tag vom Schuljahr ist und so. Das ist Tradition.«

»Okay«, sage ich und dann noch: »Tut mir leid, dass ich so schrecklich war.«

»Sag das nicht, ich weiß einfach nicht, was ich für dich tun kann. Ich kann mir nicht vorstellen …« Sie beendet den Satz nicht, sondern schaut sich im Allerheiligsten um. Ich sehe, wie das Grauen sie erfasst. »Es ist so unerträglich …« Sie starrt Baileys Bett an. »Alles ist so, wie sie es hinterlassen hat. Gott, Len.«

»Ja.« Mein Leben bleibt mir im Hals stecken. »Ich zieh mich an.«

Sie beißt sich auf die Unterlippe, will die Tränen unterdrücken. »Ich warte unten. Hab Grama versprochen, mich mit ihr zu unterhalten.« Sie steigt aus dem Bett und geht zur Tür, aus dem Hüpfen vor ein paar Minuten ist ein Schlurfen geworden. Ich zieh mir die Decke wieder über den Kopf. Ich weiß, dass dieses Zimmer ein Mausoleum ist. Ich weiß, dass es alle fertigmacht (nur nicht Toby, der es nicht mal zu bemerken scheint), aber ich will es so. Es gibt mir das Gefühl, dass Bailey noch hier ist oder doch wiederkommen könnte.

Auf dem Weg in die Stadt erzählt Sarah mir von ihrem neuesten Plan, sich einen süßen Typen zu krallen, der mit ihr über ihren Lieblingsexistenzialisten Jean-Paul Sartre reden kann. Das Problem ist, sie fühlt sich hoffnungslos zu klotzköpfigen Surferknaben hingezogen, die (keine Vorurteile hier!) üblicherweise nicht als die Belesensten auf dem Gebiet der französischen Literatur und Philosophie gelten und immer wieder von Sarahs Liste gestrichen werden müssen, weil sie ihre Kriterien nicht erfüllen. Wenn man mit ihr ausgehen will, »muss man-wissen-wer-Sartre-ist-oder-zumindest-D.-H.-Lawrence-gelesen-haben-oder-doch-wenigstens-die-Brontës-am-besten-Emily«.

»In diesem Sommer wird am College ein Nachmittagssymposion zum französischen Feminismus angeboten«, erzählt sie mir. »Ich werde hingehen. Willst du mitkommen?«

Ich lache. »Scheint mir der ideale Ort zu sein, wenn man Jungs kennenlernen will.«

»Du wirst schon sehen«, sagt sie. »Die coolsten Typen fürchten sich nicht davor, Feministen zu sein, Lennie.«

Ich schau zu ihr rüber. Sie versucht, Rauchringe zu machen, pustet stattdessen aber nur Rauchwölkchen.

Mir graut davor, ihr von Toby zu erzählen, aber ich muss es tun, oder? Doch ich hab zu viel Schiss, deshalb fang ich mit weniger verdammenswerten Neuigkeiten an.

»Neulich hab ich die Mittagspause mit Joe Fontaine verbracht.«

»Ist nicht wahr!«

»Ist es.«

»Kann nicht angehen.«

»Kann es wohl.«

»Neenee.«

»Doch.«

»Unmöglich.«

»Aber so was von möglich.«

Wir können dieses Nein-Doch-Spiel unglaublich weit treiben.

»Du Ente. Verdammte, tief fliegende gelbe Ente. Und du hast dir so lange Zeit gelassen, bis du es mir erzählst?!« Wenn Sarah sich aufregt, tauchen unwillkürlich Tiere in ihrem Redefluss auf, so als hätte sie ein Old-MacDonald-had-a-farm-Tourettesyndrom. »Na, und wie ist der so?«

»Ganz okay«, sage ich zerstreut und gucke aus dem Fenster. Ich komm nicht drauf, wer wohl die Idee gehabt haben könnte, dass wir zusammen spielen sollten. Mr James vielleicht? Aber warum? Und argh, wie verdammt demütigend.

»Erde an Lennie. Hast du eben wirklich gesagt, Joe Fontaine ist *ganz okay?* Der Typ ist so *unfassbarhammergeil!* Und ich hab gehört, er hat noch zwei ältere Brüder, unfassbarhammergeil hoch drei, findest du nicht auch?«

»Hammergeil, Batgirl«, sage ich und bringe Sarah zum Kichern, ein Laut, der nicht so ganz zu ihrer Batgoth-Anmutung zu passen scheint. Sie nimmt einen letzten Zug von ihrer Zigarette und lässt die Kippe in eine Limodose fallen. »Er mag Rachel«, merke ich an. »Was sagt das über ihn aus?«

»Dass er eins von diesen Y-Chromosomen hat«, meint Sarah und stopft sich ein Kaugummi in ihren oral fixierten Mund. »Aber ehrlich, das kapier ich nicht. Ich hab gehört, er interessiert sich ausschließlich für Musik und sie spielt wie eine jaulende Katze. Vielleicht sind's ja diese blöden Kehlsänger, von denen sie immer labert, und er glaubt, sie hat musikalisches Insiderwissen oder so.« Zwei Seelen, ein Gedanke … dann fängt Sarah plötzlich an, auf ihrem Sitz zu hüpfen wie auf einem Springstock. »O Lennie, tu es! Fordere sie heraus. Sag ihr, du willst erste Klarinette spielen. Heute. Kommschon. Das wär so aufregend, wahrscheinlich ist so was in der Geschichte des Orchesters noch nicht vorgekommen – eine Herausforderung am letzten Schultag!«

Ich schüttel den Kopf. »Das wird nicht passieren.«

»Wieso nicht?«

Ich antworte ihr nicht, ich weiß nicht wie.

Ein Nachmittag im letzten Sommer taucht in meinem Kopf auf. Ich hatte gerade meinen Unterricht bei Marguerite geschmissen und hing mit Bailey und Toby am Flying Man's ab. Er erzählte uns, dass Rennpferde immer diese Beistellponys an ihrer Seite haben, und ich weiß noch, dass ich dachte: *Das bin ich.* Ich bin ein Beistellpony und Beistellponys spielen keine Solos. Sie spielen weder erste Klarinette, noch nehmen sie an einem bundes- oder landesweiten Wettbewerb teil, noch denken sie ernsthaft an ein gewisses Konservatorium in New York City, von dem Marguerite hartnäckig immer wieder anfing.

So was tun sie einfach nicht.

Sarah seufzt und schwenkt in eine Parklücke ein. »Na gut,

ich glaub, dann muss ich mich am letzten Schultag auf eine andere Art vergnügen.«

»Glaub ich auch.«

Wir springen aus Ennui, steuern Cecilia's an und bestellen eine obszöne Menge Kuchen, die Cecilia uns kostenlos und mit demselben kummervollen Blick überlässt, der mich auf Schritt und Tritt verfolgt. Ich glaube, würde ich darum bitten, gäbe sie mir sogar noch das letzte Stück Kuchen im Laden.

Wir landen auf unserer bevorzugten Bank neben Marias Italienischen Delikatessen. Seit meinem vierzehnten Geburtstag bin ich dort im Sommer immer die Cheflasagneherstellerin. Morgen fange ich wieder an. Die Sonne ist in Millionen Stücke explodiert, die alle auf die Main Street gerieselt sind. Ein herrlicher Tag heute. Alles strahlt, nur nicht mein schuldbeladenes Herz.

»Sarah, ich muss dir was erzählen.«

Sie bekommt einen besorgten Blick. »Klar.«

»Neulich Nacht ist was mit Toby gewesen.« Ihre Sorge hat sich in etwas anderes verwandelt, das hatte ich befürchtet. Sarah folgt einem eisernen Verhaltenskodex für Freundinnen, wenn es um Jungs geht. Schwesternschaft über alles ist die Devise.

»Was gewesen im Sinne von *was gewesen*? Oder einfach nur was gewesen?« Ihre Augenbrauen streifen den Mars.

Mir dreht sich der Magen um. »Wie *was gewesen* … wir haben uns geküsst.« Ihre Augen weiten sich und ihre Miene verzieht sich ungläubig, vielleicht auch entsetzt. Das ist das Gesicht meiner Schande, denke ich, als ich sie ansehe. *Wie konnte ich Toby nur küssen?*, frage ich mich zum tausendsten Mal.

»Wow«, sagt sie. Wie ein Stein fällt das Wort zu Boden. Sie macht keinen Versuch, ihre Verachtung zu verbergen. Ich vergrabe den Kopf zwischen den Händen und bereite mich auf die Bruchlandung vor – ich hätte es ihr nicht sagen sollen.

»In dem Augenblick fühlte es sich richtig an, wir vermissen beide Bailey so sehr, er versteht es einfach, versteht mich, er ist der Einzige, der das tut … und ich war betrunken.« All das rede ich in meine Jeans.

»Betrunken?« Sie kann aus ihrer Überraschung keinen Hehl machen. Auf den Partys, zu denen sie mich mitschleift, trinke ich höchstens mal ein Bier. Dann, mit einer leiseren Stimme, höre ich: »Toby ist der Einzige, der dich versteht?«

Uh-oh.

»So hab ich das nicht gemeint.« Ich hebe den Kopf, damit ich ihr in die Augen schauen kann. Aber es ist nicht wahr. Ich hab es so gemeint und ich kann ihr ansehen, dass sie es weiß. »Sarah.«

Sie schluckt, guckt weg, dann wechselt sie schnell das Thema und kommt wieder auf meine Schande zu sprechen. »So was kann vorkommen. Kummersex ist so ein Ding. In einem dieser Bücher hab ich was darüber gelesen.« Immer noch schwingt Verurteilung in ihrer Stimme mit – und jetzt auch noch etwas anderes.

»Wir hatten keinen Sex«, sage ich. »Ich bin immer noch die letzte standhafte Jungfrau.«

Sie seufzt, dann legt sie mir den Arm um, ungelenk, so als

ob sie das tun müsste. Ich fühle mich wie im Schwitzkasten. Keine von uns hat einen Schimmer, wie wir mit dem Ungesagten umgehen sollen oder was es ist.

»Ist okay, Len. Bailey würde das verstehen.« Das klingt alles andere als überzeugend. »Und es wird ja auch nie wieder vorkommen, richtig?«

»Natürlich nicht«, sage ich und hoffe, ich lüge nicht.

Und hoffe, ich tu's.

Immer haben alle gesagt, dass ich aussehe wie Bailey,
tu ich aber nicht.
Ich habe graue Augen, sie grüne,
ein ovales Gesicht, ihr's ist herzförmig,
Ich bin kleiner, dünner, blasser,
flacher, unscheinbarer, zahmer.
Alles, was wir gemeinsam hatten, war ein Wirrwarr von Locken,
die ich in einem Pferdeschwanz bändigte,
während sie ihre sprühen ließ
wie Wahnsinn
um ihren Kopf herum.
Ich singe nicht im Schlaf,
esse nicht die Blüten von den Blumen
oder renne in den Regen statt weg davor.
Ich bin die unplugged Version,
in der Nebenrolle der Schwester,
die in einer Nische ihres Schattens steckt.
Jungs folgten ihr auf Schritt und Tritt,
belagerten die Tische in dem Restaurant,
in dem sie kellnerte,
scharten sich um sie am Fluss.
Eines Tages sah ich, wie sich ein Junge von hinten näherte
und an einer Strähne ihres langen Haares zog.
Ich hab das verstanden –
Ich hab auch so gefühlt.
In Bildern von uns beiden
ist sie immer die, die in die Kamera schaut
Und ich immer die, die sie anschaut.

(Gefunden auf einem zusammengefalteten Stück Papier, halb begraben unter Kiefernnadeln auf dem Pfad zum Rain River)

8. Kapitel

Ich sitze an Baileys Schreibtisch mit dem heiligen Antonius, dem Schutzpatron aller, die etwas verloren haben.

Er gehört nicht hierher. Er gehört auf das Sims vor der Halbmutter, da hab ich ihn immer hingestellt, aber Bailey muss ihn dort weggenommen haben und ich weiß nicht, warum. Ich habe ihn hinter dem Computer gefunden, wo er vor einer alten Zeichnung von ihr stand, die sie an die Wand geklebt hatte. Der Zeichnung, die sie an dem Tag machte, an dem Grama uns erzählt hatte, dass unsere Mutter eine Forschungsreisende ist (so ähnlich wie Christoph Kolumbus).

Die Gardinen hab ich zugezogen, und obwohl ich es will, erlaube ich mir nicht, aus dem Fenster zu gucken und nachzusehen, ob Toby unter dem Pflaumenbaum ist. Ich erlaube mir auch nicht, mir vorzustellen, wie seine Lippen sich halb von Sinnen auf meine verirren. Nein. Ich erlaube mir, an Iglus zu denken, schöne, eiskalte arktische Iglus. Ich habe Bailey versprochen, dass sich nichts von dem je wiederholen wird, was in jener Nacht vorgefallen ist.

Es ist der erste Tag der Sommerferien und alle aus der Schule sind am Fluss. Eben habe ich einen beschwipsten Anruf von Sarah erhalten, die mich darüber informierte, dass nicht einer, nicht zwei, sondern drei hammergeile Fontaines jeden Augenblick am Flying Man's erwartet wurden und dass sie draußen spielen würden, dass sie gerade herausgefunden hatte, dass die beiden älteren Fontaines in einer echt tollen Band in L. A. spielten, wo sie aufs College gingen, und dass ich meinen Hintern umgehend zu ihr hinbewegen sollte, um mir diese Herrlichkeit mit eigenen Augen anzusehen. Ich sagte ihr, ich würde zu Hause bleiben und sie solle stellvertretend für mich in der Fontaineschen Herrlichkeit schwelgen, was das gesträubte Nackenhaar von gestern wiederauferstehen ließ: »Du bist doch wohl nicht mit Toby zusammen, Lennie?«

Oha.

Ich schau rüber zu meiner Klarinette, die verlassen in ihrem Kasten auf meinem Stuhl liegt. Es ist ein Sarg, denke ich, und dann versuche ich sofort, diesen Gedanken zurückzunehmen. Ich geh hin und mache den Deckel auf. Nie hat sich die Frage gestellt, welches Instrument ich spielen würde. Als all die anderen Mädchen in der fünften Klasse im Musikunterricht zu den Flöten rannten, bin ich geradewegs auf die Klarinette zugesteuert. Sie erinnerte mich an mich.

Ich greife in die Tasche, in der ich mein Tuch und die Rohrblätter aufbewahre, und taste nach dem gefalteten Blatt Papier. Ich weiß nicht, warum ich es aufbewahrt habe (über ein Jahr lang!), warum ich es damals aus dem Müll fischte, in den Bailey es mit einem nonchalanten »Na gut, dann werdet ihr mich wohl doch nicht los« geschmissen hatte, woraufhin sie sich Toby in die Arme warf, als würde es ihr nichts ausmachen. Aber ich wusste, dass es nicht so war. Wie auch? Das war Juilliard.

Ohne ihn noch ein letztes Mal zu lesen, knülle ich Baileys Ablehnungsbrief zusammen und werfe ihn in den Mülleimer, dann setze ich mich wieder an ihren Schreibtisch.

Ich bin haargenau auf dem Platz, auf dem ich an jenem Abend war, als das Telefon durchs Haus schrillte, durch die ganze arglose Welt. Ich hatte Chemie gelernt und jede Minute gehasst, so wie immer. Der schwere Oreganoduft von Gramas Hühnerfrikassee driftete in unser Zimmer und ich wünschte mir nur, dass Bailey sich beeilen würde und endlich heimkam, damit wir essen konnten, denn ich war am Verhungern und hasste Isotope. Wie war das möglich? Wie habe ich an Frikassee und Kohlenstoffmoleküle denken können, während meine Schwester auf der anderen Seite der Stadt ihren allerletzten Atemzug tat? Was ist denn das für eine Welt? Und was kann man machen? Was macht man, wenn das Schlimmste, das geschehen kann, tatsächlich geschieht? Wenn man *diesen* Anruf bekommt? Wenn man die Naturgewalt von Stimme seiner Schwester so sehr vermisst, dass man das ganze Haus mit den Fingernägeln auseinanderpflücken möchte?

Ich mache Folgendes: Ich hole mir mein Handy und wähle ihre Nummer. Neulich hab ich in einem umnebelten Moment angerufen, weil ich mich erkundigen wollte, wann sie nach Hause kommt, und ich habe festgestellt, dass ihr Account noch nicht gelöscht worden ist.

Hey, hier ist Bailey, Julia des Monats, also Leute, ich verneh-me. Bringt ihr ein Wort der Freude mir? Des Trostes gar …

Beim Piepton lege ich auf, dann rufe ich noch einmal an, wieder und wieder, ein ums andere Mal, will sie einfach aus dem Hörer ziehen. Ein einziges Mal lege ich nicht auf.

»Warum hast du mir nicht erzählt, dass du heiratest?«, flüstere ich, ehe ich das Handy zuklappe und auf ihren Schreibtisch lege. Denn das verstehe ich nicht. Haben wir einander denn nicht alles erzählt? *Wenn das hier nicht unser Leben verändert, Len, dann weiß ich auch nicht,* hatte sie beim Streichen gesagt. Ist dies die Veränderung, die sie sich damals gewünscht hat? Ich nehme den kitschigen Plastik-Antonius in die Hand. Und was hat es mit ihm auf sich? Warum hat sie ihn mit nach oben gebracht? Ich schaue mir das Bild genauer an, gegen das er sich lehnt. Es hängt hier schon so lange, dass das Papier vergilbt ist und die Ecken sich eingerollt haben, so lange, dass ich ihm schon Jahre keine Beachtung mehr geschenkt habe. Bailey hat das Bild gemalt, damals war sie ungefähr elf gewesen. Zu dieser Zeit begann sie, Grama mit unerbittlicher Grausamkeit nach Mom auszufragen.

Wochenlang hatte sie nicht lockergelassen.

»Woher weißt du, dass sie wiederkommt?«, hatte Bailey zum zehntausendsten Mal gefragt. Wir waren in Gramas Malzimmer und ich lag auf den Fußboden hingegossen und malte mit Pastellkreiden, während Grama mit dem Rücken zu uns in der Ecke eine ihrer Damen auf eine Leinwand bannte. Den ganzen Tag war sie Baileys Fragen schon aus-gewichen und hatte geschickt immer wieder das Thema gewechselt, aber dieses Mal klappte es nicht. Ich beobachtete, wie Grama den Arm sinken ließ, Tropfen hoffnungsvollen Grüns kleckerten vom Pinsel auf den bespritzten Fußboden. Sie seufzte einen tiefen, einsamen Seufzer, dann drehte sie sich zu uns um.

»Ich vermute, ihr seid jetzt alt genug, Mädels«, sagte sie. Wir waren sofort hellwach, legten gleich die Pastellkreiden beiseite und schenkten ihr unsere ungeteilte Aufmerksamkeit.

»Eure Mutter ist … nun ja … wie soll man das am besten beschreiben … na … lasst mich nachdenken …« Bailey sah mich schockiert an – dass Grama die Worte fehlten, war noch nie da gewesen.

»Was, Grama?«, fragte Bailey. »Was ist sie?«

»Hmmm …« Grama biss sich auf die Lippe, dann endlich sagte sie zögernd: »Ich nehme an, am besten sagt man das so … ihr wisst ja, dass manche Menschen von Natur aus bestimmte Neigungen haben, ich male und gärtnere, Big ist ein Baumpfleger, und du, Bailey, willst Schauspielerin sein, wenn du groß bist …«

»Ich werde auf die Juilliard gehen«, sagte sie.

Grama lächelte. »Ja, das wissen wir, Miss Hollywood – oder vielleicht doch besser Miss Broadway.«

»Und unsere Mom?«, erinnerte ich sie, damit wir nicht schon wieder über diese blöde Schule reden mussten. Wenn Bailey unbedingt dahin wollte, hoffte ich nur, dass sie noch zu Fuß erreichbar war. Oder wenigstens mit dem Rad, damit ich sie jeden Tag besuchen konnte. Ich hatte zu große Angst gehabt zu fragen.

Grama presste einen Moment lang die Lippen aufeinander. »Okay, na gut, eure Mutter, sie ist ein bisschen anders, sie ist eher so was wie … na ja, wie eine Forschungsreisende.«

»Wie Kolumbus, meinst du das?«, fragte Bailey.

»Ja, genau so, nur ohne die *Nina*, die *Pinta* und die *Santa Maria*. Einfach nur eine Frau, eine Landkarte und die Welt. Eine Solistin.« Dann verließ sie den Raum, ihre bevorzugte und wirksamste Art, ein Gespräch zu beenden.

Bailey und ich starrten einander an. In all unseren Spekulationen darüber, wo Mom war und warum sie gegangen war, hatten wir uns nie etwas vorgestellt, das auch nur annähernd so gut war. Ich lief Grama hinterher und wollte mehr erfahren, aber Bailey blieb auf dem Fußboden sitzen und malte dieses Bild.

Darauf ist eine Frau, die mit dem Rücken zu uns auf dem Gipfel eines Berges in die Ferne schaut. Grama, Big und ich – unsere Namen stehen unter unseren Füßen – winken der einsamen Gestalt vom Fuß des Berges aus zu. Unter dem Bild steht in Grün *Forschungsreisende*. Aus irgendeinem Grund hat Bailey sich nicht selbst mit auf das Bild gemalt.

Ich lege den heiligen Antonius an meine Brust und drücke ihn ganz fest. Ich brauche ihn jetzt, aber warum hat Bailey ihn gebraucht? Was hatte sie verloren?

Und was hatte sie finden müssen?

Ich ziehe ihre Kleider an
Ich knöpfe eine ihrer Rüschenblusen zu
Über meinem eigenen T-Shirt
Oder ich wickele einen, manchmal zwei,
manchmal alle ihre divenhaften Schals um meinen Hals.
Oder ich ziehe mich aus und schlüpfe
in eins ihrer verführerischeren Kleider,
lasse den Stoff über meine Haut rieseln wie Wasser.
Ich fühle mich immer besser dann,
als würde sie mich halten.
Dann berühre ich all die Dinge,
die nicht verrückt worden sind, seit sie gestorben ist,
zerknüllte Dollarscheine,
aus einer schwitzigen Tasche geholt,
die drei Flaschen Parfum,
die jetzt immer dieselbe Menge Flüssigkeit enthalten werden,
das Stück von Sam Shepard,
Fool For Love,
in dem ihr Lesezeichen nie vorrücken wird.
Ich hab es jetzt zwei Mal gelesen für sie,
und am Ende das Lesezeichen zurück an den Platz gesteckt,
an dem es vorher war –
es bringt mich um:
Sie wird nie erfahren,
was am Ende
geschieht.

(Gefunden auf der Innenseite des Umschlags von Sturmhöhe, *in der Bibliothek von Clover)*

9. Kapitel

Grama bringt die Nacht
Vor der Halbmutter zu.
Ich höre sie weinen –
Trister
Endloser
Regen.
Ich sitze oben auf der Treppe,
weiß, dass sie
Moms kalte, flache Wange berührt,
als sie sagt: Es tut mir leid,
es tut mir so leid.
Ich denke etwas Furchtbares.
Ich denke: Das sollte es auch.
Ich denke: Wie konntest du das zulassen?
Wie konntest du zulassen, dass sie mich beide verlassen?

(Gefunden auf der Wand im Waschraum von Cecilias Bäckerei)

Seit zwei Wochen sind Schulferien. Grama, Big und ich haben eindeutig ein Rad ab und schlingern umher, jeder in eine andere Richtung.

Beweisstück A: Grama verfolgt mich durchs ganze Haus – mit einer Teekanne in der Hand. Die Kanne ist voll. Ich kann sehen, wie Dampf aus der Tülle steigt. In der anderen Hand hält sie zwei Becher. Tee trinken, das ist etwas, das Grama und ich zusammen getan haben, vorher. Spätnachmittags haben wir am Küchentisch gesessen und Tee getrunken und geredet, ehe die anderen nach Hause kamen. Aber ich will nicht mehr mit Grama Tee trinken, weil mir nicht nach Reden ist, was sie weiß, aber noch immer nicht akzeptiert hat. Also folgt sie mir die Treppe hinauf und steht nun mit der Kanne in der Hand in der Tür zum Allerheiligsten.

Ich falle aufs Bett, nehme mein Buch und gebe vor zu lesen.

»Ich will keinen Tee, Grama«, sage ich und schaue von *Sturmhöhe* auf, das ich verkehrt herum halte, wie ich bemerke, sie aber hoffentlich nicht.

Ihr Gesicht wird lang. Eine epische Länge.

»Gut.« Sie stellt einen Becher auf den Boden, füllt den anderen in ihrer Hand für sich selbst und nimmt einen Schluck. Mir entgeht nicht, dass sie sich die Zunge verbrennt, aber sie tut so, als wäre nichts. »Gut, gut, gut«, leiert sie und nimmt noch einen Schluck.

Seit Ferienbeginn läuft sie auf diese Art hinter mir her. Normalerweise hat sie als Gartenguru im Sommer am meisten zu tun, doch sie hat allen Klienten erzählt, sie würde bis zum Herbst pausieren. Statt also in ihrer Eigenschaft als Guru unterwegs zu sein, schneit sie bei Maria rein, wenn ich im Laden bin, oder in der Bibliothek, wenn ich Pause habe, oder sie kötert mir zum Flying Man's hinterher und läuft auf dem Pfad auf und ab, während ich mich auf dem Rücken treiben und meine Tränen ins Wasser tropfen lasse.

Doch die Teezeit ist das Schlimmste.

»Meine kleine Wicke, das ist nicht gesund ...« Ihre Stimme schmilzt zu dem vertrauten Fluss der Sorge. Ich denke, sie redet von meiner Zurückgezogenheit, doch als ich zu ihr rüberschaue, wird mir klar, dass es um diese andere Sache geht. Sie starrt Baileys Kommode an, das Kaugummipapier, das überall herumliegt, die Haarbürste mit dem Netz aus ihren schwarzen Haaren, das zwischen die Borsten gewoben ist. Ich beobachte, wie ihr Blick im Raum herumstreift zu Baileys Kleidern über der Lehne ihres Schreibtischstuhls, zum Handtuch, das über den Bettpfosten geworfen worden ist, zu Baileys Wäschekorb, der noch immer von ihrer Schmutzwäsche überquillt ... »Lass uns einfach ein paar Sachen zusammenpacken.«

»Ich mach das, das hab ich doch gesagt«, flüstere ich, damit ich sie nicht aus voller Kehle anbrülle. »Ich mach das schon, Grama, wenn du aufhörst, hinter mir herzupirschen, und mich in Ruhe lässt.«

»Okay, Lennie«, sagt sie. Ich muss nicht aufschauen, um zu wissen, dass ich ihr wehgetan habe.

Aber als ich aufschaue, ist sie weg. Sofort will ich hinter ihr herrennen, ihr die Teekanne aus der Hand nehmen, meinen Becher füllen und mich zu ihr setzen und einfach nur jeden meiner Gedanken und jedes Gefühl ausschütten.

Aber ich tu es nicht.

Ich höre, wie die Dusche aufgedreht wird. Grama verbringt jetzt übermäßig viel Zeit in der Dusche und ich weiß, dass sie das tut, weil sie glaubt, sie könnte unter dem Strahl weinen, ohne dass Big und ich es hören. Wir hören es.

Beweisstück B: Ich wälze mich auf den Rücken und wenig später halte ich mein Kissen in den Armen und küsse die Luft mit einem peinlichen Aufwallen von Leidenschaft. Nicht schon wieder, denke ich. Was hab ich bloß? Was für eine Sorte Mädchen will denn jeden Jungen auf einer Beerdigung küssen, will einen Jungen in einem Baum anfallen, nachdem sie in der Nacht davor mit dem Freund ihrer Schwester herumgemacht hat? *Apropos, was für eine Sorte Mädchen macht mit dem Freund ihrer Schwester herum – Punkt.*

Ich will einfach nicht länger über mein eigenes Gedankenleben unterrichtet werden, ich melde mich vom Newsletter ab, denn ich kapier es sowieso nicht. Vorher hab ich eigentlich kaum mal an Sex gedacht, und irgendwas angefangen hab ich schon gar nicht. Drei Jungs auf drei Partys in vier Jahren: Casey Miller, der nach Hotdogs schmeckte, Dance Rosencrantz, der in meine Bluse gegrapscht hat wie in die Popcornschachtel im Kino. Und Jasper Stolz in der achten Klasse, weil Sarah mich in eine Runde Flaschendrehen reingezogen hatte. Jedes Mal habe ich mich innerlich wie ein Blobfisch gefühlt. Nicht wie Heathcliff und Cathy, wie Lady Chatterley und Oliver Mellors, wie Mr Darcy und

Elizabeth Bennet! Klar, in Sachen Leidenschaft war ich schon immer eine Vertreterin der Urknallthese, aber als etwas rein Theoretisches, etwas, das in Büchern vorkommt, die man zuklappen und wieder ins Regal stellen kann, etwas, das ich mir vielleicht insgeheim sehr wünschte, mir aber nicht vorstellen konnte, dass es mir je passieren würde. Etwas, das Heldinnen wie Bailey erleben, Mädchen mit Hauptrollenpotenzial, die andere in Aufruhr versetzen. Aber jetzt bin ich total abgedreht und küsse alles, was mir vor die Lippen kommt: mein Kissen, Sessel, Türrahmen, Spiegel – und dabei stelle ich mir immer diese eine Person vor, die ich mir nicht vorstellen sollte, die Person, die ich – wie ich meiner Schwester versprochen habe – nie wieder küssen werde. Die eine Person, in deren Gegenwart ich mich ein bisschen weniger ängstlich fühle.

Die Haustür knallt zu und reißt mich aus Tobys verbotenen Armen.

Das ist Big. Beweisstück C: Ich höre ihn geradewegs ins Esszimmer stapfen, wo er erst vor zwei Tagen seine Pyramiden enthüllt hat. Das ist immer ein schlechtes Zeichen. Er hat sie vor Jahren gebaut, nach irgendeinem mathematischen Prinzip, das in der Geometrie der ägyptischen Pyramiden verborgen ist. (Wer weiß? Der Typ redet ja auch mit Bäumen.) Laut Big haben seine Pyramiden, ebenso wie die im Mittleren Osten, außergewöhnliche Eigenschaften. Er hat immer geglaubt, seine Nachbauten könnten bei Schnittblumen und Früchten die Haltbarkeit verlängern und sogar Käfer wieder zum Leben erwecken, und deshalb hat er all dieses Zeug zu Studienzwecken unter die Pyramiden gelegt.

Während seiner Pyramidenphasen haben Big, Bailey und ich Stunden damit verbracht, das Haus nach toten Fliegen oder Spinnen abzusuchen, und jeden Morgen sind wir in der Hoffnung, eine Wiederauferstehung mitzuerleben, zu den Pyramiden gelaufen. Hat nie geklappt. Aber immer wenn Big so richtig von der Rolle ist, kommt der Nekromant in ihm zum Vorschein und mit ihm die Pyramiden. Dieses Mal betreibt er die Sache mit einem ungeheuren Eifer, ist ganz sicher, dass es klappen wird, ganz sicher, dass er vorher nur gescheitert ist, weil er ein entscheidendes Element vergessen hat: eine elektrisch aufgeladene Spirale, die er jetzt unter jeder Pyramide angebracht hat.

Kurze Zeit später segelt ein bekiffter Big an meiner offenen Tür vorbei. Er hat so viel Gras geraucht, dass er zu Hause wie ein riesiger Ballon über Grama und mir herumschwebt – jedes Mal, wenn er mir begegnet, möchte ich ihn am liebsten an einem Stuhl festbinden.

Er kommt wieder zurück, bleibt eine Weile in meiner Tür stehen.

»Morgen gebe ich noch ein paar tote Motten dazu«, sagt er, als würde er ein Gespräch wiederaufnehmen.

Ich nicke. »Gute Idee.«

Er erwidert mein Nicken, dann schwebt er davon zu seinem Zimmer und höchstwahrscheinlich zum Fenster hinaus.

Das sind wir. Zwei Monate – und die Zeit läuft. Die Zentrale des Irrenhauses.

Am nächsten Morgen bereitet eine geduschte, behandtuchte Grama die Frühstücksasche vor, Big fegt die Deckenbalken auf der Suche nach toten Motten, die er unter die Pyramiden legen kann, und ich versuche, nicht mit meinem Löffel herumzumachen, da klopft es an der Tür. Auf einmal erstarren wir alle vor Entsetzen darüber, dass es Zeugen für die stumme Nebenvorstellung unserer Trauer geben könnte. Auf Zehenspitzen schleiche ich an die Haustür, um ja keinen Hinweis darauf zu geben, dass wir tatsächlich zu Hause sind. Ich spähe durch das Guckloch: Da steht Joe Fontaine, munter wie sonst was dreinschauend, ganz so, als würde die Haustür ihm Witze erzählen. In der Hand hat er eine Gitarre.

»Alle Mann in Deckung«, flüstere ich. Ich weiß sämtliche Jungs lieber ganz sicher in den Winkeln meiner sexverrückten Gedankenwelt als vor der Tür unseres kenternden Hauses. Das gilt ganz besonders für diesen Minnesänger. Seit Ferienbeginn habe ich meine Klarinette nicht mehr aus dem Kasten geholt. Ich habe nicht die Absicht, zu den Proben des Sommerorchesters zu gehen.

»Unsinn«, sagt Grama und macht sich in ihrem grelllila Ensemble aus einem Badetuchgewand und einem rosa Handtuchturban auf den Weg zur Haustür. »Wer ist es denn?«, fragt sie mich in einem Flüsterton, der um hundert Dezibel lauter ist als ihre normale Sprechstimme.

»Dieser Junge aus dem Orchester, Grama. Das pack ich nicht.« Ich schlenkere die Arme vor und zurück und versuche sie in die Küche zu scheuchen.

Ich weiß nicht mehr, ob man noch irgendwas anderes mit den Lippen machen kann als Möbel küssen. In mir steckt keinerlei Unterhaltung. Ich hab mich mit niemandem aus der Schule getroffen, ich will es auch nicht, ich hab nicht mal Sarah zurückgerufen, die mittlerweile dazu übergegangen ist, mir lange E-Mails zu schicken (Aufsätze), in denen sie abhandelt, dass sie mich überhaupt nicht für das verurteilt, was mit Toby vorgefallen ist, was mir genau zeigt, wie sehr sie mich für das verurteilt, was mit Toby vorgefallen ist. Ich tauche in die Küche ab, wieder in die Ecke, und bete darum, unsichtbar zu sein.

»So, so, ein Troubadour«, sagt Grama, als sie die Tür aufmacht. Offensichtlich hat sie das Mesmerische an Joes Gesicht bemerkt und schon beginnt sie zu flirten. »Und ich hatte gedacht, wir befänden uns im 21. Jahrhundert ...« Sie fängt an zu schnurren. Ich muss ihn retten.

Zögernd komme ich aus dem Versteck und schließe mich Grama an, der Swami der Verführerinnen. Ich schau ihn mir genau an. Welche Strahlkraft er hat, das hatte ich ganz vergessen. Er wirkt wie eine andersartige menschliche Spezies, in deren Adern kein Blut, sondern Licht fließt. Seinen Gitarrenkasten lässt er auf der Spitze kreiseln, während er mit Grama spricht. Und er sieht überhaupt nicht so aus, als müsse er gerettet werden, er wirkt belustigt.

»Hi, John Lennon.« Er strahlt mich an, als hätte es unseren Baumknatsch nie gegeben.

Was machst du hier?, denke ich so laut, dass mein Kopf explodieren könnte.

»Hab dich nirgendwo gesehen«, sagt er. Einen flüchtigen Augenblick beherrscht Schüchternheit sein Gesicht – davon bekomme ich so ein Flattern im Bauch. Uah, ich glaube, ich muss mir eine einstweilige Verfügung gegen sämtliche Jungs verschaffen, bis ich dieses neu entdeckte Körperkribbeln im Griff habe.

»Tretet ein«, sagt Grama, als ob sie mit einem Ritter spricht. »Ich hab gerade Frühstück gemacht.« Er sieht mich an, fragt mit seinen Augen um Erlaubnis. Grama redet immer noch, während sie in die Küche zurückgeht. »Du kannst uns ein Lied vorspielen und uns ein bisschen aufheitern.« Ich lächele ihn an, es ist unmöglich, es nicht zu tun, und mache eine einladende Geste mit meinem Arm. Als wir in die Küche kommen, höre ich Grama auf Big einflüstern, immer noch im Ritterjargon. »Meiner Treu, der junge Herr klimperte mir mit wahrlich langen Wimpern zu.«

Seit den Wochen nach der Beerdigung haben wir keinen echten Besuch mehr gehabt, deshalb weiß ich nicht, wie ich mich verhalten soll. Onkel Big ist anscheinend auf den Fußboden hinabgeschwebt, er stützt sich auf den Besen, mit dem er die Toten zusammengefegt hat. Grama steht mit dem Pfannenheber in der Hand mitten in der Küche und das Lächeln auf ihrem Gesicht ist enorm. Ich bin mir sicher, sie hat vergessen, was sie anhat. Und ich sitze aufrecht auf meinem Stuhl am Tisch. Keiner sagt was und alle starren wir Joe an wie ein Fernsehgerät, von dem wir hoffen, dass es sich einfach selbst einschaltet.

Das tut es.

»Dieser Garten ist irre, ich hab noch nie solche Blumen gesehen, würd mich nicht wundern, wenn einige dieser Rosen mir den Kopf abhacken und mich in eine Vase stellen würden.« Verwundert schüttelt er den Kopf und sein Haar fällt ihm allzu anbetungswürdig in die Augen. »Das ist wie Eden oder so.«

»Sei schön vorsichtig im Garten Eden, all diese Verlockungen.« Der Donner von Bigs Gottesstimme überrascht mich – in letzter Zeit war er mein Verbündeter in Schweigsamkeit, sehr zu Gramas Missfallen. »Der Duft von Gramas Blumen soll schon alle möglichen Leiden des Herzens verursacht haben.«

»Echt?«, sagt Joe. »Was denn?«

»Da gibt es manches. Zum Beispiel erblüht durch den Duft ihrer Rosen eine unbändige Leidenschaft.« Bei diesen Worten wandert Joes Blick kaum merklich in meine Richtung – whoa, oder hab ich mir das nur eingebildet? Denn nun schaut er schon wieder zu Big, der immer noch redet. »Aufgrund persönlicher Erfahrungen und nach fünf Ehen kann ich das bestätigen.«

Er grinst Joe an. »Übrigens, mein Name ist Big. Ich bin Lennies Onkel. Und du bist vermutlich neu hier, denn sonst würdest du all das längst wissen.«

Wissen würde er, dass Big der Herzensbrecher der Stadt ist. Gerüchten zufolge packen nah und fern Frauen Picknickkörbe und machen sich auf die Suche nach dem Baum, in dem der Baumpfleger sitzt, in der Hoffnung, von ihm zum Mittagessen in seinem Korb hoch oben im Blätterdach eingeladen zu werden. Den Geschichten nach fallen kurz nach dem Essen die Kleider wie Blätter zu Boden.

Ich beobachte, wie Joe den Gigantismus meines Onkels und seinen wahnsinnigen Schnurrbart aufnimmt. Was er sieht, scheint ihm zu gefallen, denn sein Lächeln macht den Raum gleich um mehrere Stufen heller.

»Stimmt, wir sind erst vor zwei Monaten aus der Stadt hierher gezogen, davor waren wir in Paris –« Hmm. Vermutlich hat er den Warnhinweis an der Tür nicht gelesen, laut dem in einer Bannmeile um Grama herum das Wort *Paris* keinesfalls laut ausgesprochen werden darf. Zu spät. Sie singt ihr frankophiles Loblied schon aus voller Kehle, aber Joe scheint ihren Fanatismus zu teilen.

Er klagt: »Mann, wenn wir doch immer noch da wohnten –«

»Aber, aber«, unterbricht sie ihn und droht ihm mit dem Finger, als wollte sie ihn schelten. O nein. Ihre Hände haben bereits ihre Hüften gefunden. Und schon geht es los. Sie leiert: »Ach, wenn ich doch nur Räder am Hintern hätt', ich wär' ein Leiterwagen.« Eine von Gramas üblichen vorbeugenden Maßnahmen gegen Gejammer. Ich bin entsetzt, aber Joe kann sich nicht halten vor Lachen.

Grama hat sich verliebt. Ich mach ihr keinen Vorwurf. Sie hat ihn bei der Hand genommen und begleitet ihn nun auf einer Führung durchs Haus, zeigt ihm ihre biegsamen Frauen, von denen er – nach seiner Lautgebung zu urteilen – ordnungsgemäß beeindruckt ist. Auf Französisch, wie ich vielleicht hinzufügen darf. Somit kann Big seine Jagd nach Käfern wieder aufnehmen und ich kann an die Stelle meiner Löffelfantasien Joe Fontaines Mund setzen. Ich kann die beiden im Wohnzimmer hören und weiß, dass sie vor der Halbmutter stehen, denn jeder, der ins Haus kommt, reagiert auf dieselbe Weise darauf.

»Das ist so anrührend«, sagt Joe.

»Hm, ja ... das ist meine Tochter Paige. Die Mutter von Lennie und Bailey, sie ist schon sehr, sehr lange weg ...« Ich bin schockiert. Aus freien Stücken spricht Grama fast nie von Mom. »Eines Tages werde ich dieses Bild vollenden, es ist noch nicht fertig ...« Grama hat immer gesagt, sie wird es fertigstellen, wenn Mom wiederkommt und ihr Modell stehen kann.

»Komm jetzt, wir wollen essen.« Durch drei Wände hindurch kann ich den Herzschmerz in Gramas Stimme hören. Für sie wiegt Moms Abwesenheit seit Baileys Tod so viel schwerer. Immer wieder ertappe ich sie und Big dabei, wie sie die Halbmutter mit einer neuen, beinahe verzweifelten Sehnsucht ansehen. Für mich ist ihre Abwesenheit auch spürbarer geworden.

Mom, das war etwas, was Bailey und ich vor dem Zubettgehen gemacht haben. Wir haben uns vorgestellt, wo sie war und was sie gerade tat. Ich weiß nicht, wie ich ohne Bailey an Mom denken soll.

Als sie wieder in die Küche kommen, kritzele ich ein Gedicht auf meine Schuhsohle.

»Ist dir das Papier ausgegangen?«, fragt Joe.

Ich setze den Fuß auf den Boden. Argh. Was war noch dein Hauptfach, Lennie? Ach, stimmt ja: Trottelogie.

Joe setzt sich an den Tisch, ganz Arme, Beine und anmutige Bewegung, ein Krake.

Wieder starren wir ihn an, immer noch nicht sicher, was wir von dem Fremden in unserer Mitte halten sollen. Der Fremde hingegen scheint sich mit uns ziemlich wohlzufühlen.

»Was ist mit der Pflanze los?« Er zeigt auf die verzweifelnde Lennie-Topfblume mitten auf dem Tisch. Die sieht aus, als hätte sie Lepra. Wir verstummen alle, denn was sollen wir über meinen eingetopften Doppelgänger sagen?

»Das ist Lennie, sie stirbt, und ehrlich gesagt wissen wir nicht, was wir mit ihr anstellen sollen«, dröhnt Big mit großer Endgültigkeit. Es ist so, als würde der Raum selbst lang und voller Unbehagen Luft holen, und dann brechen Grama, Big und ich im selben Augenblick total zusammen – Big haut auf den Tisch und bellt vor Lachen wie ein volltrunkener Seehund, Grama lehnt sich gegen die Arbeitsplatte und keucht und japst nach Luft und ich krümme mich und versuche inmitten von unkontrolliertem Keuchen und Schnauben zu atmen, jeder von uns wird total überwältigt von einem hysterischen Anfall, wie wir ihn schon seit Monaten nicht mehr erlebt haben.

»Tante Gooch! Tante Gooch!«, kreischt Grama zwischen Lachsalven. Tante Gooch, auf diesen Namen haben Bailey und ich Gramas Lachen getauft, denn es kommt ohne Vorwarnung wie eine verrückte Verwandte, die mit ihrem pinken Haar vor der Haustür steht, mit einem Koffer voller Luftballons und nicht der geringsten Absicht, wieder abzureisen.

Grama keucht: »Ach du meine Güte, ojeoje, ich dachte, sie wäre ein für alle Male verschwunden.«

Joe scheint diesen Ausbruch ganz gut zu verkraften. Er hat sich auf seinem Stuhl zurückgelehnt, schaukelt auf den beiden hinteren Beinen und wirkt recht gut unterhalten, es ist ganz so, als würde er zusehen, wie drei Menschen mit gebrochenem Herzen völlig den Verstand verlieren. Ich fasse mich so weit, dass ich Joe unter Tränen und einem Restkichern die Geschichte der Topfblume erzählen kann. Wenn er nicht längst der Meinung war, ich hätte eine Einweisung ins örtliche Irrenhaus verdient, dann sicher jetzt. Zu meiner Überraschung erfindet er keine Entschuldigung und rast zur Tür hinaus, sondern nimmt den kritischen Zustand recht ernst, so, als sei ihm tatsächlich am Schicksal der unscheinbaren, kränklichen Pflanze gelegen, die sich nicht wiederbeleben lassen will.

Nach dem Frühstück gehen Joe und ich auf die Veranda, die noch immer unheimlich in Morgennebel gehüllt ist. In dem Augenblick, in dem sich die Fliegentür hinter uns schließt, sagt er: »Ein Stück«, als ob überhaupt keine Zeit vergangen wäre, seit wir im Baum gesessen haben.

Ich lehne mich ans Geländer und verschränke die Arme vor meiner Brust. »Du spielst. Ich höre zu.«

»Kapier ich nicht«, sagt er. »Was hab ich davon?«

»Ich will nicht.«

»Aber warum? Du suchst was aus, egal, was.«

»Ich hab dir doch gesagt, ich will nicht –«

Er fängt an zu lachen. »Gott, ich fühl mich ja, als würde ich dich drängen, mit mir zu schlafen oder so.« Jeder Milliliter Blut im Umkreis von zehn Meilen schießt mir in die Wangen. »Komm schon. Ich weiß, dass du es willst …«, scherzt er und zieht die Augenbrauen hoch wie ein Vollidiot. Was ich will, ist mich am liebsten unter der Veranda verstecken, aber sein völlig durchgeknalltes Grinsen bringt mich zum Lachen. »Wetten, du magst Mozart«, sagt er, hockt sich hin und macht seinen Kasten auf. »Alle Klarinettistinnen mögen ihn. Oder bist du vielleicht eine Anhängerin von Bachs Kirchenmusik?« Er blinzelt mich an. »Nee, nee, so siehst du mir nicht aus.« Er holt seine Gitarre heraus, setzt sich auf die Tischkante und schwenkt sie aufs Knie. »Ich hab's. Keine Klarinettistin, in deren Adern Blut fließt, kann dem Gypsy Jazz widerstehen.« Er spielt ein paar feurige Akkorde. »Hab ich recht? Ach, ich weiß!« Mit der Hand spielt er einen Rhythmus auf der Gitarre, mit dem Fuß stampft er auf den Boden: »Dixieland!«

Der Typ ist besoffen vom Leben, denke ich, gegen ihn ist Candide ein Sauertopf. Weiß er überhaupt, dass so was wie der Tod existiert?

»Also, wessen Idee war das?«, frage ich ihn.

Er hört mit dem Fingergetrommel auf.

»Welche Idee?«

»Dass wir zusammen spielen. Du hast gesagt …«

»Ach, das. Marguerite St. Denis ist eine alte Freundin der Familie – ich geb ihr die Schuld daran, dass wir jetzt hier im Exil sind. Sie könnte so etwas fallen gelassen haben wie: Lennie Walker *joue de la clarinette comme un rève.*« Er wirbelt mit der Hand in der Luft herum wie Marguerite. »*Elle joue a ravir, de merveille.*«

Mich überfällt irgendwas, alles Mögliche, Panik, Stolz, Schuld, Übelkeit – es ist so stark, dass ich mich am Geländer festhalten muss. Was hat sie ihm wohl noch erzählt?

»*Quel catastrophe*«, fährt er fort. »Denn, weißt du, ich dachte, *ich* wäre ihr einziger Schüler, der traumhaft spielt.« Anscheinend gucke ich verwirrt, denn er erklärt: »In Frankreich. Fast jeden Sommer hat sie am Konservatorium unterrichtet.«

Während ich die Tatsache verdaue, dass meine Marguerite auch Joes Marguerite ist, sehe ich Big mit dem Besen über dem Kopf am Fenster hin- und herschießen, auf der Suche nach Tieren, die er wiederauferstehen lassen kann. Joe scheint das nicht zu bemerken, wahrscheinlich ist das auch gut so. Er sagt: »Das war ein Witz, das mit mir, die Klarinette war nie mein Ding.«

»Da hab ich aber was anderes gehört«, sage ich. »Ich hab gehört, du warst *fabelhaft*.«

»Rachel hat nicht so ein dolles Ohr«, antwortet er sachlich, ohne beleidigend zu wirken. Ihr Name geht ihm zu leicht von den Lippen, so, als würde er ihn immerzu aussprechen, wahrscheinlich unmittelbar bevor er sie küsst. Wieder spüre ich, wie mein Gesicht rot anläuft. Ich schaue nach unten und unterziehe meine Schuhe einer Prüfung. Was ist bloß los mit mir? Also, wirklich. Er will einfach nur mit mir Musik machen, wie ganz normale Musiker das tun.

Dann höre ich: »Ich hab an dich gedacht ...«

Ich wage nicht aufzuschauen, aus Angst, mir diese Worte und diesen süßen, vorsichtig tastenden Klang nur eingebildet zu haben. Aber wenn ich das getan habe, dann habe ich mir noch mehr davon eingebildet. »Ich hab daran gedacht, wie irre traurig du bist und ...«

Er hat aufgehört zu reden. *Und was*? Ich hebe den Kopf und sehe, dass auch er meine Schuhe inspiziert. »Okay«, sagt er und schaut mir in die Augen. »Mir kam da dieses Bild von uns beiden in den Sinn, wie wir uns oben auf der großen Wiese oder so an den Händen halten und dann abheben.«

Whoa – damit habe ich nicht gerechnet, aber es gefällt mir. »À la St. Joseph?«

Er nickt. »Der Gedanke gefiel mir.«

»Und wie sind wir gestartet?«, frage ich. »War das so was wie ein Raketenstart?«

»Ganz und gar nicht, eher ein müheloses Abheben – im Stil von Supermann.« Er hebt einen Arm und legt den anderen um seine Gitarre, um es zu demonstrieren. »Du weißt Bescheid.«

Ich weiß Bescheid. Ich muss ihn nur ansehen, um zu lächeln. Und ich weiß, dass seine Worte etwas in mir entfalten. Ich weiß auch, dass eine dicke Nebelgardine um die Veranda herum uns vor der Welt verbirgt.

Ich möchte es ihm gestehen.

»Es ist nicht so, dass ich nicht mit dir spielen will«, sage ich schnell, damit ich den Mut nicht verliere. »Es ist nur so, ich weiß nicht, es ist anders. Spielen, meine ich.« Den Rest zwinge ich heraus. »Ich wollte nie erste Klarinette sein, wollte die Soli nicht spielen, wollte überhaupt nichts in der Richtung. Ich hab es vergeigt, das Vorspielen ... mit Absicht.« Das habe ich zum ersten Mal laut zu jemandem gesagt und die Erleichterung ist enorm. Ich rede weiter. »Ich hasse es, Solo zu spielen, wahrscheinlich verstehst du das nicht. Es ist nur so ...« Unfähig, Worte zu finden, fuchtele ich mit dem Arm herum, doch dann zeige ich mit der Hand in Richtung Flying Man's. »Das ist so ähnlich, wie im Fluss von Stein zu Stein zu springen, aber in so einem dicken Nebel wie hier und ganz allein und jeder Schritt ist …«

»Ist was?«

Plötzlich wird mir klar, wie lächerlich sich das anhören muss. Ich hab keine Ahnung, wovon ich da rede, überhaupt keine Ahnung. »Nicht so wichtig«, sage ich.

Er zuckt die Schultern. »Haufenweise Musiker haben Angst, auf die Fresse zu fallen.«

Ich höre das gleichmäßige Rauschen des Flusses, der Nebel scheint sich geteilt zu haben, um das Geräusch durchdringen zu lassen.

Es ist nicht nur das Lampenfieber. Marguerite hat das auch gedacht. Deshalb, dachte sie, hätte ich aufgehört. *Du musst an deinen Nerven arbeiten, Lennie, die Nerven* – aber es ist mehr als das, viel mehr. Wenn ich spiele, dann ist es so, als ob ich in mir eingesperrt bin, bedrängt und ängstlich, wie ein Springteufel, nur ohne Feder. Und so ist es nun schon seit über einem Jahr.

Joe bückt sich und blättert die Noten in seinem Kasten durch, viele der Seiten sind handgeschrieben. Er sagt: »Lass es uns einfach mal versuchen. Gitarre und Klarinette sind cool im Duett, Neuland.«

Allzu ernst nimmt er mein großes Geständnis ganz bestimmt nicht. Das ist ein Gefühl, als hätte man sich endlich dazu durchgerungen, beichten zu gehen, und stellt danach fest, dass der Priester Ohrstöpsel getragen hat.

Ich sag zu ihm: »Irgendwann mal, vielleicht«, damit er das Thema fallen lässt.

»Wow.« Er grinst. »Wie ermutigend.«

Und dann bin ich anscheinend verschwunden. Er beugt sich über die Saiten, stimmt die Gitarre mit derart leidenschaftlicher Hingabe, dass ich denke, ich sollte lieber weggucken. Aber das kann ich nicht. Ehrlich gesagt, ich glotze total und überlege, wie das wohl ist, wenn man so cool und lässig und furchtlos und leidenschaftlich und so irre lebendig ist wie er – und für den Bruchteil einer Sekunde will ich mit ihm spielen. Ich will die Vögel stören.

Später, als er spielt und spielt, als der Nebel weggesengt worden ist, finde ich, dass er recht hat. Genau so ist es nämlich, ich bin irre traurig und irgendwo tief in meinem Inneren will ich nur eins: fliegen.

10. Kapitel

Trauer ist ein Haus,
in dem die Stühle vergessen haben,
wie man trägt,
die Spiegel, wie man unser Bild zurückgibt,
die Wände, wie man uns umfängt.
Trauer ist ein Haus, das verschwindet,
sobald jemand an die Tür klopft
oder klingelt.
Ein Haus, das wegfliegt
bei der leisesten Bö,
das sich tief in die Erde gräbt,
während alle schlafen.
Trauer ist ein Haus, in dem niemand dir Schutz geben kann,
in dem die kleine Schwester älter wird als die große.
In dem die Türen dich nicht rein
oder raus lassen.

(Gefunden unter einem Stein in Gramas Garten)

Wie gewöhnlich kann ich nicht schlafen und sitze an Baileys Schreibtisch mit dem heiligen Antonius in der Hand. Mir graut davor, ihre Sachen zusammenpacken zu müssen. Heute, als ich vom Lasagneeinsatz im Deli heimkam, standen offene Pappkartons neben ihrem Schreibtisch. Noch habe ich keine Schublade aufgezogen. Ich kann es nicht. Jedes Mal wenn ich die Holzknäufe berühre, denke ich daran, dass sie ihren Schreibtisch nie mehr nach einem Notizbuch, einer Adresse, einem Stift durchwühlen wird, und der Atem zischt aus meinem Körper bei dem einen Gedanken: *Bailey ist in dieser luftlosen Kiste –*

Nein. Ich schubse dieses Bild in eine Kammer und schließe die Tür mit einem Fußtritt. Dann mache ich die Augen zu, atme ein, zwei, drei Züge, und als ich sie wieder öffne, starre ich schon wieder das Bild von der forschungsreisenden Mom an. Ich berühre das brüchige Papier, spüre das Wachs des Farbstiftes, als ich mit den Fingern über die verblassende Gestalt streiche. Ob ihre menschliche Entsprechung wohl ahnt, dass eine ihrer Töchter mit neunzehn Jahren gestorben ist? Ob sie einen kalten Wind oder eine Hitzewallung verspürt hat oder einfach nur gefrühstückt oder sich den Schuh geschnürt hat wie an irgendeinem anderen gewöhnlichen Augenblick in ihrem außergewöhnlichen Wanderleben?

Grama hat uns erzählt, dass unsere Mutter Forschungsreisende war, weil sie nicht wusste, wie sie sonst erklären sollte, dass Mom das besitzt, was von den Walkers seit Generationen als das »Rastlosigkeits-Gen« bezeichnet wird. Grama zufolge ist unsere Familie schon immer von dieser

Rastlosigkeit geplagt worden, hauptsächlich traf es die Frauen. Die Betroffenen waren immer auf Achse, sie gingen von Stadt zu Stadt, Kontinent zu Kontinent, Liebe zu Liebe – und deshalb, so hat uns Grama erklärt, hatte Mom auch keine Ahnung, wer unsere Väter waren, also wussten wir es auch nicht –, bis sie erschöpft waren und heimkehrten.

Grama erzählte uns, dass ihre Tante Sylvie und ihre entfernte Cousine Virginia dasselbe Leiden hatten, und nachdem sie viele Jahre abenteuernd über den Globus gezogen waren, hatten sie den Weg zurück gefunden. Wie alle anderen vor ihnen. Es ist ihr Schicksal wegzugehen, erzählte sie uns, und es ist ebenso ihr Schicksal zurückzukehren.

»Kriegen Jungs das nicht?«, fragte ich Grama, als ich zehn Jahre alt und in der Lage war, »das Leiden« besser zu verstehen. Wir waren gerade auf dem Weg an den Fluss zum Schwimmen.

»Natürlich kriegen sie das auch, kleine Wicke.« Aber dann blieb sie mitten auf dem Weg stehen, nahm meine Hände und sprach in einem selten feierlichen Ton. »Ich weiß nicht, ob man das in deinem reifen Alter verstehen kann, Len, aber das ist so: Wenn Männer es haben, dann scheint es keiner zu bemerken, sie werden Astronauten oder Piloten oder Kartografen, Verbrecher oder Dichter. Sie bleiben nicht lange genug an einem Ort, um zu wissen, ob sie ein Kind gezeugt haben oder nicht. Wenn Frauen es kriegen, nun ja, es ist kompliziert, dann ist es einfach anders.«

»Wie denn?«, fragte ich. »Wie anders?«

»Na ja, zum Beispiel ist es doch nicht üblich für eine

Mutter, ihre beiden Mädchen so viele Jahre nicht zu sehen, oder?«

Da hatte sie recht.

»Deine Mutter ist schon so zur Welt gekommen, sie ist praktisch aus meinem Bauch in die Welt hineingeflogen. Vom ersten Tag an ist sie gerannt, gerannt, gerannt.«

»Weggerannt?«

»Nein, nein, Lennie, nie weg, das weiß ich.« Sie drückte meine Hand. »Sie ist immer auf etwas zugerannt.«

Auf was?, denke ich und stehe von Baileys Tisch auf. Worauf ist meine Mutter damals zugerannt? Worauf rennt sie jetzt zu? Was war Bailey? Was bin ich?

Ich gehe zum Fenster, ziehe die Gardine ein Stück zurück und sehe Toby unter dem Pflaumenbaum sitzen, unter den hellen Sternen auf dem grünen Gras, in der Welt. Lucy und Ethel liegen wie hingegossen über seinen Beinen – es ist wirklich erstaunlich, dass diese Hunde nur vorbeischauen, wenn er kommt.

Ich weiß, ich sollte das Licht ausmachen, zu Bett gehen und mich nach Joe Fontaine sehnen, aber eben das tu ich nicht.

Ich gehe zu Toby unter den Baum und wir schleichen in den Wald zum Fluss, wortlos, als hätten wir es schon seit Tagen so geplant. Ethel und Lucy laufen ein paar Schritte hinter uns her, aber dann hat Toby eine unergründliche Unterredung mit ihnen, nach der sie umdrehen und heimwärts trotten.

Ich führe ein Doppelleben: bei Tag Lennie Walker, bei Nacht Hester Prynne.

Egal, was passiert, schärfe ich mir ein, ich werde ihn nicht küssen.

Die Nacht ist warm und windstill und der Wald ruhig und verlassen. Seite an Seite gehen wir durch die Stille, lauschen dem trillernden Lied einer Drossel. Sogar in der mondbeschienenen Stille sieht Toby sonnengetränkt und windgepeitscht aus, wie auf einem Segelboot.

»Ich hätte nicht kommen sollen, Len.«

»Wahrscheinlich nicht.«

»Hab mir Sorgen um dich gemacht«, sagt er leise.

»Danke«, sage ich und der Umhang des »Gehtschon«, in den ich mich vor allen anderen hülle, rutscht mir von den Schultern.

Beim Gehen atmet jeder unserer Pulsschläge Traurigkeit. Fast rechne ich damit, dass die Bäume ihre Äste senken, als wir vorbeigehen, die Sterne uns etwas Licht nach unten reichen. Ich sauge den pferdigen Geruch von Eukalyptus ein und den der zuckersüßen Pinie, spüre ganz bewusst jeden Atemzug, spüre, wie er mich ein paar Sekunden länger auf der Welt hält. Ich schmecke die Süße der Sommerluft auf der Zunge und will einfach trinken und trinken, alles in meinen Körper schlingen – diesen lebendigen, atmenden, herzschlagenden Körper.

»Toby?«

»Hmm?«

»Fühlst du dich lebendiger seit ...« Ich habe Angst, diese Frage zu stellen, so als würde ich etwas Peinliches enthüllen, aber ich will wissen, ob er es auch fühlt.

Er zögert nicht. »Seitdem fühle ich *alles* mehr.«

Ja, denke ich, es ist alles mehr. Als ob jemand den Schalter der Welt umgelegt hat und jetzt ist alles an, inklusive mir und allem in mir, Schlechtes und Gutes, alles ist bis zum Maximum aufgedreht.

Er reißt einen Zweig von einem Ast und bricht ihn zwischen den Fingern. »Ich mach nachts immer wieder diese echt blöden Sachen auf meinem Brett«, sagt er, »so knallharte-Arschloch-Tricks, die nur angeberische Affen wagen, und ich mach das allein … und ein paar Mal total breit.«

Toby ist einer unter einer Handvoll von Skatern in unserer Stadt, die regelmäßig und ziemlich spektakulär der Schwerkraft trotzen. Wenn er meint, er würde sich in Gefahr bringen, dann ist das ausgewachsener Kamikaze.

»Das würde sie nicht wollen, Toby.« Ich kann diesen bittenden Ton nicht aus meiner Stimme heraushalten.

Er seufzt frustriert. »Ich weiß das, ich weiß.« Er beschleunigt seinen Schritt, so als wollte er hinter sich lassen, was er mir eben erzählt hat.

»Sie würde mich umbringen«, sagt er mit so einer Endgültigkeit und so leidenschaftlich, dass ich mich frage, ob er vom Skaten redet oder von dem, was zwischen uns vorgefallen ist.

»Ich tu das nicht wieder«, betont er.

»Gut«, sage ich, immer noch nicht ganz sicher, worauf er sich bezieht, aber wenn es um uns geht, dann muss er sich doch keine Sorgen machen, oder? Ich habe die Gardinen zugezogen gelassen. Ich habe Bailey versprochen, dass nie wieder was passiert.

Allerdings sauge ich ihn schon bei diesem Gedanken mit

den Augen in mich hinein, seine breite Brust und die starken Arme, seine Sommersprossen. Ich erinnere mich an seinen Mund, so hungrig auf meinem, seine großen Hände in meinem Haar, die Hitze in mir, wie ich mich dabei gefühlt habe –

»Das ist einfach nur halsbrecherisch ...«, sagt er.

»Ja.« Das war wohl ein bisschen zu atemlos dahingehaucht.

»Len?«

Riechsalz! Her damit!

Er sieht mich komisch an, aber dann scheint er in meinen Augen zu lesen, was in meinem Kopf vorgeht, denn seine Pupillen werden irgendwie ganz groß und schlagen Funken, ehe er schnell wegguckt.

REISS DICH ZUSAMMEN, LENNIE.

Schweigend gehen wir durch den Wald, und das bringt mich wieder zur Vernunft. Die Sterne und der Mond bleiben größtenteils hinter dem dicken Blätterdach verborgen, mir kommt es vor, als würde ich durch Dunkelheit schwimmen, mein Körper zieht seine Bahn durch die Luft wie durch Wasser. Mit jedem Schritt vorwärts wird das Rauschen des Flusses lauter, und das erinnert mich an Bailey, Tag für Tag, Jahr um Jahr, wir beide auf diesem Pfad, ins Gespräch vertieft – ins Wasser springen und dann endlos auf den Felsen in der Sonne liegen –

Ich flüstere: »Ich bin zurückgelassen worden.«

»Ich auch ...«, flüstert er zurück. Seine Stimme bricht. Er sagt nichts weiter, sieht mich nicht an; er nimmt einfach meine Hand, hält sie fest und lässt auch dann nicht los, als die Baumdecke über uns dichter wird und wir tiefer in die voranschreitende Dunkelheit vordringen.

Ich sage leise: »Ich fühl mich so schuldig«, und hoffe fast, die Nacht saugt meine Worte auf, bevor Toby sie hört.

»Ich auch«, flüstert er zurück.

»Aber da ist noch was anderes, Toby ...«

»Was?«

Bei all der Dunkelheit um mich herum und mit meiner Hand in Tobys habe ich das Gefühl, ich kann es sagen. »Ich hab Schuldgefühle, weil ich immer noch hier bin ...«

»Lass das. Bitte, Len.«

»Aber sie war immer so viel ... mehr –«

»Nein.« Er lässt mich nicht ausreden. »Solche Gefühle würden ihr total gegen den Strich gehen.«

»Ich weiß.«

Und dann platzt aus mir heraus, was ich mir verboten habe zu denken, geschweige denn auszusprechen: »Sie ist in einem Sarg, Toby.« Das sage ich laut, ich kreische es geradezu – die Worte machen mich schwindelig, klaustrophobisch, als ob ich aus meinem Körper springen müsste.

Ich höre ihn nach Luft schnappen. Als er spricht, ist seine Stimme so schwach, dass ich ihn beim Geräusch unserer Schritte kaum hören kann. »Nein, ist sie nicht.«

Das weiß ich auch. Ich weiß beides auf einmal.

Toby umfasst meine Hand fester.

Am Flying Man's quillt der Himmel durch die Lücke im Blätterdach. Wir setzen uns auf einen flachen Felsen und der Vollmond scheint so gleißend auf den Fluss, dass das Wasser wie reines, dahineilendes Licht wirkt.

»Wie kann die Welt weiterhin so glänzen«, sage ich und lege mich unter einen von Sternen trunkenen Himmel.

Toby antwortet nicht, schüttelt nur den Kopf und legt sich neben mich, nah genug, um mich in den Arm zu nehmen, nah genug, um meinen Kopf auf seine Brust zu drücken, wenn er so was wollte. Aber er tut es nicht und ich tue es nicht.

Dann fängt er an zu reden, seine leisen Worte lösen sich wie Rauch in der Nacht auf. Er spricht davon, dass Bailey die Hochzeitszeremonie hier am Flying Man's abhalten wollte, damit sie nach ihrem Eheversprechen ins Wasser springen konnten. Ich stütze mich auf meine Ellenbogen und sehe es im Mondschein so deutlich vor mir wie im Film, ich sehe Bailey lachend in einem klatschnassen orangefarbenen Hochzeitskleid, wie sie die Gesellschaft zurück zum Haus führt, ihre unbekümmerte Schönheit ist so enorm, dass sie ihr ein paar Schritte vorauseilen muss, um ihre Ankunft zu verkünden. In dem Film aus Tobys Worten sehe ich, wie glücklich sie gewesen wäre. Plötzlich weiß ich einfach nicht, wo all dieses Glück, ihr Glück und unseres, jetzt hingehen soll, und ich fange an zu weinen. Und dann ist Tobys Gesicht über meinem und seine Tränen fallen auf meine Wangen, bis ich nicht mehr weiß, wem welche gehören. Ich weiß nur, dass alles Glück weg ist und dass wir uns wieder küssen.

Wenn ich mit ihm zusammen bin,
dann ist jemand bei mir
in meinem Haus der Trauer,
jemand, der den Bauplan kennt wie ich,
der mich begleiten kann,
von einem kummervollen Raum zum nächsten,
mit dem das ganze wacklige Gebilde
aus Wind und Leere
nicht so unheimlich und einsam ist
wie vorher.

*(Gefunden auf dem Ast eines Baumes
an der Highschool von Clover)*

11. Kapitel

Joe Fontaine klopft. Ich liege wach im Bett und erwäge einen Umzug an die Antarktis, damit ich von diesem Schlamassel mit Toby wegkomme. Auf den Ellenbogen gestützt schaue ich aus dem Fenster in das frühe, knöcherne Licht.

Joe ist unser Hahn. Seit seinem ersten Besuch trifft er jeden Morgen bei Sonnenaufgang mit seiner Gitarre, einer Tüte Schokoladencroissants aus der Bäckerei und ein paar toten Krabbeltieren für Big ein. Wenn wir noch nicht auf sind, lässt er sich selbst ins Haus, bereitet eine Kanne Kaffee so dick wie Teer und setzt sich an den Tisch, wo er auf der Gitarre melancholische Akkorde anschlägt. Ziemlich häufig fragt er mich, ob ich nicht Lust habe, mit ihm zu spielen, worauf ich *Nein* antworte, worauf er *in Ordnung* erwidert. Eine höfliche Pattsituation. Rachel hat er nicht wieder erwähnt, was mir ganz recht ist.

Das Seltsamste an alldem ist, dass es gar nicht seltsam ist, für keinen von uns. Sogar Big, der kein Morgenmensch ist, tappt in seinen Puschen die Treppe herunter, begrüßt Joe mit einem burschikosen Schlag auf den Rücken und stürzt sich nach Inspektion der Pyramiden (die Joe bereits überprüft hat) wieder in ihr Gespräch vom vorherigen Morgen und seine *obsession du jour:* explodierende Kuchen.

Big hat gehört, dass eine Frau in Idaho ihrem Mann einen Geburtstagskuchen backte, als das Mehl sich entzündete. Es geschah während einer Trockenperiode, deshalb war die Luft statisch aufgeladen. Die Frau stand in einer Mehlwolke, und weil sie mit der Hand etwas berührte und eine Art elektrischen Schlag bekam, explodierte es: eine unbeabsichtigte Mehlbombe.

Nun will Big das Ereignis zum Wohle der Wissenschaft nachstellen und versucht, Joe für das Projekt zu gewinnen. Grama und ich haben uns aus naheliegenden Gründen unerbittlich dagegen ausgesprochen. »Wir hatten genug Katastrophen, Big«, hat Grama gestern ganz energisch gesagt. Die Menge Gras, die Big geraucht hat, macht das Bild von einem explodierenden Kuchen vermutlich lustiger und faszinierender, als es in Wirklichkeit ist, aber irgendwie scheint Joe ebenso verzaubert von dieser Vorstellung zu sein.

Es ist Sonntag, ich muss in ein paar Stunden im Deli sein. In der Küche herrscht emsiges Treiben, als ich hereinstolpere.

»Morgen, John Lennon«, sagt Joe und schaut von seinen Gitarrensaiten hoch und sieht mich mit einem Grinsen an, bei dem mir der Unterkiefer runterklappt. Warum mache ich bloß mit Toby rum, *Baileys* Toby, denke ich, als ich den hammerhaften, megaunglaublichen Joe Fontaine zurück anlächele, der allem Anschein nach in unsere Küche eingezogen ist. Alles ist komplett durcheinander, der Junge, der mich küssen sollte, führt sich auf wie ein Bruder, und der

Junge, der sich wie ein Bruder aufführen sollte, küsst mich immer. Tss tss.

»He, John Lennon«, sagt Grama wie ein Echo.

Unglaublich. Das ist ja ansteckend! »Nur Joe darf mich so nennen«, knurre ich sie an.

»John Lennon!« Big wirbelt in die Küche, nimmt mich in die Arme und tanzt mit mir durch den Raum. »Wie geht es meinem Mädchen heute?«

»Warum sind denn alle so guter Laune?« Ich komme mir vor wie Scrooge.

»Ich habe keine gute Laune«, sagt Grama von einem Ohr zum anderen strahlend, wie Joes Abbild. Ihr Haar ist trocken, fällt mir auf. Kein Trauerduschen heute Morgen. Das war das erste Mal. »Letzte Nacht hatte ich eine Idee. Es ist eine Überraschung.« Joe und Big werfen einen Blick zu mir herüber und zucken die Achseln. Auf der Bizarritätsskala können Gramas Ideen häufig mit denen von Big konkurrieren, allerdings glaube ich kaum, dass es in diesem Fall um Explosionen oder Nekromantie gehen wird.

»Wir wissen auch nicht, was es ist, Schatz«, dröhnt Big in einem für acht Uhr morgens völlig unpassenden Bariton. »Noch eine Schlagzeile: Joe hatte heute Morgen eine Erleuchtung: Er hat die Lennie-Topfblume unter eine der Pyramiden gestellt, ich weiß wirklich nicht, warum ich nicht darauf gekommen bin.« Big kann vor Aufregung gar nicht an sich halten, er lächelt Joe jetzt an wie ein stolzer Vater. Ich frage mich, wie Joe hier einfach so reinschlüpfen konnte. Vielleicht, weil er sie nicht gekannt hat, nicht eine Erinnerung an sie hat. Er ist wie die Welt ohne unsere abgrundtiefe Trauer –

Mein Handy klingelt. Ich werfe einen Blick auf das Display. Toby. Ich lasse den Anruf auf die Mailbox gehen und komme mir vor wie der schlechteste Mensch der Welt, weil ich nur seinen Namen sehe und schon wird die Erinnerung an die letzte Nacht wach und mein Magen macht eine Reihe von Verrenkungen. Wie konnte ich das nur geschehen lassen?

Ich schaue auf, alle Augen sind auf mich gerichtet, sie fragen sich, warum ich nicht ans Telefon gegangen bin. Ich muss raus aus der Küche.

»Willst du spielen, Joe?«, sage ich und mache mich auf nach oben, um meine Klarinette zu holen.

»Heilige Scheiße«, höre ich und dann entschuldigt er sich bei Grama und Big.

Draußen auf der Veranda sage ich: »Du fängst an, ich folge.«

Er nickt und fängt an, ein paar süße, leise Akkorde in g-moll zu spielen. Aber ich hab nicht die Nerven für süß und auch nicht für leise. Ich kann weder Tobys Anruf abschütteln noch seine Küsse. Ich kann die Pappkartons nicht abschütteln, das Parfum, das nie aufgebraucht werden wird, Lesezeichen, die sich nicht von der Stelle bewegen, Statuetten vom heiligen Antonius, die es tun. Ich kann die Tatsache nicht abschütteln, dass Bailey sich im Alter von elf Jahren nicht mit auf das Bild von unserer Familie gemalt hat – plötzlich bin ich unglaublich aufgewühlt und vergesse, dass ich Musik mache, vergesse sogar Joe neben mir.

Ich denke an all die Dinge, die ich nicht gesagt habe, seit Bailey gestorben ist, all die Worte, die tief in meinem Herzen verstaut sind, in unserem orangefarbenen Zimmer, all die Worte auf der ganzen Welt, die nicht gesagt werden, nachdem jemand gestorben ist, weil sie zu traurig, zu wütend, zu hilflos, zu schuldig sind, um herausgelassen zu werden – und sie alle fangen an, in mir zu toben wie ein außer Rand und Band geratener Fluss. Ich sauge so viel Luft ein, wie ich nur kann, bis in Clover wahrscheinlich für sonst niemanden mehr Luft übrig ist, dann stoße ich sie wie einen Taifun mit einem einzigen, irre blökenden Ton hinaus. Keine Ahnung, ob schon einmal ein so schreckliches Geräusch aus einer Klarinette gekommen ist, aber ich kann nicht aufhören, all die Jahre brechen sich jetzt Bahn … Bailey und ich im Fluss, im Meer, gemütlich in unserem Zimmer, auf den Rücksitzen von Autos, in Badewannen, wie wir durch die Bäume laufen, durch Tage und Nächte, Monate und Jahre ohne Mom – ich schlage Scheiben ein, breche durch Wände, verbrenne die Vergangenheit, schubse Toby von mir runter, nehme die bescheuerte Lennie-Topfblume und schleudere sie ins Meer –

Ich schlage die Augen auf. Joe starrt mich an, völlig überrascht. Nebenan bellen die Hunde.

»Wow, ich glaube, das nächste Mal folge ich dir«, sagt er.

Tagelang hatte ich Entscheidungen getroffen.
Ich suchte das Kleid aus, das Bailey für immer tragen würde –
ein schwarzes, eng anliegendes – völlig unpassendes –
das sie geliebt hat.
Ich wählte einen Pullover aus, der
darübergezogen werden sollte, Ohrringe, ein Armband, eine Halskette,
ihre allerliebsten Riemchensandalen.
Ich sammelte ihre Schminksachen zusammen und gab
sie dem Bestatter, ein aktuelles Foto legte ich dazu.
Ich hatte gedacht, ich würde sie anziehen.
Ich fand, ein fremder Mann sollte sie nicht nackt sehen,
ihren Körper berühren,
ihre Beine rasieren, ihren Lippenstift auftragen –
aber all das passierte dennoch.
Ich half Grama bei der Wahl des Sarges,
der Grabstelle auf dem Friedhof.
Ich änderte ein paar Zeilen in dem Nachruf,
den Big verfasst hatte.
Ich schrieb auf ein Stück Papier,
was auf ihrem Grabstein stehen sollte.
All das tat ich, ohne ein Wort zu sagen.
Nicht ein Wort, tagelang,
bis ich Bailey sah – vor der Beerdigung –
und die Fassung verlor.
Mir war nicht klar, wie wahr es ist, wenn man von jemandem sagt,
er sei ausgerastet.
Genau das passiert.
Ich hab sie geschüttelt.
Ich dachte, ich könnte sie wecken
Und sie aus dieser verdammten Kiste holen.
Als sie nicht aufwachte, hab ich geschrien: Rede mit mir.
Big nahm mich in seine Arme,
trug mich aus dem Raum, aus der Kirche hinaus
in den peitschenden Regen
und runter an den Fluss.
Dort schluchzten wir zusammen
Unter dem schwarzen Mantel, den er über unsere Köpfe hielt
als Schutz vor dem Wetter.

(Gefunden auf einem zerknüllten Blatt Notenpapier am Wanderpfad)

12. Kapitel

WENN ICH DOCH meine Klarinette dabeihätte, denke ich auf dem Heimweg vom Deli. Wäre das so, würde ich jetzt direkt in die Wälder gehen, wo niemand mich hören kann und mich blamieren, so wie heute Morgen auf der Veranda. *Spiel die Musik, nicht das Instrument*, hatte Marguerite immer gesagt. Und Mr James: *Lass dich vom Instrument spielen*. Bis heute hab ich keine dieser Anweisungen so richtig verstanden. Ich hatte mir immer vorgestellt, die Musik wäre in meiner Klarinette gefangen, nicht in mir. Doch was, wenn nun Musik das ist, was entweicht, wenn ein Herz bricht?

Ich biege in unsere Straße ein und sehe Onkel Big, er liest auf der Straße, stolpert dabei über seine riesigen Füße und grüßt im Vorübergehen seine Lieblingsbäume. Nichts allzu Ungewöhnliches, wenn da nicht die Fliegenden Früchte wären. Jedes Jahr gibt es ein paar Wochen, in denen sich unter gewissen Umständen, wie etwa einer bestimmten Windrichtung und besonders schweren Früchten, die Pflaumenbäume um unser Haus herum Menschen gegenüber feindselig verhalten und ein Zielschießen auf uns veranstalten.

Big fuchtelt enthusiastisch nach Ost und West grüßend mit den Armen und sein Kopf entgeht um Haaresbreite einer Pflaume.

Ich winke ihm zu, als er dann nah genug herangekommen ist, zwirbele ich zur Begrüßung seinen Schnurrbart, der gewachst und bis zum Anschlag gestylt ist, so aufgebrezelt (oder abgedreht) habe ich ihn schon lange nicht mehr gesehen.

»Du hast Besuch«, sagt er und zwinkert mir zu. Dann steckt er die Nase wieder in sein Buch und setzt seinen Spaziergang fort. Er meint Joe, das weiß ich, aber ich denke an Sarah und spüre einen kleinen Stich im Bauch. Heute hat sie mir eine SMS geschickt. *Schicke Suchtrupp nach unserer Freundschaft aus*. Ich hab nicht geantwortet. Weiß auch nicht, wo die ist.

Einen Augenblick später höre ich Big sagen: »O, Len, Toby hat angerufen, sollst ihn gleich zurückrufen.«

Er hatte auch wieder auf meinem Handy angerufen, als ich bei der Arbeit war. Ich hab die Mailbox nicht abgehört. Ich wiederhole den Eid, den ich den ganzen Tag schon geschworen hab, dass ich mich nie wieder mit Toby Shaw treffen werde, dann bitte ich meine Schwester um ein Zeichen der Vergebung:

Muss nicht diskret sein, Bailey, ein Erdbeben reicht völlig aus.

Beim Näherkommen sehe ich, dass das Haus umgekrempelt, das Innere nach außen gekehrt worden ist, im Vorgarten liegen Bücherstapel, Möbel, Masken, Töpfe, Pfannen und Kisten, Antiquitäten, Gemälde, Teller, Nippes – dann sehe ich Joe und jemanden, der genauso aussieht wie er, nur breiter und noch größer, mit unserem Sofa aus dem Haus kommen.

»Wo willst du das hin haben, Grama?«, sagt Joe, als wäre es die natürlichste Sache der Welt, unser Sofa nach draußen zu schleppen. Das muss Gramas Überraschung sein. Wir ziehen in den Garten. Klasse.

»Stellt es einfach irgendwohin, Jungs«, sagt Grama. Dann sieht sie mich. »Lennie.« Sie gleitet auf mich zu. »Ich werde jetzt herausfinden, was der Grund für unser furchtbares Unglück ist«, sagt sie. »Darauf bin ich mitten in der Nacht gekommen. Wir holen alles irgendwie Verdächtige aus dem Haus, halten ein Ritual ab, verbrennen Salbei und sorgen dafür, dass nichts Unglückbringendes wieder nach drinnen gelangt. Joe war so nett, seinen Bruder zu Hilfe zu holen.«

»Hmm«, mache ich, denn ich weiß nicht, was ich sagen soll. Ich wünschte, ich hätte Joes Gesicht gesehen, als Grama ihm ganz vernünftig diesen TOTAL WAHNSINNIGEN Plan erklärt hat. In dem Moment, in dem ich mich von ihr abwende, kommt Joe praktisch angaloppiert. Mann, zieht der einen runter.

»Ein ganz normaler Tag im Irrenhaus, was?«, sage ich.

»Echt verblüffend ist …«, sagt er und tippt sich mit dem Finger kundig an die Stirn, »wie Grama die Entscheidung trifft, was Glück bringt und was nicht. Den Code hab ich noch nicht geknackt.« Ich bin beeindruckt, wie schnell er kapiert hat, dass man sich nur noch festklammern kann, wenn es mit Grama durchgeht.

Dann kommt der andere Fontaine zu uns, lässig legt er Joe die Hand auf die Schulter und verwandelt ihn im Handumdrehen in einen kleinen Bruder, ein scharfer, plötzlicher Stich ins Herz … *Ich bin keine kleine Schwester mehr*. Bin überhaupt keine Schwester mehr … Punkt.

Joe kann seine Bewunderung kaum verbergen, und das haut mich um. Ich war genauso. Wenn ich Bailey vorgestellt habe, kam ich mir immer vor, als würde ich der Welt das allergeilste Kunstwerk präsentieren.

»Marcus verbringt seine Sommerferien bei uns, er geht auf die UCLA. Er und mein ältester Bruder spielen da in einer Band.« Brüder, Brüder und noch mehr Brüder.

»Hi«, sage ich zu einem weiteren Strahlemann. Chez Fontaine kann man auf Glühbirnen ganz bestimmt verzichten.

»Ich hab gehört, du spielst ziemlich irre Klarinette«, sagt Marcus. Daraufhin werde ich rot, daraufhin wird Joe rot und daraufhin lacht Marcus los und boxt seinen Bruder in den Arm. Ich höre ihn flüstern: »O Joe, dich hat's aber schlimm erwischt.« Dann wird Joe noch roter, wenn das möglich ist, und er schießt ins Haus und holt eine Lampe.

Wenn es Joe so schlimm erwischt hat, warum macht er dann nichts? Ich weiß, ich weiß, ich bin ja Feministin, ich könnte ja was machen, aber ich habe a) noch nie im Leben jemanden angemacht und weiß nicht, was man macht, wenn man anmacht, b) bin ein bisschen zu sehr mit dem kleinen Vogel in meinem Oberstübchen beschäftigt, der da nicht hingehört, und c) Rachel – na ja, ich weiß ja, dass er jeden Morgen bei uns zu Haus verbringt, aber woher soll ich wissen, dass er die Abende nicht mit ihr verbringt?

Grama hat was übrig für die Fontaine-Jungs. Sie flitzt auf dem Hof herum und erzählt ihnen immer wieder, wie gut sie aussehen, und fragt sie, ob ihre Eltern je daran gedacht hätten, sie zu verkaufen. »Ich wette, die würden einen ganz schönen Reibach mit euch Jungs machen. Was für eine Schande, solche Wimpern auf Jungs zu verschwenden. Findest du nicht auch, Lennie? Würdest du für solche Wimpern etwa nicht morden?« Gott, ist mir das peinlich. Aber sie hat recht mit den Wimpern. Auch Marcus blinzelt nicht, er plinkert wie Joe.

Grama schickt Joe und Marcus nach Hause, damit sie ihren dritten Bruder holen, denn sie ist überzeugt davon, dass sämtliche Fontaine-Brüder dem Ritual beiwohnen müssen. Offensichtlich stehen sowohl Marcus als auch Joe in ihrem Bann. Wahrscheinlich könnte Grama sie dazu kriegen, eine Bank für sie auszurauben.

»Bringt eure Instrumente mit«, ruft sie ihnen hinterher. »Du auch, Lennie.«

Ich tu wie mir geheißen und hole meine Klarinette aus dem Baum, in dem sie mit einer Auswahl meiner anderen weltlichen Güter ruht. Dann tragen Grama und ich einige der Töpfe, die sie als Glück bringend befunden hat, ins Haus zurück, um das Abendessen zu kochen. Sie bereitet das Hühnerfleisch vor, während ich die Kartoffeln viertele und mit Knoblauch und Rosmarin würze. Als alles im Ofen schmort, sammeln wir draußen heruntergefallene Pflaumen für einen Pie. Sie rollt den Teig aus und ich schneide indessen Tomaten und Avocados für den Salat in Scheiben. Jedes Mal, wenn sie an mir vorbeigeht, tätschelt sie meinen Kopf oder drückt mir den Arm.

»Ist es nicht schön, wieder zusammen zu kochen, meine kleine Wicke?«

Ich lächele sie an. »Ja, Grama.« Na, bis eben war es das noch, denn jetzt guckt sie mich wieder mit diesem Rede-doch-mit-mir-Lennie-Blick an. Die gramamesischen Verkündungen werden gleich beginnen.

Und los geht's. »Lennie, ich mach mir Sorgen um dich.«

»Mir geht's gut.«

»Es wird wirklich Zeit. Räum wenigstens ein bisschen auf, mach ihre Wäsche – oder lass mich das machen. Ich kann es erledigen, während du bei der Arbeit bist.«

»Ich mach das«, sage ich wie immer. Und ich werde es auch tun, ich weiß nur noch nicht, wann.

Dramatisch lässt sie die Schultern sinken. »Ich dachte, wir beide könnten nächste Woche mal in die Stadt fahren, Mittagessen gehen –«

»Nicht nötig.«

Ich konzentriere mich wieder auf meine Aufgabe. Ich will ihre Enttäuschung nicht sehen.

Sie seufzt auf ihre laute, einsame Weise und macht sich wieder über ihren Teig her. Telepathisch bitte ich sie um Verzeihung. Ich sage ihr, dass ich mich ihr im Moment einfach nicht anvertrauen kann, ich sag ihr, dass dreißig Zentimeter zwischen uns sich anfühlen wie dreißig Lichtjahre, die uns trennen – und dass ich nicht weiß, wie die zu überbrücken sind.

Telepathisch antwortet sie mir, dass ich ihr das gebrochene Herz breche.

Die Jungs kommen zurück und stellen uns den ältesten Fontaine vor, der auch über den Sommer aus L.A. gekommen ist.

»Das ist Doug«, sagt Marcus im selben Augenblick, in dem Joe sagt: »Das ist Fred.«

»Die Eltern konnten sich nicht entscheiden«, erklärt der neueste Fontaine. Der hier wirkt total von Sinnen vor Frohsinn. Grama hat recht, wir sollten sie verkaufen.

»Er lügt«, wirft Marcus ein. »Auf der Highschool wollte Fred gern als kultiviert gelten, damit er mit einem Haufen französischer Mädchen anbändeln konnte. Er fand, Fred hätte so ein unzivilisiertes Feuersteinimage, deshalb beschloss er, seinen Mittelnamen zu benutzen, Doug. Aber daran haben Joe und ich uns nie gewöhnen können.«

»Und jetzt wird er auf zwei Kontinenten DougFred genannt«, Joe stößt seinem Bruder vor die Brust, was einen Gegenangriff mit mehreren Rippenstößen nach sich zieht. Die Fontaine-Jungs sind wie ein Wurf riesiger Welpen, die nach einander schnappend herumflitzen und in einem Wirbel aus ständiger Bewegung und gewalttätiger Liebe durch die Gegend purzeln.

Ist gemein, ich weiß, aber wenn ich sie beobachte, ihre Kumpelhaftigkeit sehe, fühle ich mich einsam wie der Mond. Ich denke daran, wie Toby und ich letzte Nacht im Dunkeln Händchen gehalten und uns am Fluss geküsst haben. Wie ich spürte, dass meine Trauer bei ihm ein zu Hause hatte.

Beim Essen verteilen wir uns ringsherum auf die Möbel, die jetzt unsere Gartenmöbel sind. Der Wind hat sich ein wenig gelegt, wir werden also nicht mit Obst beworfen. Das Hühnchen schmeckt wie Hühnchen, der Pflaumenpie wie Pflaumenpie. Noch ist es zu früh dafür, dass nicht ein Bissen Asche dabei ist.

Die Dämmerung kleckst bei ihrem gemächlichen Sommerspaziergang Pink und Orange über den Himmel. Durch die Bäume höre ich den Fluss, der verheißungsvoll rauscht –

Nie wird sie die Fontaines kennenlernen.

Nie wird sie von diesem Abendessen erfahren bei einem gemeinsamen Spaziergang an den Fluss.

Weder am Morgen wird sie nach Haus kommen noch Dienstag noch in drei Monaten.

Sie wird niemals zurückkommen.

Sie ist weg und die Welt geht ihren Gang ohne sie –

Ich kriege keine Luft, kann nicht denken oder eine Minute länger hier sitzen bleiben.

Ich will sagen: »Komm gleich wieder«, aber es kommt nichts raus, also drehe ich dem Garten voller besorgter Gesichter den Rücken zu und laufe auf den Waldrand zu. Sobald ich den Pfad erreicht hab, starte ich durch und versuche dem Schmerz davonzurennen, der mich verfolgt.

Ich bin sicher, dass Grama oder Big mir folgen werden, aber sie tun es nicht, sondern Joe. Ich bin außer Atem, und als er kommt, schreibe ich gerade auf ein Stück Papier, das ich auf dem Pfad gefunden habe. Ich werfe den Zettel hinter einen Stein und versuche, meine Tränen wegzuwischen.

Zum ersten Mal sehe ich ihn, ohne dass sich ein Lächeln irgendwo in seinem Gesicht versteckt.

»Alles in Ordnung?«, fragt er.

»Du hast sie nicht mal gekannt.« Ehe ich es verhindern kann, ist es heraus, scharf und vorwurfsvoll. Ich sehe, wie die Überraschung über sein Gesicht zieht.

»Nein.«

Mehr sagt er nicht, aber ich scheine meinem irren Alter Ego nicht das Maul stopfen zu können. »Und du hast all diese Brüder.« Das sage ich, als wäre es ein Verbrechen.

»Stimmt.«

»Ich weiß einfach nicht, warum du die ganze Zeit bei uns rumhängst.« Mein Gesicht wird heiß, Verlegenheit schlängelt sich durch meinen Körper – die eigentliche Frage ist, warum ich darauf beharre, mich wie eine ausgewachsene Wahnsinnige zu verhalten.

»Das weißt du nicht?« Seine Blicke treiben sich auf meinem Gesicht herum, dann kringeln sich seine Mundwinkel nach oben. »Ich mag dich, Lennie, was sonst.« Er guckt mich ungläubig an. »Ich finde dich faszinierend …« Wie kommt er nur darauf? Bailey ist faszinierend und Grama und Big und Mom natürlich, aber ich nicht, ich bin die Zweidimensionale in einer 3-D-Familie.

Jetzt grinst er. »Außerdem finde ich dich echt hübsch und ich bin unglaublich oberflächlich.«

Mir kommt ein furchtbarer Gedanke. *Er findet mich nur hübsch, nur faszinierend, weil er Bailey nicht gekannt hat*, und darauf folgt ein wirklich schrecklicher, furchtbarer Gedanke: *Ich bin froh, dass er ihr nie begegnet ist.* Ich schüttele den

Kopf, versuche die Gedanken zu löschen wie auf einem Zauberzeichner.

»Was denn?« Er streckt die Hand nach meinem Gesicht aus, streicht langsam mit dem Daumen über meine Wange. Seine Berührung ist so zart, dass ich erschrecke. So hat mich noch nie jemand berührt, noch nie hat mich jemand so angesehen, so tief in mich hineingeschaut wie er jetzt. Ich will mich vor ihm verstecken und ihn küssen, beides gleichzeitig.

Und dann: Plink. Plink. Plink.

Ich bin geliefert.

Ich glaub, das war's dann mit seinem brüderlichen Gastauftritt.

»Darf ich?«, sagt er und greift nach dem Gummiband um meinem Pferdeschwanz.

Ich nicke. Ganz langsam schiebt er es runter, dabei schaut er mir in die Augen. Ich bin hypnotisiert. Das ist ein Gefühl, als würde er mir die Bluse aufknöpfen. Als er fertig ist, schüttele ich den Kopf ein bisschen und mein Haar gerät in seinen üblichen Ekstasezustand.

»Wow«, sagt er leise. »Das hab ich machen wollen …«

Ich höre, wie wir atmen. Das ist vermutlich noch in New York zu hören.

»Und was ist mit Rachel?«, sage ich.

»Was ist mit ihr?«

»Du und sie?«

»Du«, antwortet er. Ich!

Ich sage: »Tut mir leid, dass ich all das gesagt hab, vorhin …«

Er schüttelt den Kopf, als würde das keine Rolle spielen, und dann überrascht er mich, indem er mich nicht küsst, sondern die Arme um mich schlingt. So nah an seinem Herzen, in seinen Armen, lausche ich eine Weile dem wieder auffrischenden Wind und denke, der könnte uns jetzt einfach vom Boden heben und mitnehmen.

13. Kapitel

Unheimlich knarren und quietschen über unseren Köpfen die trockenen Stämme der alten Mammutbäume.

»O. Was ist das denn?«, fragt Joe. Plötzlich löst er sich von mir, schaut hoch, dann über seine Schulter.

»Was?«, frage ich; mir ist peinlich, wie sehr ich immer noch seine Arme um mich spüren möchte. Ich versuche es mit einem Witz zu überspielen. »Mann, kannst du die Stimmung kaputt machen. Schon vergessen? Ich hab einen Zusammenbruch?«

»Ich glaub, das reicht für heute mit dem Ausflippen«, sagt er, jetzt lächelt er und lässt seinen Finger neben der Schläfe kreisen, um anzudeuten, wie durchgeknallt ich bin. Darüber muss ich laut lachen. Wieder schaut er sich leicht panisch um. »Mal ehrlich, was war das?«

»Hast du Angst vor dem tiefen, dunklen Wald, Stadtjunge?«

»Na klar, wie die meisten vernünftigen Leute, denk bloß an die Löwen und Tiger und Bären – oje?« Er hakt seinen Finger in meine Gürtelschlaufe und zieht mich wieder auf den Pfad zum Haus, dann bleibt er plötzlich stehen. »Da, das eben. Dieses unheimliche Horrorfilmgeräusch, das immer dann zu hören ist, wenn im nächsten Moment der Axtmörder angesprungen kommt und uns erwischt.«

»Das ist das Knarren der uralten Bäume. Wenn es richtig windig ist, klingt das hier so, als ob Hunderte von Türen knarren und schlagen, alle auf einmal, das ist mehr als gruselig. Glaub nicht, dass du das verkraften könntest.«

Er legt den Arm um mich. »Eine Mutprobe? Okay, am nächsten windigen Tag geht's los.« Er zeigt auf sich: »Hänsel« – und dann auf mich: »Gretel.«

Kurz bevor wir dann den Wald verlassen sage ich: »Danke, dass du mir gefolgt bist und …« Ich will ihm dafür danken, dass er den ganzen Tag damit zugebracht hat, für Grama Möbel zu rücken, dafür, dass er jeden Morgen mit toten Käfern für Big ankommt und irgendwie für die beiden da ist, wenn ich das nicht fertigbringe. Stattdessen sage ich: »Ich liebe deine Art zu spielen.« Ist auch wahr.

»Gleichfalls.«

»Hör auf«, sag ich. »Das war kein Spielen. Das war Tröten. Totale Blamage.«

Er lacht. »Nee, nee. Das Warten hat sich gelohnt. Und damit liegt auf der Hand, warum ich, wenn ich wählen müsste, lieber die Sprache verlieren würde als die Fähigkeit zu spielen. Ist die bei Weitem überlegene Art der Kommunikation.«

Dem kann ich zustimmen, Blamage hin oder her. Das Spielen war heute so, als hätte ich ein Alphabet entdeckt – es war wie verliebt sein. Er zieht mich noch näher an sich und in mir wächst etwas, etwas, das sich so ziemlich anfühlt wie Freude.

Ich versuche die hartnäckige Stimme in mir zu ignorieren: *Wie kannst du es wagen, Lennie? Wie kannst du es wagen, so bald schon wieder Freude zu empfinden?*

Als wir aus dem Wald kommen, parkt Tobys Truck vor dem Haus, und das hat auf meinen Körper sofortige Knochen verflüssigende Wirkung. Ich drossele das Tempo, mache mich von Joe los, der mich fragend anschaut. Grama muss Toby eingeladen haben, an ihrem Ritual teilzunehmen. Ich erwäge, noch ein Ausflippen zu inszenieren und wieder in die Wälder zu rennen, damit ich nicht mit Toby und Joe im selben Raum sein muss. Aber ich bin ja nicht die Schauspielerin hier und ich weiß, dass ich das nicht durchziehen könnte. Mein Magen ist unruhig, als wir die Stufen hochsteigen, an Lucy und Ethel vorbeigehen, die natürlich ausgestreckt auf der Veranda liegen und warten, dass Toby wieder nach draußen kommt, und natürlich rühren sie sich nicht vom Fleck. Wir stoßen die Tür auf und gehen über den Flur ins Wohnzimmer. Der Raum ist von Kerzen erleuchtet, die Luft vom süßen Duft des Salbeis geschwängert.

In der Mitte des Raumes sitzen DougFred und Marcus auf zwei der verbliebenen Stühle und spielen Flamencogitarre. Die Halbmutter schwebt über ihnen, als lauschte sie den rauen, feurigen Akkorden, die vom Haus Besitz ergreifen. Onkel Big ragt am Kaminsims auf und klatscht den heißen Takt auf seinen Schenkel. Und Toby steht auf der anderen Seite des Raumes, isoliert von allen anderen, und sieht so einsam aus, wie ich mich vorhin gefühlt habe – sofort taumelt mein Herz ihm entgegen. Er lehnt sich ans Fenster, sein goldenes Haar und seine Haut schimmern im flackernden Licht. Mit einer unangemessen habichtartigen Intensität, die Joe nicht entgeht, beobachtet er, wie wir in den Raum kommen, und ein Frösteln durchrieselt mich. Ohne einen Blick zur Seite kann ich Joes Befremden spüren.

Unterdessen stelle ich mir vor, dass meine Füße Wurzeln schlagen, damit ich nicht quer durch den Raum in Tobys Arme fliege, denn ich habe ein riesiges Problem. Sogar in diesem Haus, an diesem Abend, in Anwesenheit all dieser Leute, an der Seite von Joe-dem-Fabelhaften-Fontaine, der sich nicht mehr aufführt wie mein Bruder, spüre ich immer noch dieses unsichtbare Seil, das mich durch den Raum zu Toby zieht – und ich scheine nichts dagegen tun zu können.

Ich drehe mich zu Joe um, den ich so noch nie gesehen habe: unglücklich, ganz steif vor Verwirrung, sein Blick geht von Toby zu mir und wieder zurück. Ganz so, als würden all diese Augenblicke zwischen Toby und mir, die es nie hätte geben sollen, vor Joes Füßen ausgeschüttet.

»Wer ist der Typ?«, fragt Joe ganz ohne seine übliche Gelassenheit.

»Toby.« Laut und seltsam roboterartig kommt das raus.

Joe guckt mich an, als wollte er sagen: *Na, und wer ist Toby, Schwachkopf?*

»Ich stell dich vor«, sage ich, denn ich hab keine Wahl und kann nicht einfach hier stehen bleiben wie vom Schlag getroffen.

Anders kann man es wirklich nicht ausdrücken: Das haut mich um.

Und zu allem Überfluss schwillt um uns herum der Flamenco an und schleudert Feuer, Sex und Leidenschaft in sämtliche Richtungen. Perfekt. Hätten sie nicht irgendeine einschläfernde Sonate aussuchen können? Walzer sind auch ganz reizend, Jungs. Mit mir auf den Fersen geht Joe durch den Raum auf Toby zu: die Sonne auf Kollisionskurs mit dem Mond.

Die Dämmerung quillt durchs Fenster und umrahmt Tobys Gestalt. Joe und ich bleiben ein paar Schritte vor ihm stehen, wir alle sind jetzt in der Unsicherheit zwischen Tag und Nacht gefangen. Um uns herum geht der feurige Aufruhr der Musik weiter und in mir ist ein Mädchen, das sich dem fanatischen Rhythmus ergeben möchte – wild und frei will sie überall in dem dröhnenden Raum herumtanzen, aber leider ist dieses Mädchen nur *in* mir – nicht ich. *Ich* hätte nämlich gern einen Unsichtbarkeitsumhang, damit ich so schnell wie möglich aus diesem Schlamassel rauskomme.

Ich schau rüber zu Joe und sehe mit Erleichterung, dass die heißen Akkorde für den Moment seine Aufmerksamkeit gefangen nehmen. Seine eine Hand spielt auf seinem Oberschenkel, mit dem Fuß trommelt er auf den Boden, der Kopf hüpft auf und ab, dass ihm das Haar über die Augen fällt. Er kann nicht aufhören, seine Brüder anzulächeln, die so wilde Töne aus ihren Gitarren schlagen, dass sie damit wahrscheinlich die Regierung stürzen könnten. Ich merke, dass ich lächele wie eine Fontaine, als ich sehe, wie die Musik durch Joe hindurchrast. Ich kann spüren, wie sehr er seine Gitarre haben will, ebenso wie ich ganz plötzlich spüren kann, wie sehr Toby mich haben will. Verstohlen sehe ich ihn an. Wie ich vermutet hatte, beobachtet er, wie ich Joe beobachte, sein Blick ist fest auf mich geheftet. Wie haben wir uns nur in diese Lage gebracht? In diesem Augenblick ist daran nichts Tröstliches, sondern etwas anderes. Ich schaue nach unten, schreibe mit dem Finger *Hilfe* auf meine Jeans, und als ich wieder aufschaue, starren sich Toby und Joe in die Augen. Zwischen ihnen spielt sich stumm etwas ab, was nur mit mir zu tun hat, denn wie auf ein Stichwort wenden sie die Blicke voneinander ab und richten sie auf mich, als wollten sie sagen: *Was ist hier los, Lennie?*

In meinem Körper wechseln sämtliche Organe die Plätze.

Joe legt mir die Hand leicht auf den Arm, als wollte er mich daran erinnern, den Mund aufzumachen und Worte zu bilden. Bei der Berührung lodert Tobys Blick auf. Was ist los mit ihm heute Abend? Er benimmt sich wie mein Freund, nicht wie der meiner Schwester, nicht wie jemand, mit dem ich zwei Mal unter ausgesprochen mildernden Umständen herumgemacht habe. Und was ist mit mir und dieser unerklärlichen und anscheinend unausweichlichen Kraft, die mich trotz allem zu ihm hinzieht?

Ich sage: »Joe ist gerade in die Stadt gezogen.« Toby nickt höflich und ich klinge menschlich, ein guter Anfang. Ich will gerade sagen: »Toby war Baileys Freund«, was ich zu sagen verabscheue, wegen des »war« und weil ich mir dann vorkomme wie die Verräterin, die ich bin.

Aber da schaut Toby mich an und sagt mir mitten ins Gesicht: »Dein Haar ist offen.« Hallo? Das sagt man doch nicht. Richtig wäre gewesen: »O, und wo kommst du her?«

oder, »Clover ist ziemlich cool.« Oder: »Bist du auch Skater?«, oder eigentlich so gut wie alles andere, nur nicht: »Dein Haar ist offen.«

Die Bemerkung scheint Joe nichts anhaben zu können. Er lächelt mich an, als wäre er stolz darauf, dass er derjenige war, der mein Haar von seinen Fesseln befreit hat.

Genau da bemerke ich Grama in der Tür, sie schaut uns an. Das brennende Räucherstäbchen Salbei wie einen Zauberstab haltend weht sie zu uns herüber. Sie mustert mich schnell von Kopf bis Fuß und befindet offenbar, dass ich mich erholt habe, dann zeigt sie mit ihrem Zauberstab auf Toby und sagt. »Dann will ich euch Jungs mal miteinander bekannt machen. Joe Fontaine, das ist Toby Shaw, Baileys Freund.«

Wuuuusch – ich kann es sehen: Wie ein Wasserfall rauscht die Erleichterung über Joe hinweg. Für ihn ist der Fall erledigt, denn wahrscheinlich denkt er, da kann sich nichts abspielen – denn was wäre das für eine Schwester, die diese Art Grenze überschreitet?

»Hey, das tut mir ja so leid«, sagt er zu Toby.

»Danke.« Toby versucht zu lächeln, aber es kommt total falsch und gemeingefährlich rüber. Doch Joe ist so erleichtert über Gramas Enthüllung, dass ihm das nicht mal auffällt, lebensfroh wie immer dreht er sich einfach um und geht zu seinen Brüdern, Grama folgt ihm.

»Ich werd jetzt gehen, Lennie.« Tobys Stimme ist bei der Musik kaum zu hören. Ich drehe mich um, sehe, dass Joe sich jetzt über seine Gitarre beugt und über dem Klang, den seine Finger erzeugen, alles vergisst.

»Ich begleite dich«, sage ich.

Toby verabschiedet sich von Grama, Big und den Fontaines, alle sind ganz erstaunt, dass er so früh geht, besonders Grama, die sich – wie ich merke – was zusammenreimt.

Ich folge ihm bis zu seinem Truck. Lucy, Ethel und ich hecheln ihm zu Füßen. Er macht die Autotür auf, steigt nicht ein, lehnt sich gegen den Wagen. Wir stehen uns gegenüber und in seinem Gesicht ist nicht eine Spur von der Ruhe oder der Zärtlichkeit, die ich schon so gewohnt bin zu sehen. Etwas Rasendes, Unzurechnungsfähiges ist an ihre Stelle getreten. Er ist in Harter-Skater-Typ-Stimmung, und obwohl ich mich sträube, finde ich das fesselnd. Zwischen uns fließt Strom, das spüre ich, und er gerät langsam völlig außer Kontrolle in mir. *Was ist das bloß?*, denke ich, als er mir in die Augen schaut, auf den Mund und dann den Blick langsam und besitzergreifend über meinen Körper gleiten lässt. *Warum können wir damit nicht aufhören?* Ich komme mir so verwegen vor, als ob ich mit ihm auf seinem Brett durch die Luft wirbeln würde, ohne auf Sicherheit oder Konsequenzen zu achten, ohne irgendetwas anderes zu berücksichtigen als Geschwindigkeit, Waghalsigkeit und den Hunger und die Gier nach Leben – aber ich sage: »Nein. Jetzt nicht.«

»Wann?«

»Morgen. Nach der Arbeit«, sage ich entgegen meiner Einsicht, entgegen irgendeiner Einsicht.

Was wollt ihr Mädchen heute Abend essen?
Wie findet ihr Mädchen mein neues Bild?
Was haben die Mädchen am Wochenende vor?
Sind die Mädchen schon zur Schule gegangen?
Ich hab die Mädchen heut noch nicht gesehen.
Beeilt euch!, hab ich den Mädchen gesagt.
Wo bleiben diese Mädchen nur?
Mädchen, vergesst eure Schulbrote nicht.
Mädchen, um elf seid ihr zu Hause.
Mädchen, Schwimmen kommt gar nicht in Frage, es ist eiskalt.
Kommen die Walker-Mädchen zu der Party?
Gestern Abend waren die Walker-Mädchen am Fluss.
Mal sehen, ob die Walker-Mädchen zu Hause sind.

(Inschrift, gefunden auf der Wand von Baileys Schrank)

14. Kapitel

Grama wedelt mit ihrem Salbeistab im Wohnzimmer herum wie eine zu groß geratene Fee. Tut mir leid, sag ich ihr, geht mir nicht gut, ich muss nach oben.

Mitten im Wedeln hält sie inne. Ich weiß, sie spürt, dass es Ärger gibt, aber sie sagt: »In Ordnung, kleine Wicke.« Ich entschuldige mich bei allen und sage so arglos wie möglich Gute Nacht.

Joe folgt mir, als ich den Raum verlasse, und ich stelle fest, dass nun vielleicht die Zeit für mich gekommen ist, mich in ein Kloster zu begeben und für eine Weile mit den Schwestern in Klausur zu gehen.

Er berührt meine Schulter und ich drehe mich zu ihm um: »Was ich im Wald gesagt hab, hat dir hoffentlich keine Angst gemacht oder so … hoffentlich haust du dich deshalb nicht hin …«

»Nein, nein.« Seine Augen sind ganz groß vor Sorge. Ich füge hinzu: »Das hat mich ehrlich gesagt ziemlich glücklich gemacht.« Und das ist natürlich wahr, doch da wäre noch dieses kleine Problem, dass ich mich gleich nach seiner Erklärung mit dem Freund meiner toten Schwester verabredet hab, um *Gott weiß was zu tun!*

»Gut.« Mit dem Daumen streicht er mir über die Wange und wieder erschreckt mich seine Zärtlichkeit. »Ich werd nämlich verrückt, Lennie.« Plink. Plink. Plink. Und einfach so werde ich auch verrückt, denn ich denke, dass Joe Fontaine im Begriff ist, mich zu küssen. Endlich.

Vergesst das Kloster.

Um das klarzustellen: Mein bislang nicht messbares Flittchenrating sprengt alle Charts.

»Ich wusste gar nicht, dass du weißt, wie ich heiße«, sage ich.

»Du weißt ja so wenig über mich, *Lennie.*« Er lächelt und presst mir den Zeigefinger auf die Lippen, dort lässt er ihn, bis mein Herz auf dem Jupiter gelandet ist: drei Sekunden, dann zieht er den Finger weg, dreht sich um und geht wieder ins Wohnzimmer. Wow – also, das war entweder der idiotischste oder der erotischste Augenblick meines Lebens, und ich bin für erotisch, denn ich steh hier wie vom Donner gerührt, mir ist schwindelig und ich frag mich, ob er mich vielleicht doch geküsst hat.

Ich bin völlig von der Rolle.

Ich glaube nicht, dass normale Menschen so trauern.

Als ich wieder ein Bein vor das andere setzen kann, mache ich mich auf den Weg ins Allerheiligste. Gott sei Dank ist es von Grama für im Wesentlichen Glück bringend befunden worden, deshalb ist es weitgehend unberührt geblieben, das gilt besonders für Baileys Sachen, die Grama glücklicherweise überhaupt nicht angerührt hat. Sofort gehe ich an ihren Schreibtisch und fang an, mit dem Bild von der Forschungsreisenden zu reden, so wie wir manchmal mit der Halbmutter reden.

Heute Abend wird die Frau auf dem Berggipfel Bailey sein müssen.

Ich setze mich und sage ihr, wie leid es mir tut, dass ich nicht weiß, was mit mir los ist, und dass ich Toby morgen früh gleich als Erstes anrufen und die Verabredung absagen werde. Ich sag ihr auch, dass ich nicht so gemeint habe, was ich im Wald gedacht habe, und dass ich alles tun würde, damit sie Joe Fontaine kennenlernen könnte. Alles. Und dann bitte ich sie noch mal, mir doch bitte ein Zeichen ihrer Vergebung zu schicken, ehe die Reihe von unverzeihlichen Dingen, die ich denke und tue, zu lang wird und ich zum hoffnungslosen Fall werde.

Ich guck rüber zu den Kisten. Irgendwann muss ich mal anfangen, das ist mir klar. Ich atme tief durch, verbanne alle morbiden Gedanken aus meinem Kopf und lege die Hände auf die Holzknäufe der obersten Schreibtischschublade. Nur um sofort an Bailey und unseren Anti-Schnüffel-Pakt zu denken. Den habe ich nie gebrochen, nicht ein einziges Mal, obwohl ich von Natur aus schnüffelfreudig bin. Bei anderen Leuten öffne ich bei jeder Gelegenheit Medizinschränke, gucke hinter Duschvorhänge und ziehe Schubladen und Schranktüren auf. Aber bei Bailey hab ich mich an den Pakt gehalten …

Pakte. Wir hatten so viele geschlossen, die jetzt gebrochen werden. Und was wird aus denen, die nie in Worte gefasst wurden, die wir stillschweigend eingingen, ohne die

Finger zu heben, ohne es auch nur zu bemerken? Ein Schwall von Gefühlen trifft mich. Vergiss das Gespräch mit dem Bild, ich hole mein Handy raus, gebe Baileys Nummer ein und höre ungeduldig ihrer Julia zu, die Hitze steigt mir in den Kopf und nach dem Piepton höre ich mich sagen: »Was passiert mit einem blöden Beistellpony, wenn das Rennpferd stirbt?« In meiner Stimme schwingt Wut und Verzweiflung mit und sofort und wider jede Logik wünsche ich, ich könnte die Nachricht löschen, damit sie sie nicht hört.

Langsam öffne ich die Schublade, ich habe Angst vor dem, was ich finden könnte, Angst, noch mehr zu finden, das sie mir nicht erzählt hat, Angst vor mir selbst als völlig durchgeknallter Paktbrecherin. Aber da liegen nur Sachen, belanglose Sachen, die ihr gehört haben, ein paar Stifte, ein paar Programmhefte von Stücken am *Clover Repertory*, Konzertkarten, ein Adressbuch, ein altes Handy, ein paar Visitenkarten, eine Karte von unserem Zahnarzt, der an den nächsten Termin erinnert, und eine von Paul Booth, Privatdetektiv, mit einer Adresse in San Francisco.

Was zum Teufel?

Ich nehme das Ding in die Hand. Auf der Rückseite steht in Baileys Schrift 25.4., 16 Uhr, Suite 2B. Ich kann mir nur einen Grund vorstellen, aus dem sie einen Privatdetektiv aufsuchen könnte – und zwar, um unsere Mutter zu finden. Aber warum sollte sie so etwas tun? Wir wissen beide, dass Big es schon versucht hat, vor ein paar Jahren erst, und der Privatdetektiv hatte gesagt, es wäre unmöglich, sie zu finden.

An dem Tag, an dem Big uns von dem Detektiv erzählte, war Bailey wütend gewesen, sie war durch die Küche geschossen wie ein Torpedo, während Grama und ich Erbsen aus dem Garten fürs Abendessen palten.

Bailey sagte: »Ich weiß, dass du weißt, wo sie ist, Grama.«

»Woher soll ich das wissen, Bailey?«, antwortete Grama.

»Ja, woher soll sie das wissen, Bailey?«, wiederholte ich. Ich hasste es, wenn Bailey und Grama sich stritten, und hatte das Gefühl, gleich würde es zur Explosion kommen.

Bailey sagte: »Ich könnte ihr hinterherreisen. Ich könnte sie finden. Ich könnte sie zurückholen.« Sie schnappte sich eine Schote und steckte sich das ganze Ding mit Schale und allem in den Mund.

»Du könntest sie nicht finden und du könntest sie auch nicht zurückholen.« Big stand in der Tür, seine Worte füllten den Raum wie die Verkündigung. Ich hatte keine Ahnung, wie lange er schon zugehört hatte.

Bailey ging auf ihn zu. »Woher weißt du das?«

»Ich hab's versucht, Bailey.«

Grama und ich hörten auf zu palen und schauten zu Big hoch. Er tappte rüber zum Küchentisch und setzte sich auf einen Stuhl – wie ein Riese im Kindergarten. »Vor ein paar Jahren hab ich einen Detektiv engagiert, einen guten. Ich dachte, wenn er was Gutes herausfindet, dann erzähl ich es euch, aber daraus wurde nichts. Er hat gesagt, wenn man nicht gefunden werden will, ist nichts leichter, als zu verschwinden. Er glaubt, Paige hat ihren Namen geändert und wahrscheinlich ändert sie auch ihre Sozialversicherungsnummer, wenn sie umzieht …« Big trommelte mit den Fingern auf den Tisch, es klang wie Donnergrollen.

»Wie sollen wir denn wissen, ob sie überhaupt noch lebt?«, sagte Big leise, aber wir hörten ihn, als hätte er es vom Gipfel des Berges gegrölt. Auf diesen Gedanken war ich seltsamerweise noch nie gekommen, und ich glaube auch nicht, dass Bailey je so was gedacht hat. Man hatte uns immer gesagt, sie würde zurückkommen, und wir haben es geglaubt, aus tiefstem Herzen.

»Sie lebt, ganz sicher lebt sie«, sagte Grama zu Big. »Und sie wird zurückkommen.«

Wieder sah ich Argwohn über Baileys Gesicht schleichen.

»Woher weißt du das, Grama? Wenn du dir so sicher bist, musst du doch etwas wissen.«

»Eine Mutter weiß so was eben. So ist das.« Und damit verließ Grama den Raum.

Ich lege die Karte wieder in die Schublade, nehme den heiligen Antonius mit und steige ins Bett. Ich stelle ihn auf den Nachttisch. Warum hat sie so viele Geheimnisse vor mir gehabt? Und wie um alles in der Welt kann ich deswegen jetzt bloß sauer auf sie sein? Wie kann ich überhaupt sauer auf sie sein? Auch nur einen Moment lang?

Bailey und ich haben nicht viel geredet
über Gramas Phasen,
die sie ihre Privaten Stunden nannte,
Tage, die sie im Atelier verbrachte –
ohne Unterbrechung.
Das gehörte einfach dazu,
so wie die grünen Sommerblätter
welken, wenn der Herbst kommt.
Ich spähe durch die Ritze in der Tür,
sehe sie von Staffeleien umgeben,
von grünen Frauen, nicht ausgeformt,
die Farbe nass noch und hungrig.
Sie arbeitet an allen zur gleichen Zeit,
und bald wird auch sie
aussehen wie eine von ihnen,
all die grünen Kleckse auf ihren Kleidern,
ihren Händen, ihrem Gesicht.
An solchen Tagen packen
Bailey und ich selbst unsere braunen Tüten,
holen mittags unsere Brote heraus
und hassen die Enttäuschung und eine Welt,
in der gepunktete Schals,
Notenblätter, blaue Federn
uns nicht zum Essen überraschen.

Nach der Schule brachten wir ihr Tee
oder Apfelschnitze und Käse,
aber alles blieb auf dem Tisch stehen, unberührt.
Big sagte uns, wir sollten es aussitzen,
jeder brauche mal eine Pause
vom täglichen Einerlei ab und an.
Und wir hielten uns dran –
Es war, als würde Grama
auf Reisen gehen mit ihren Damen
und stecken bleiben wie sie – irgendwo
zwischen hier und da.

(Gefunden auf einem Stück von einer braunen Papiertüte in Lennies Klarinettenkasten)

(Gefunden auf einer zerknüllten Heftseite in einem Schuh in Lennies Kleiderschrank.)

Len, bist du noch wach?
Hm.
Komm, wir machen das Mom-Spiel.
Okay, ich fang an. Sie ist in Rom –
Sie ist immer in Rom in letzter Zeit –
Also, sie ist eine berühmte Pizzabäckerin und es ist
spätabends, das Restaurant ist geschlossen und sie
trinkt ein Glas Wein mit –
Mit Luigi, dem hinreißenden Kellner, sie haben sich die
Flasche geschnappt und gehen durch die vom Mond
beschienenen Straßen, es ist heiß, und als sie an einen
Springbrunnen kommen, zieht sie ihre Schuhe aus und
springt rein …
Luigi zieht nicht mal seine Schuhe aus, springt einfach
rein und bespritzt sie mit Wasser, sie lachen …
Aber unter dem großen, hellen Mond im Springbrunnen zu stehen,
erinnert sie an Flying Man's und wie sie
nachts mit Big schwimmen gegangen ist …
Glaubst du wirklich, Bailey? Glaubst du wirklich, sie steht
in einer heißen Sommernacht mit dem tollen Luigi in einem
Springbrunnen in Rom und denkt an uns? An Big?
Klar.
Nee, nee.
Wir denken doch an sie.
Das ist was anderes.
Warum?
Weil wir nicht in einer heißen Sommernacht mit dem
tollen Luigi in einem Springbrunnen in Rom stehen.
Stimmt.
Nacht, Bailey.

15. Kapitel

Der Tag, an dem alles passiert, beginnt wie alle anderen in letzter Zeit mit Joes leisem Klopfen. Ich wälze mich auf die andere Seite, schaue aus dem Fenster und sehe nur den Rasen im Morgennebel. Nachdem ich schlafen gegangen bin, muss alles wieder ins Haus geräumt worden sein.

Ich gehe nach unten, wo ich Grama auf ihrem Platz am Küchentisch vorfinde, ihr Haar ist in ein Handtuch gewickelt. Die Hände um einen Becher Kaffee gelegt, starrt sie Baileys Stuhl an. Ich setze mich neben sie. »Tut mir wirklich leid das mit gestern Abend«, sage ich. »Ich weiß, wie gern du ein Ritual für Bailey, für uns abhalten wolltest.«

»Schon in Ordnung, Len, ein anderes Mal. Wir haben so viel Zeit.« Sie nimmt meine Hand und streichelt sie gedankenverloren. »Ich glaube übrigens, ich hab herausbekommen, warum wir so ein Pech haben.«

»Ach?«, sage ich. »Was ist es denn?«

»Du kennst doch diese Maske, die Big aus Südamerika mitgebracht hat, als er diese Bäume da studiert hat. Ich glaube, auf der liegt ein Fluch.«

Diese Maske hab ich immer gehasst. Sie ist von oben bis unten mit falschem Haar bedeckt, die Augenbrauen sind erstaunt hochgezogen und der Mund fletscht ein blankes, wölfisches Gebiss. »Die fand ich schon immer gruselig«, sage ich. »Bailey auch.«

Grama nickt, doch sie scheint nicht bei der Sache zu sein. Ich glaub, sie hört mir gar nicht zu, und das passt eigentlich gar nicht zu ihrem Verhalten in letzter Zeit.

»Lennie«, sagt sie vorsichtig. »Ist zwischen dir und Toby alles in Ordnung?«

Mein Magen krampft sich zusammen. »Na klar«, sage ich und schlucke, ich will ganz lässig klingen. »Warum?« Sie guckt mich an wie eine Eule.

»Ich weiß nicht, gestern Abend wart ihr so komisch zueinander.« Argh. Argh. Argh.

»Und ich frag mich immerzu, warum Sarah nicht vorbeikommt. Habt ihr euch gestritten?«, sagt sie und kurbelt meine Schuldgefühle ordentlich an.

In diesem Moment kommen Big und Joe herein und retten mich. Big sagt: »Wir glauben, wir haben heute Lebenszeichen in Spinne Nummer sechs gesehen.«

Joe sagt: »Ich hab ein Zucken gesehen, das schwöre ich.«

»Hätte fast einen Herzinfarkt gekriegt, unser Joe, wär beinah durch die Decke gegangen, aber es muss ein Luftzug gewesen sein, der kleine Kerl ist immer noch mausetot. Und die Lenniepflanze siecht nach wie vor dahin. Ich muss die Sache noch mal überdenken, vielleicht sollte ich noch eine UV-Lampe reinhängen.«

»Hey«, sagt Joe, stellt sich hinter mich und legt mir die

Hand auf die Schulter. Ich schaue hoch in die Wärme in seinem Gesicht und lächele ihn an. Ich glaube, er könnte mich selbst am Galgen noch zum Lächeln bringen – und der Weg dahin ist mir vorgezeichnet, kein Zweifel. Eine Sekunde lang lege ich meine Hand auf seine, sehe, wie Grama das bemerkt, als sie aufsteht, um uns Frühstück zu machen.

Irgendwie fühle ich mich verantwortlich für die gerührte Asche, die wir alle in uns reinschaufeln, mir kommt es vor, als hätte ich unseren Haushalt vom Pfad der Heilung abgebracht, auf dem er sich gestern Morgen noch befunden hat. Joe und Big witzeln über die Wiederauferstehung von Krabbeltieren und explodierende Kuchen – ein Gespräch, das sich nicht totlaufen will –, während ich aktiv darum bemüht bin, Gramas argwöhnischen Blicken zu entgehen.

»Ich muss heute früher zur Arbeit, wir machen das Catering für Dwyers Party heute Abend«, teile ich meinem Teller mit, aber ich sehe Grama am Rande meines Sichtfeldes nicken. Sie weiß davon, weil sie gebeten worden ist, beim Blumenschmuck zu helfen. Sie hat laufend Anfragen nach Blumenschmuck für Feste und Hochzeiten, sagt aber selten zu, weil sie Schnittblumen hasst. Auf das Schneiden ihrer Büsche oder Blüten steht die Todesstrafe, deshalb lassen wir alle die Finger davon. Wahrscheinlich hat sie dieses Mal Ja gesagt, weil sie mal einen Nachmittag aus dem Haus wollte. Manchmal stelle ich mir die armen Gärtner überall in der Stadt vor, die diesen Sommer ohne Grama auskommen müssen, sie stehen in ihren Gärten und kratzen sich ratlos den Kopf wegen ihres lustlosen Blauregens, ihrer vereinsamten Fuchsien.

Joe sagt: »Ich begleite dich. Ich muss sowieso ins Musikgeschäft.« Alle Fontaine-Jungs arbeiten diesen Sommer angeblich für ihre Eltern, die eine Scheune zur Werkstatt umgebaut haben, in der Joes Vater besondere Gitarren herstellt, doch ich habe den Eindruck, sie verbringen den ganzen Tag mit der Arbeit an neuen Songs für ihre Band *Dive*.

Wir machen uns auf den nicht besonders weiten Weg in die Stadt, der heute zwei Stunden zu dauern scheint, weil Joe jedes Mal stehen bleibt, wenn er was zu sagen hat, und weil das alle drei Sekunden der Fall ist.

»Sag mal, kannst du nicht gleichzeitig gehen und reden?«, frage ich.

Er macht eine Vollbremsung. »Nee.« Dann geht er eine Minute schweigend vor sich hin, bis er es nicht mehr aushält und stehen bleibt, sich zu mir umdreht, meinen Arm nimmt und mich zwingt, ebenfalls anzuhalten, während er mir sagt, dass ich unbedingt nach Paris fahren muss, wie wir da in der Metro Musik machen werden, einen Haufen Geld verdienen und nur Schokoladencroissants essen, Rotwein trinken und die ganze Nacht aufbleiben werden, weil in Paris niemand schläft. Die ganze Zeit kann ich sein Herz schlagen hören und ich denke: warum nicht? Ich könnte aus diesem traurigen Leben schlüpfen wie aus einem alten, schlabbernden Kleid und mit Joe nach Paris gehen. Wir könnten in ein Flugzeug steigen, über den Ozean fliegen und in Frankreich landen. Wir könnten es sogar heute noch tun. Ich habe Geld gespart. Ich habe ein Béret. Einen heißen schwarzen BH. Ich weiß, wie man *Je t'aime* sagt. Ich liebe Kaffee, Schokolade und Baudelaire. Und ich habe Bailey oft genug beobachtet, um zu wissen, wie man sich einen Schal um den Hals schlingt. Wir könnten es wirklich tun und dieses Gefühl macht mich so schwindelig, dass ich in die Luft gehen könnte. Das sage ich ihm. Er nimmt meine Hand und reckt den anderen Arm in Superman-Manier in die Luft.

»Siehst du, ich hatte recht«, sagt er mit einem Lächeln, das den Staat Kalifornien mit Strom versorgen könnte.

»Gott, du bist hinreißend«, platzt es aus mir heraus. Am liebsten würd ich sterben, ich kann nicht glauben, dass ich das laut gesagt habe. Er auch nicht, sein Lächeln ist jetzt so riesig, dass er kein Wort mehr daran vorbeikriegt.

Wieder bleibt er stehen. Ich denke schon, dass er weiter über Paris reden wird, aber das tut er nicht. Ich schaue zu ihm auf. Sein Gesicht ist so ernst wie gestern Abend im Wald.

»Lennie«, flüstert er.

Ich schaue in seine kummerfreien Augen und in meinem Herzen fliegt eine Tür auf.

Und als wir uns küssen, sehe ich, dass auf der anderen Seite der Tür Himmel ist.

16. Kapitel

Ich Kann Das Dunkel Nicht Aus Dem Weg Schieben.

(Gefunden auf der Bank vor Marias Italienischen Delikatessen)

Ich stehe am Fenster des Ladens, mache eine Million Lasagnen und höre Maria mit einem Kunden nach dem anderen tratschen, als ich dann nach Hause komme, liegt Toby auf meinem Bett. Das Haus ist stockstill, denn Grama ist bei den Dwyers und Big bei der Arbeit. Heute habe ich zehn Mal Tobys Nummer auf meinem Handy gedrückt, dann aber immer abgebrochen. Ich wollte ihm sagen, dass ich mich nicht mit ihm treffen kann. Nicht nachdem ich es Bailey versprochen hatte. Nicht nachdem ich Joe geküsst hatte. Nicht nach Gramas peinlicher Befragung. Nicht nachdem ich tief in mich hineingehorcht hatte und auf so etwas wie ein Gewissen gestoßen war. Ich wollte ihm sagen, dass wir damit aufhören mussten, dass wir daran denken sollten, wie Bailey sich dabei gefühlt hätte und was für ein schlechtes Gewissen wir dabei hatten. All das hatte ich ihm sagen wollen, aber ich hatte es nicht getan, denn bevor ich die Ruftaste drücken konnte, wurde ich jedes Mal zurückkatapultiert zu diesem Moment vor seinem Auto gestern Abend und von dieser unerklärlichen Rücksichtslosigkeit und diesem Hunger überwältigt, die andauerten, bis das Telefon schließlich wieder zugeklappt und stumm vor mir auf dem Tresen lag.

»Hi, du.« Seine Stimme ist tief und dunkel und ich löse mich sofort in meine Bestandteile auf.

Ich bewege mich auf ihn zu, kann nicht anders, der Sog, so unentrinnbar wie die Flut. Schnell steht er auf, geht mir bis zur Mitte des Raumes entgegen. Den Bruchteil einer Sekunde stehen wir voreinander; das ist wie in einen Spiegel zu tauchen. Dann fühle ich, wie sein Mund auf meinem landet, Zähne, Zunge, Lippen und sein ganzer rasender Kummer stoßen auf meinen; unser ganzer rasender Kummer bricht gemeinsam über die Welt herein, die uns das angetan hat. Hektisch knöpfen meine Finger sein Hemd auf, lassen es über seine Schultern nach unten gleiten, dann sind meine Hände auf seiner Brust, seinem Rücken, seinem Hals und ich denke, er muss mindestens acht Hände haben, denn mit einer zieht er mir die Bluse aus, mit zwei weiteren hält er mein Gesicht, während er es küsst, eine fährt mir durchs Haar, zwei auf meinen Brüsten und ein paar ziehen meine Hüften an seine heran und die letzte macht den Knopf von meinen Jeans auf, zieht den Reißverschluss runter und schon sind wir auf dem Bett und seine Hand drängt sich zwischen meine Schenkel, und da höre ich die Haustür ins Schloss fallen –

Wir erstarren und unsere Blicke treffen in einem Zusammenprall der Scham mitten in der Luft aufeinander. Sämtliche Trümmerteile explodieren in mir. Ich kann es nicht ertragen. Ich schlage die Hände vors Gesicht, höre mein eigenes Stöhnen. Was mache ich denn? Was hätten wir beinahe getan? Ich möchte die Rückspultaste drücken. Drücken und drücken und drücken. Aber daran kann ich jetzt nicht denken, mein einziger Gedanke ist, nicht mit Toby in diesem Bett erwischt zu werden.

»Schnell«, sage ich, und das löst uns beide aus der Erstarrung und entpanikt uns.

Er springt auf, und ich husche über den Boden wie eine durchgedrehte Krabbe, zieh meine Bluse an, werfe Toby sein Hemd zu. Beide fahren wir in aberwitziger Geschwindigkeit in unsere Sachen –

»Nie wieder«, sage ich und fummele an den Knöpfen meiner Bluse herum, ich fühle mich wie eine Verbrecherin und völlig daneben, voller Igitt und Scham. »Bitte.«

Er zieht das Bettzeug glatt, schüttelt hastig Kissen auf,

sein Gesicht ist hochrot und wild, das blonde Haar fliegt in alle Richtungen.

»Tut mir leid, Len –«

»Davon vermisse ich sie auch nicht weniger. Jetzt nicht mehr.« Das klingt halb resolut, halb wahnsinnig. »Es macht alles schlimmer.«

Er hört auf, das zu tun, was er tut, nickt. In seinem Gesicht tragen widerstreitende Gefühle einen Ringkampf aus, aber es sieht ganz so aus, als ob das Verletztsein die Oberhand gewinnt. Gott, ich wollte ihm nicht wehtun, aber das hier will ich auch nicht mehr. Ich kann es nicht. Und was ist *das* überhaupt? Eben gerade mit ihm zusammen zu sein fühlte sich nicht mehr an wie ein sicherer Hafen, das Gefühl war anders geworden, verzweifelter, so, als würden zwei Leute nach Luft ringen.

»John Lennon«, höre ich von unten. »Bist du zu Hause?«

Das kann nicht sein, das kann einfach nicht sein. Siebzehn Jahre lang ist mir nichts, rein gar nichts passiert und jetzt kommt alles auf einmal. Joe singt meinen Namen geradezu, es hört sich so freudig erregt an, wahrscheinlich ist er noch immer high von dem Kuss, diesem grandiosen Kuss, der die Sterne vom Himmel in offene Hände fallen lassen konnte, ein Kuss, wie ihn Cathy und Heathcliff auf den Mooren ausgetauscht haben mussten, während die Sonne auf ihre Rücken brannte und die Welt gepeitscht wurde von Wind und Möglichkeiten. Ein Kuss, der so gar nichts mit dem furchterregenden Tornado gemein hat, der vor wenigen Augenblicken noch durch Toby und mich gerast ist.

Toby sitzt angezogen auf meinem Bett, sein Hemd hängt ihm auf den Schoß. Warum hat er es nicht in die Hose gesteckt, frag ich mich, dann wird mir klar, dass er versucht, eine verdammte Latte zu verstecken – o Gott, wer bin ich bloß? Wie konnte ich das so außer Kontrolle geraten lassen? Und warum macht meine Familie nie was Normales, wie Schlüssel mitnehmen und Haustüren abschließen?

Ich versichere mich, dass alle Knöpfe geknöpft und Reißverschlüsse hochgezogen sind. Ich streiche mein Haar glatt und wische mir die Lippen ab, bevor ich die Tür von meinem Zimmer aufmache und den Kopf rausstrecke. Da schießt Joe auch schon den Flur entlang. Er lächelt wild und sieht aus wie die Liebe selbst, verpackt in Jeans, schwarzes T-Shirt und eine umgedrehte Baseballkappe.

»Komm rüber heute Abend. Die fahren alle zu einem Jazzgig in die Stadt.« Er ist außer Atem – ich wette, er ist den ganzen Weg hierher gerannt. »Konnte nicht warten …« Er greift nach meiner Hand, nimmt sie, dann sieht er Toby hinter mir auf dem Bett sitzen. Erst lässt er meine Hand fallen, dann geschieht das Unmögliche: Joe Fontaines Gesicht macht die Schotten dicht.

»Hey«, sagt er zu Toby, aber seine Stimme klingt gepresst und wachsam.

»Toby und ich sortieren gerade ein paar von Baileys Sachen«, plärre ich heraus. Ich kann selbst nicht glauben, dass ich Bailey benutze, um Joe anzulügen und zu vertuschen, dass ich mit ihrem Freund herumgemacht habe. Selbst für das unmoralische Mädchen, zu dem ich geworden bin, ist das ein neuer Tiefpunkt. Ich bin Gila, das

Mädchenmonster, Loch Ness Lennie. Kein Kloster würde mich aufnehmen.

Joe nickt, etwas besänftigt, aber er guckt immer noch voller Argwohn zwischen mir und Toby hin und her. Es ist, als hätte jemand den Dimmer gedrückt und sein ganzes Wesen gedämpft.

Toby steht auf. »Ich muss nach Hause.« Er geht quer durchs Zimmer, in eingefallener Haltung, mit ungelenkem Gang, unsicher. »Schön, dich wiederzusehen«, murmelt er Joe zu. »Bis bald, Len.«

Er schlüpft an uns vorbei, traurig wie ein Regentag, und ich fühle mich schrecklich. Mein Herz folgt ihm ein paar Schritte, aber dann zischt es zurück zu Joe, der ohne irgendeine Anhaftung des Todes vor mir steht.

»Lennie, ist da –«

Ich kann mir ziemlich gut vorstellen, was Joe fragen will, und mir fällt nur eines ein, um diese Frage davon abzuhalten, aus seinem Mund zu kommen: Ich küsse ihn. Damit will ich sagen, ich küsse ihn so richtig, so wie ich es schon seit diesem ersten Tag im Orchester tun wollte. Nichts ist daran von flüchtiger, süßer Leichtigkeit. Mit denselben Lippen, mit denen ich eben noch jemand anderen geküsst habe, küsse ich seine Frage weg, sein Misstrauen, und nach einer Weile habe ich auch diesen anderen weggeküsst und das andere, das beinahe geschehen wäre, und dann gibt es nur noch uns beide, Joe und mich, im Zimmer, auf der Welt, in meinem verrückten überquellenden Herzen.

Meine Güte.

Einen Augenblick lang lasse ich beiseite, dass ich zur totalen Schlampe-Nutte-Hure-Tussi-Lolita-Flittchen-Nymphchen-Schnecke geworden bin, denn plötzlich geht mir etwas Unglaubliches auf. *Das ist es – darum* machen sie in *Sturmhöhe* so ein Getue – es läuft alles auf dieses eine Gefühl hinaus, das in diesem Moment in mir rast, als unsere Münder sich nicht trennen wollen. Wer hätte denn gedacht, dass ich die ganze Zeit nur einen Kuss davon entfernt war, Cathy und Juliet und Elizabeth Bennet und Lady Chatterley zu sein?!

Vor Jahren lag ich auf dem Rücken in Gramas Garten und Big fragte mich, was ich da machte. »In den Himmel gucken«, hab ich geantwortet. Und er sagte: »Das ist ein Missverständnis, Lennie, der Himmel ist überall, er beginnt bei deinen Füßen.«

Als ich Joe küsse, glaube ich das zum ersten Mal in meinem Leben.

Ich bin wie im Delirium, im Joelirium, denke ich. Einen Moment ziehe ich meinen Kopf zurück und mache die Augen auf, ich sehe, dass der Joe-Fontaine-Dimmer wieder voll aufgedreht und er auch im Joelirium ist.

»Das war –« Ich kann kaum Worte bilden.

»Unglaublich«, unterbricht er. »Verdammt *incroyable*.«

Benommen starren wir einander an.

»Klar«, sage ich, denn plötzlich fällt mir wieder ein, dass er mich heute Abend zu sich nach Hause eingeladen hat.

»Was klar?« Er schaut mich an, als würde ich Suaheli sprechen, dann lächelt er, legt die Arme um mich und sagt: »Bist du bereit?« Er hebt mich hoch und wirbelt mich herum. Plötzlich bin ich in dem idiotischsten Film, der je gedreht wurde, lache und fühle ein so riesiges Glück, dass ich mich dafür schäme, so fühlen zu können in einer Welt ohne meine Schwester.

»Klar, komme ich heute Abend rüber«, sage ich. Alles hört auf sich zu drehen und ich lande wieder auf meinen eigenen beiden Füßen.

17. Kapitel

Was hast du, Lennie?
Nichts.
Sag's mir.
Nein.
Los, raus damit.
Okay. Also, du bist jetzt so anders.
Wie?
Wie Zombieville.
Ich bin verliebt, Len – so hab ich mich noch nie gefühlt.
Wie denn?
Wie ewig.
Ewig?
Ja, ich glaub, das ist es. Er ist es.
Woher weißt du das?
Haben mir meine Zehen gesagt. Die Zehen verstehen.

(Gefunden auf einer Serviette in einem Becher, Cecilias Bäckerei)

»Ich geh rüber zu Joe«, sag ich zu Grama und Big, die jetzt beide zu Hause sind, ihr Lager in der Küche aufgeschlagen haben und ein Baseballspiel im Radio hören, so wie 1930.

»Klingt nach einem guten Plan«, sagt Grama. Sie hat die nach wie vor verzweifelnde Lennie-Topfpflanze unter der Pyramide rausgeholt und sich neben sie an den Tisch gesetzt, wo sie ihr leise etwas von grünerem Gras vorsingt. »Ich mach mich nur eben frisch und hole meine Tasche, kleine Wicke.«

Das kann sie doch nicht ernst meinen.

»Ich komm auch mit«, sagt Big, der über einem Kreuzworträtsel hockt. Er ist der schnellste Kreuzworträtsler der Christenheit. Ich schaue zu ihm rüber und stelle fest, dass er diesmal jedoch die Felder mit Zahlen gefüllt hat statt mit Buchstaben. »Sobald ich hiermit fertig bin, können wir uns auf den Weg zu den Fontaines machen.«

»Äh, das finde ich nicht«, sage ich.

Beide schauen sie mich ungläubig an.

Big sagt: »Was soll das denn heißen, Len? Er ist jeden Morgen hier, da ist es doch nur recht und billig, wenn –«

Und dann kann er die Sache nicht mehr aufrechterhalten und prustet los wie Grama. Ich bin erleichtert. Ich hatte schon angefangen mir vorzustellen, wie ich mit Grama und Big im Schlepptau den Hügel hinaufklettere: Die Munsters begleiten Marilyn zu einem Rendezvous.

»Meine Güte, Big, sie hat sich schön gemacht. Und sie trägt das Haar offen. Schau sie nur an!« Das ist ein Problem. Kurzes Blumenkleid, hohe Absätze, Lippenstift und Wuschelhaar, ich hab mich für einen Look entschieden, bei dem niemand einen Unterschied bemerken würde zu dem Jeans-Pferdeschwanz-und-kein-Make-up-Look, den ich jeden anderen Tag meines bisherigen Lebens kultiviert habe. Ich weiß, dass ich rot werde, und ich weiß auch, dass ich jetzt lieber gehen sollte, bevor ich wieder nach oben renne und Baileys Guinnessbuchrekord im Kleiderwechseln vor einem Date von siebenunddreißig Sekunden breche. Dies war erst mein achtzehntes Outfit, aber Kleiderwechseln ist eine exponentielle Aktivität, der Wahn kann sich nur steigern, das ist ein Naturgesetz. Nicht mal der heilige Antonius, der vom Nachttisch zu mir herüberlinst und mich an das erinnert, was ich gestern Abend in der Schublade gefunden habe, hat mich da rausholen können. Mir ist aber wieder was über ihn eingefallen. Er war wie Bailey, charismatisch bis zum Anschlag. Er hat seine Predigten auf Marktplätzen halten müssen, weil er sogar die größten Kirchen zum Überlaufen brachte. Als er starb, fingen die Kirchenglocken in Padua von selbst an zu läuten. Alle dachten, die Engel wären auf die Erde gekommen.

»Tschüss, Leute«, sage ich zu Grama und Big und geh zur Tür.

»Viel Spaß, Len … und bleib nicht zu lange, okay?«

Ich nicke und mache mich auf zu dem ersten echten Date meines Lebens. Die anderen Abende, die ich mit Jungs verbracht habe, zählen nicht, die mit Toby auch nicht. Ich versuche angestrengt, nicht daran zu denken, und erst recht nicht an die Partys, nach denen ich Tage, Wochen, Monate und Jahre überlegt habe, auf welche Weise ich meine Küsse zurückbekommen könnte. Nichts ist je so gewesen wie dies hier, noch nie hatte ich so ein Gefühl wie jetzt, als ich diesen Hügel zu Joe hochgehe. Es kommt mir vor, als hätte ich ein Fenster in der Brust, durch das Sonnenlicht hereinströmen kann.

18. Kapitel

DAS GEFÜHL, das ich heute schon mit Joe im Allerheiligsten hatte, überfällt mich wieder, als ich ihn mit seiner Gitarre auf der Treppe des großen weißen Hauses sitzen sehe. Über das Instrument gebeugt singt er leise und der Wind trägt seine Worte durch die Luft wie wehende Blätter.

»Hey, John Lennon«, sagt er, legt die Gitarre weg und springt von der Vortreppe. »Oha. Du siehst *vachement* fantastisch aus. Zu gut, um den ganzen Abend allein mit mir zu sein.«

Wenn
Joe
sein
Horn
spielt
falle
ich
vom
Stuhl
und
auf
die
Knie
Wenn
er spielt
tauschen
alle
Blumen
die
Farben
und
Jahre
Jahrzehnte
Jahrhunderte
von
Regen
fließen
zurück
in den
Himmel

(Gefunden auf der WC-Wand neben dem Musiksaal der Clover High)

Er hüpft praktisch heran. Sein Entzückensquotient fasziniert mich. In der Menschenfabrik muss irgendjemand was verbockt und ihm mehr reingefüllt haben als uns anderen. »Ich hab mir Gedanken über ein Duett gemacht, das wir spielen könnten. Ich muss nur etwas neu arrangieren –«

Ich hör nicht mehr zu. Hoffentlich redet er sich so richtig in Fahrt, ich krieg nämlich kein Wort raus. Der Ausdruck *die Liebe erblühte* ist metaphorisch, klar, aber in meinem Herzen geht gerade eine ganz krasse Blume im Zeitraffer auf, von der Knospe bis zur wahnsinnig leuchtenden vollen Blüte in knapp zehn Sekunden.

»Alles klar?«, fragt er. Seine Hände liegen links und rechts auf meinen Armen und er schaut mir prüfend ins Gesicht.

»Ja.« Ich wüsste wirklich gern, wie Leute in derartigen Situationen atmen. »Mir geht's toll.«

»Du bist *toll*«, sagt er und mustert mich wie ein absoluter Volltrottel, was mich umgehend aus meiner Verzauberung reißt.

»Uah, *quel Trottel*«, sage ich und schubse ihn weg.

Er lacht und legt mir den Arm um die Schultern. »Komm, du betrittst Maison Fontaine auf eigenes Risiko.«

An Maison Fontaine fällt mir als Erstes auf, dass das Telefon klingelt und Joe das anscheinend gar nicht bemerkt. Ich höre eine Mädchenstimme auf einem Anrufbeantworter weit weg in einem anderen Zimmer und finde einen Moment, sie klingt wie Rachel, bis ich beschließe, dass es doch nicht so ist. Als Zweites fällt mir auf, dass dieses Haus das absolute Gegenteil von Maison Walker ist. Unser Haus sieht aus, als würden dort Hobbits leben. Die Decken sind niedrig, das Holz ist dunkel und knorrig, überall farbenfrohe Flickenteppiche auf den Böden, Bilder an den Wänden, Joes Haus dagegen schwebt hoch oben mit den Wolken am Himmel. Überall sind Fenster, hinter denen sonnenverbrannte Felder im Wind schwimmen, dunkle, den Fluss umschließende grüne Wälder und der Fluss selbst, der sich in der Ferne von Stadt zu Stadt windet. Es gibt keine Tische, auf denen sich die Post von Wochen stapelt, keine unter die Möbel gekickten Schuhe, keine aufgeschlagenen Bücher auf jeder horizontalen Fläche. Joe lebt in einem Museum. An allen Wänden hängen wunderbare Gitarren in allen Farben, Formen und Größen. Sie wirken so lebendig, als könnten sie von allein Musik machen.

»Ganz schön cool, was? Mein Dad macht hinreißende Instrumente. Nicht nur Gitarren. Mandolinen, Lauten, Hackbretter«, sagt er, während mein Blick von einem Instrument zum nächsten wandert.

Und nun Szenenwechsel: Joes Zimmer. Die physische Manifestation der Chaostheorie. Es quillt über von Instrumenten, die ich noch nie gesehen habe – ich kann mir nicht einmal vorstellen, welche Töne sie von sich geben –, CDs, Musikzeitschriften, Bibliotheksbücher auf Französisch und Englisch, Konzertplakate von französischen Bands, von denen ich noch nie gehört habe, Comics, Notizbücher mit der winzigen, kantigen Schrift eines abgedrehten Jungen darin, Noten, Sachen für die Stereoanlage, lose und angeschlossen, die ich nicht identifizieren kann, alte Gummitiere, Schalen mit blauen Murmeln, Kartenspiele, kniehohe Kleiderhaufen – Teller, Flaschen, Gläser will ich gar nicht erwähnen … und über dem Schreibtisch ein kleines Poster von John Lennon.

»Hm«, mache ich und zeige auf das Poster. Ich lass alles auf mich wirken. »Mir scheint, dein Zimmer gewährt mir neue Einblicke in Joe Fontaine alias der ausgeflippte Irre.«

»Ja, ich hielt es für das Beste, dir das Bombodrom erst zu zeigen, wenn …«

»Wenn was?«

»Ich weiß nicht, erst wenn dir klar geworden ist …«

»Wenn mir was klar geworden ist?«

»Ich weiß nicht, Lennie.« Es ist ihm peinlich. Irgendwie ist die Sache ungemütlich geworden.

»Sag's mir«, sage ich. »Worauf wolltest du warten?«

»Ach, nichts, ist blöd.« Er guckt auf seine Füße, dann wieder hoch zu mir. Plink. Plink. Plink.

»Ich will's wissen«, sage ich.

»Okay, dann sag ich's: warten, bis dir klar geworden ist, dass du mich vielleicht auch magst.«

Wieder blüht die Blume in meiner Brust auf, dieses Mal in drei Sekunden von der Knospe bis zum Finale.

»Das tu ich«, sage ich, und ohne nachzudenken, füge ich hinzu: »Sehr.« Was ist bloß in mich gefahren? Jetzt kann ich wirklich nicht mehr atmen. Ein Zustand, der sich noch durch die Lippen verschlimmert, die plötzlich auf meine drücken.

Unsere Zungen haben sich schwer ineinander verliebt, sind die Ehe eingegangen und nach Paris gezogen.

Nachdem ich sicher bin, all die ungeküssten Jahre wettgemacht zu haben, sage ich: »Wenn wir nicht mit dem Küssen aufhören, explodiert die Erde, glaub ich.«

»Scheint so«, flüstert er. Verträumt starrt er mir in die Augen. Heathcliff und Cathy können uns nicht das Wasser reichen. »Eine Weile könnten wir uns vielleicht auf andere Weise beschäftigen«, sagt er. »Wenn du willst …« Er lächelt. Und dann: Plink. Plink. Plink. Ob ich diesen Abend überlebe?

»Willst du spielen?«, fragt er.

»Will ich«, sage ich. »Aber ich hab mein Instrument nicht mitgebracht.«

»Ich hol dir eins.« Er geht aus dem Zimmer, was mir die Gelegenheit verschafft, mich zu erholen und leider auch darüber nachzudenken, was vorhin mit Toby passiert ist. Wie erschreckend und unbeherrscht das heute war, als ob wir einander zerbrechen wollten. Aber warum? Um Bailey zu finden? Um sie dem anderen aus dem Herzen zu reißen? Dem Körper? Oder war es etwas Schlimmeres? Wollten wir sie vergessen, die Erinnerung für einen Augenblick voller Leidenschaft auslöschen? Aber nein, das ist es nicht, das kann nicht sein, oder? Wenn wir zusammen sind, umgibt Bailey uns wie die Luft, die wir atmen, das ist ein Trost gewesen bis heute, bis es so entgleist ist. Keine Ahnung. Ich weiß nur, dass es ausschließlich um sie geht, denn sogar, wenn ich jetzt an Toby allein mit seinem Schmerz denke, während ich meinen eigenen bei Joe auslösche, fühle ich mich schuldig, als hätte ich Toby im Stich gelassen und mit ihm meinen Kummer und mit meinem Kummer meine Schwester.

Wieder klingelt das Telefon, das reißt mich gnädigerweise aus meinen Gedanken und nach einer Bruchlandung bin ich wieder zurück im Bombodrom, diesem Zimmer, in dem Joe in seinem ungemachten Bett schläft und die Bücher liest, die überall verstreut liegen, und anscheinend aus allen diesen fünfhundert halb vollen Gläsern auf einmal trinkt. Mir ist ganz schwindelig von der Intimität, hier zu sein, wo er denkt und träumt, wo er seine Klamotten wechselt und wirklich überallhin pfeffert, wo er nackt ist. *Joe, nackt.* Der Gedanke an ihn, so total – oh. Noch nie hab ich einen echten Typen live ganz nackt gesehen. Nur Pornos im Internet, die Sarah und ich uns eine Zeit lang reingezogen haben. Das ist alles. Ich hab immer Angst gehabt, alles zu sehen, *ihn* zu sehen. Sarah sagt, als sie das erste Mal einen steif gesehen hat, kamen ihr mehr Tiernamen aus dem Mund als in ihrem ganzen bisherigen Leben zusammen. Und keine Tiere, an die man gleich denken würde. Keine Pythons und Aale. Sie behauptet, es war eine ganze Menagerie: Nilpferde, Elefanten, Orang-Utans, Tapire, Gazellen usw.

Plötzlich vermisse ich sie so, dass es mich wie ein Schlag trifft. Wie kann ich denn bloß in Joe Fontaines verdammtem Zimmer sein, ohne dass sie es weiß? Wie hab ich sie so verjagen können? Ich hole mein Handy heraus, simse: *Pfeif den Suchtrupp zurück. Bitte. Verzeih.*

Wieder schau ich mich um, unterdrücke jeden Impuls, die Schubladen zu durchwühlen, unters Bett zu gucken, das Notizbuch zu lesen, das aufgeschlagen vor meinen Füßen liegt. Na gut, ich unterdrücke zwei dieser drei Impulse. War heut ein schlechter Tag für Moral. Und eigentlich liest man so ein fremdes Tagebuch ja auch nicht so richtig, wenn es ganz offen daliegt und man runterschaut und seinen eigenen Namen erkennt, seinen Namen für mich, in einem Satz, der lautet …

Ich geh in die Knie, und ohne das Heft irgendwie zu berühren, lese ich nur die Stelle um die Initialen JL herum.

ICH HABE NOCH NIE JEMANDEN GETROFFEN, DER SO AM BODEN ZERSTÖRT IST WIE JL, ICH MÖCHTE ALLES TUN, DAMIT ES IHR BESSER GEHT, MÖCHTE IMMER BEI IHR SEIN, ES IST IRRE, ES KOMMT MIR VOR, ALS OB SIE BIS ZUM ANSCHLAG AUFGEDREHT IST, WÄHREND ALLE ANDEREN AUF STUMM GESCHALTET SIND, UND SIE IST EHRLICH, SO EHRLICH, KEIN VERGLEICH ZU GENEVIÈVE, KEIN BISSCHEN SO WIE GENEVIÈVE …

Ich höre seine Schritte auf dem Flur und stehe auf. Das Telefon klingelt schon wieder.

Er kommt mit zwei Klarinetten an, einer Sopran- und einer Bassklarinette, und hält sie mir hin. Ich nehme die Sopranklarinette, an die ich gewöhnt bin.

»Was hat das mit dem Telefon auf sich?«, sage ich statt: *Wer ist Geneviève*? Statt auf die Knie zu fallen und zu gestehen, dass ich alles andere als ehrlich bin, dass ich wahrscheinlich genauso bin wie Geneviève, wer auch immer sie sein mag, nur ohne das exotisch Französische.

Er zuckt die Achseln. »Wir kriegen viele Anrufe«, sagt er, dann beginnt sein Stimmritual, bei dem alles auf der Welt, abgesehen von ihm und ein paar Akkorden, verschwindet.

Wir betreten unerschlossenes Terrain, das Duett von Gitarre und Klarinette ist anfangs noch unbeholfen. Wir stolpern herum, kommen uns ins Gehege, schauen verlegen hoch, nehmen einen neuen Anlauf. Aber nach einer Weile entsteht eine Verbindung, und wenn der eine nicht weiß, wo der andere hinwill, nehmen wir Blickkontakt auf und lauschen so intensiv, dass es für flüchtige Augenblicke scheint, als würden unsere Seelen miteinander sprechen. Ein Mal, nachdem ich eine Zeit lang allein improvisiert habe, kann er nicht an sich halten: »Dein Ton ist Wahnsinn, so einsam irgendwie, ich weiß auch nicht, wie ein Tag ohne Vögel oder so.« Aber ich fühle mich gar nicht einsam. Bailey hört zu.

»Nun ja, spätabends bist du immer noch nicht anders, sondern immer noch ein und dieselbe John Lennon.« Wir sitzen auf dem Rasen, trinken Wein, den Joe seinem Vater geklaut hat. Die Haustür steht offen und eine Chanteuse schmettert in die warme Nacht hinaus. Wir trinken aus der Flasche und essen Käse und Baguette dazu. Endlich bin ich in Frankreich mit Joe, denke ich, und ich muss lächeln.

»Was ist?«, fragt er.

»Weiß nicht. Es ist schön. Ich hab noch nie Wein getrunken.«

»Ich schon mein Leben lang. Als wir noch klein waren, hat mein Vater ihn für uns mit Wasser verdünnt.«

»Ehrlich? Betrunkene kleine Fontaine-Jungs sind gegen die Wände gelaufen?«

Er lacht. »Jap, genau. Das ist meine Erklärung für das gute Benehmen französischer Kinder. Die meiste Zeit haben die ihre *petits mignons*-Ärschlein voll.« Er setzt die Flasche an, nimmt einen Schluck und reicht sie an mich weiter.

»Sind deine Eltern beide Franzosen?«

»Dad ist in Paris geboren und aufgewachsen. Meine Mom ist ursprünglich hier aus der Gegend. Aber Dad macht das wett, er ist der Prototyp eines Franzosen.« In seiner Stimme liegt eine gewisse Bitterkeit, aber der gehe ich nicht nach. Ich hab mich gerade erst von den Folgen meines Herumschnüffelns erholt, Geneviève und die Bedeutung von Ehrlichkeit für Joe sind schon fast vergessen, als er sagt: »Warst du schon mal verliebt?« Er liegt auf dem Rücken und schaut hinauf in einen von Sternen wimmelnden Himmel.

Ich brülle nicht: *Ja, jetzt gerade, in dich, Blödmann*, wie ich es plötzlich tun möchte, sondern sage: »Nein, ich war noch nie irgendwas.«

Er stützt sich auf einen Ellenbogen und guckt zu mir rüber: »Was willst du damit sagen?«

Die Knie umschlungen sitze ich da und betrachte die Lichtsprenkel unten im Tal.

»Mir kommt es vor, als hätte ich geschlafen oder so, ich war glücklich, aber ich hab geschlafen, siebzehn Jahre lang und dann ist Bailey gestorben ...« Der Wein hat das Reden leichter gemacht, aber keine Ahnung, ob, was ich sage, einen Sinn ergibt. Ich schau zu Joe rüber. Er hört mir zu, als wollte er meine Worte mit den Händen greifen, sobald sie mir über die Lippen kommen.

»Und jetzt?«

»Also, jetzt weiß ich nicht. Ich fühle mich so anders.« Ich sammele einen kleinen Stein auf und werfe ihn in die Dunkelheit. Ich denke daran, wie die Dinge gewesen sind: berechenbar, vernünftig. Und genauso war ich auch immer. Ich denke, dass es nichts Unvermeidliches gibt, nie gegeben hat, das hatte ich damals nur nicht gewusst. »Ich bin wach, glaub ich, und vielleicht ist das gut, aber es ist viel komplizierter, denn jetzt bin ich jemand, der weiß, dass jederzeit das Schlimmste passieren kann.«

Joe nickt, als würde das, was ich sage, einen Sinn ergeben. Das ist gut so, denn ich hab keine Ahnung, was ich gerade gesagt hab. Aber ich weiß, was ich gemeint habe. Ich hab gemeint, ich weiß, wie nah der Tod ist. Wie er lauert. Und wer will das wissen? Wer will denn wissen, dass wir nur einen sorglosen Atemzug vom Ende entfernt sind? Wer will wissen, dass der Mensch, den man am meisten liebt und braucht, einfach so für immer verschwinden kann?

Er sagt: »Aber wenn du jemand bist, der weiß, dass jederzeit das Schlimmste passieren kann, bist du dann nicht auch jemand, der weiß, dass auch jederzeit das Beste passieren kann?«

Darüber denke ich nach und bin sofort von freudiger Erregung erfüllt. »Ja, stimmt«, sage ich. »Jetzt gerade mit dir, ehrlich gesagt …« Es ist schon raus, bevor ich es zurückhalten kann – und ich sehe reine Freude wie eine Welle über sein Gesicht schwappen.

»Sind wir betrunken?«, frage ich.

Er nimmt noch einen Schluck. »Gut möglich.«

»Egal, und du, bist du …«

»So etwas, wie du jetzt durchmachst, habe ich noch nie erlebt.«

»Nein, ich wollte sagen, bist du je verliebt gewesen?«

Mein Magen krampft sich zusammen. Ich wünsch mir so inständig, dass er Nein sagt, aber ich weiß, das tut er nicht, und er macht es auch nicht.

»Ja, war ich. Nehm ich an.« Er schüttelt den Kopf. »Glaub ich jedenfalls.«

»Was ist passiert?«

In der Ferne ertönt eine Sirene. Joe setzt sich auf. »Während der Sommer war ich im Internat. Ich bin reingeplatzt, als sie mit meinem Zimmerkameraden zusammen war – hat mich fertiggemacht. Ich meine, so richtig fertiggemacht. Ich hab nie wieder ein Wort mit ihr geredet oder mit ihm, hab mich wie wahnsinnig in die Musik gestürzt, den Mädchen abgeschworen, na ja, bis jetzt, glaub ich ...« Er lächelt, aber nicht so wie sonst. Eine Verletzlichkeit liegt in seinem Lächeln, eine Zögerlichkeit, die ist überall in seinem Gesicht, auch in seinen wunderschönen grünen Augen. Ich mach meine Augen zu, damit ich sie nicht sehen muss, denn ich kann nur noch daran denken, dass er heute auch beinahe bei Toby und mir hereingeplatzt wäre.

Joe schnappt sich die Weinflasche und trinkt. »Und die Moral von der Geschicht: Geigerinnen sind verrückt. Ich glaub, das liegt an diesem verdammten Bogen.« Geneviève, die hinreißende französische Geigerin. Argh.

»Ach ja? Und wie ist das mit Klarinettistinnen?«

Er lächelt. »Die sind am empfindsamsten.«

Mit dem Finger fährt er über mein Gesicht, die Stirn, Wange, dann am Hals entlang. »... und so schön.« Oje, ich kapier total, warum König Edward VIII. von England aus Liebe auf den Thron verzichtet hat. Wenn ich einen Thron hätte, würde ich auch abdanken, nur um die letzten drei Sekunden noch einmal zu erleben.

»Und Hornisten?«, frage ich und verflechte meine Finger mit seinen.

Er schüttelt den Kopf. »Wahnsinnige Teufelsbraten, halt dich fern von denen. Alles-oder-nichts-Typen, die Mitte kennen diese Angeber nicht.« Oha.

»Verärgere niemals einen Hornisten«, ergänzt er flapsig, doch das Flapsige höre ich nicht. Ich kann nicht fassen, dass ich ihn heute angelogen habe. Ich muss auf Abstand zu Toby gehen. Meilenweit.

In der Ferne heult ein Kojotenpaar, mir läuft ein Schauer über den Rücken. Gutes Timing, ihr Köter.

»Hab gar nicht gewusst, dass Hornisten so furchterregend sind«, sage ich, lasse seine Hand los und nehme einen Schluck aus der Flasche. »Und Gitarristen?«

»Sag du's mir.«

»Hm, da muss ich nachdenken …« Dieses Mal fahre ich mit dem Finger über sein Gesicht. »Unscheinbar und langweilig und selbstverständlich völlig untalentiert –« Er fängt an zu kichern. »Ich bin noch nicht fertig. Aber all das machen sie wett, weil sie so leidenschaftlich sind –«

»O Gott«, flüstert er, zieht mich an sich und unsere Lippen nähern sich. »Dieses Mal lassen wir die ganze Scheißwelt explodieren.«

Und das tun wir.

19. Kapitel

Ich liege im Bett und höre Stimmen.

»Was meinst du fehlt ihr?«

»Weiß nicht recht. Könnte sein, dass ... vielleicht hat das Orange der Wände sie erwischt.« Pause. Dann höre ich. »Lass uns die Sache logisch angehen. Symptome: mittags noch im Bett an einem sonnigen Samstag, entrücktes Grinsen im Gesicht, verfärbte Lippen, vermutlich Rotwein, ein Getränk, das ihr zu genießen nicht gestattet ist, was wir später noch ansprechen werden, und ein eindeutiger Hinweis: Sie steckt immer noch in ihren Kleidern, einem Kleid mit – wie ich hinzufügen darf –, mit Blumen drauf.«

»Nun, nach meiner Einschätzung als Experte, und ich kann mich auf einen reichen Erfahrungsschatz und fünf glorreiche, wenn auch gescheiterte Ehen berufen, ist Lennie Walker alias John Lennon von Sinnen vor Liebe.«

Big und Grama lächeln auf mich herab. Ich komme mir vor wie Dorothy, die in ihrem Bett aufwacht, inmitten ihres Kansas, nachdem sie auf der anderen Seite vom Regenbogen gewesen ist.

»Wirst du je wieder aufstehen, was meinst du?« Grama sitzt jetzt auf dem Bett und tätschelt meine Hand, die in ihrer liegt.

»Weiß nicht.« Ich dreh mich um, damit ich sie ansehen kann. »Ich möchte ewig hier liegen bleiben und an ihn denken.«

Ich hab noch nicht entschieden, was besser ist: die letzte Nacht zu erleben oder die selige Wiederholung in meinem Kopf, wo ich auf Pause schalten und ekstatische Sekunden zu ganzen Stunden verlängern kann, wo sich gewisse Augenblicke zur Schlaufe schalten lassen, bis ich den süßen, grasartigen Geschmack von Joe wieder im Mund spüre und der Nelkenduft seiner Haut in der Luft liegt, bis seine Hände mir wieder durch die Haare fahren, über mein Kleid streichen ... nur eine dünne, dünne Stoffschicht ist zwischen uns, bis zu dem Moment, in dem seine Hände unter den Stoff geglitten sind und ich seine Finger auf der Haut gefühlt habe wie Musik – all das stürzt mich wieder und wieder von der Klippe, die mein Herz ist.

An diesem Morgen galt mein erster Gedanke nach dem Aufwachen zum ersten Mal nicht Bailey, und deshalb hatte ich mich schuldig gefühlt. Aber die Schuld hatte keine Chance gehabt gegen die dämmernde Erkenntnis, dass ich im Begriff war, mich zu verlieben. Ich hatte zum Fenster hinaus in den frühen Morgennebel gestarrt und einen Augenblick lang überlegt, ob sie mir Joe wohl geschickt hatte, weil ich wissen sollte, dass in derselben Welt, in der sie sterben konnte, so etwas möglich war.

Big sagt: »Nun schau sie dir an. Wir müssen diese verdammten Rosensträucher zurückstutzen.« Sein Haar ist heute besonders kraus und widerspenstig, sein Schnurrbart ungewachst, sodass man denken könnte, ein Eichhörnchen husche ihm übers Gesicht. In jedem Märchen spielt Big den König.

Grama schimpft mit ihm. »Nun aber still, du glaubst ja nicht mal dran.« Sie mag es nicht, wenn das Gerücht über die aphrodisiakische Wirkung ihrer Rosen genährt wird, denn es gab Zeiten, in denen verzweifelte Liebende kamen und sie stahlen, um die Herzen ihrer Geliebten zurückzugewinnen. Das hat sie verrückt gemacht. Nichts nimmt Grama so ernst wie einen ordentlichen Rückschnitt.

Big will aber nicht lockerlassen. »Probieren geht über Studieren, an diese Methode halte ich mich: Den lebenden Beweis hat man in diesem Bett vor sich. Sie ist schlimmer als ich.«

»Keiner ist schlimmer als du, du bist der Schwarm der Stadt.«

»Du sagst zwar Schwarm, meinst aber Schwein«, erwidert Big und zwirbelt das Eichhörnchen zwecks Eindruckschindung.

Ich setze mich im Bett auf und lehne mich gegen das Fensterbrett, damit ich ihr verbales Tennismatch auch richtig genießen kann. Durchs Fenster spüre ich den sommerlichen Tag, der mir herrlich den Rücken wärmt. Aber als ich zu Baileys Bett hinüberschaue, komme ich gleich wieder runter. Wie kann mir etwas von solcher Tragweite geschehen – ohne sie? Und was ist mit all den Dingen von großer Tragweite, die noch folgen werden? Wie werde ich durch alle und jedes hindurchgehen – ohne sie? Mir ist es ganz egal, dass sie mir Sachen verheimlicht hat, ich will ihr absolut alles von gestern Nacht erzählen, alles, was mir je geschehen wird! Ehe es mir klar ist, weine ich schon, aber ich will uns nicht alle mit runterziehen, deshalb schlucke ich und schlucke alles runter und versuche mich auf letzte Nacht zu konzentrieren, auf das Verlieben. Auf der anderen Seite des Zimmers entdecke ich meine Klarinette, halb ver deckt von Baileys Paisleyschal, den ich seit Kurzem trage.

»Ist Joe heute Morgen nicht vorbeigekommen?«, frage ich. Ich will wieder spielen, will all das, was ich fühle, mit meiner Klarinette hinausblasen.

Big antwortet. »Nein, ich wette eine Million, dass er genau da ist, wo du auch bist, obwohl er wahrscheinlich seine Gitarre dabeihat. Hast du ihn schon gefragt, ob er sie mit ins Bett nimmt?«

»Er ist ein Musikgenie«, sage ich und mein Schwindelgefühl von vorhin kehrt zurück. Kein Zweifel, ich bin manisch-depressiv.

»Oje. Komm, Grama, die ist ein hoffnungsloser Fall.« Big zwinkert mir zu und geht Richtung Tür.

Grama bleibt neben mir sitzen, sie zaust mir das Haar, als wäre ich ein kleines Kind. Sie mustert mich genau und ein bisschen zu lange. O nein. Ich war derart in Trance, dass ich vergessen habe, dass ich in letzter Zeit gar nicht richtig mit Grama geredet habe, wochenlang waren wir kaum mal so allein miteinander wie jetzt.

»Len.« Das ist eindeutig ihr Verkündungston, aber um Bailey wird es nicht gehen, glaub ich. Sondern darum, meine Gefühle auszudrücken. Baileys Sachen zusammenzupacken. Zum Lunch in die Stadt zu fahren. Wieder Stunden zu nehmen. All die Sachen, die ich nicht habe tun wollen.

»Ja?«

»Wir haben ja über Verhütung geredet, Krankheiten und all das …«

Puh. Das ist harmlos.

»Hm-hmm, Millionen Mal.«

»Okay, vergiss das nur nicht plötzlich.«

»Nee.«

»Gut.« Sie tätschelt mir die Hand.

»Grama, das geht noch nicht so weit, klar?« Bei dieser Enthüllung spüre ich das obligatorische Erröten, aber es ist mir lieber, sie fängt gar nicht erst an, deswegen auszuflippen und mich andauernd zu verhören.

»Umso besser, umso besser«, sagt sie, die Erleichterung schwingt vernehmlich in ihrer Stimme mit, und das macht mich nachdenklich. Mit Joe gestern Nacht waren die Dinge ziemlich heftig, aber das Tempo konnte man genießen. Ganz anders als mit Toby. Mir macht Sorgen, was passiert wäre, wenn wir nicht unterbrochen worden wären. Ob ich wohl so vernünftig gewesen wäre aufzuhören? Oder er? Ich weiß nur, dass alles echt schnell ging, ich hatte gar nichts mehr im Griff und Kondome waren das Letzte, woran ich gedacht hab. Wie konnte das passieren? Wie konnten Toby Shaws Hände je auf meinen Brüsten landen? *Tobys!* Und das nur Stunden vor Joes. Ich möchte unter das Bett abtauchen und dort meinen Hauptwohnsitz einrichten. Wie konnte ich vom Bücherwurm und Orchesterfreak zu einer Zwei-Typen-an-einem-Tag-Schlampe mutieren?

Grama lächelt, sie merkt nichts von der Galle, die mir plötzlich die Kehle hochsteigt, dem Ziehen in meinen Eingeweiden. Sie zaust mir wieder das Haar. »Inmitten dieser Tragödie wirst du erwachsen, kleine Wicke, und das ist so wunderbar.«

Stöhn.

20. Kapitel

»LENNIE! LENNIE! LENNNNNNNIE! Gott, hast du mir gefehlt!«

Ich halte das Handy vom Ohr weg. Sarah hatte mir nicht zurückgesimst, also hatte ich angenommen, sie sei so richtig angepisst. Ich unterbreche sie, um das anzubringen, und sie antwortet: »Ich *bin* wütend! Und ich rede nicht mit dir!«, dann stürzt sie sich in all den Sommertratsch, den ich verpasst habe. Ich sauge alles auf, allerdings ist mir nicht entgangen, dass echte Giftigkeit in ihren Worten steckte. Ich liege auf meinem Bett, total fertig, nachdem ich zwei Stunden ohne Unterbrechung Cavallinis Adagio und Tarantella geübt habe – es war unglaublich, als würde die Luft zu Farbe werden. Ich musste an das Charlie-Parker-Zitat denken, das Mr James so gern anbringt: *Wenn du es nicht lebst, kann es auch nicht aus deinem Horn kommen.* Ich musste auch daran denken, dass ich vielleicht doch ins Sommerorchester gehe.

Sarah und ich verabreden uns am Flying Man's. Ich brenne darauf, ihr von Joe zu erzählen. Von Toby nicht. Wenn ich nicht drüber rede, kann ich einfach so tun, als wäre nichts passiert.

Sie liegt auf einem Felsen in der Sonne und liest Simone de Beauvoirs *Das andere Geschlecht* – als Vorbereitung ihrer äußerst vielversprechenden Aufreißexpedition zum feministischen Symposium des Women's Studies Fachbereichs der State University. Sie springt auf, als sie mich sieht, und umarmt mich wie verrückt, obwohl sie völlig nackt ist. Wir haben hier hinter dem Flying Man's unseren eigenen geheimen Pool und Miniwasserfall, zu dem wir schon seit Jahren kommen. Wir haben beschlossen, dass Badekleidung hier optional ist, und wir optieren für den Verzicht.

»Mein Gott, das ist ja ewig her«, sagt sie.

»Es tut mir so leid, Sarah«, sage ich und erwidere ihre Umarmung.

»Schon okay, echt«, sagt sie. »Ich weiß, ich muss dir jetzt einen Freifahrschein geben. Das ist also …« Sie rückt kurz von mir ab und mustert mein Gesicht.

»Moment mal. Was ist los mit dir? Du siehst komisch aus. Also, *echt* komisch.«

Ich kann nicht aufhören zu lächeln. Ich muss aussehen wie eine Fontaine.

»Was ist, Lennie? Was ist passiert?«

»Ich glaube, ich verliebe mich.« In dem Augenblick, in dem diese Worte raus sind, wird mein Gesicht glutheiß vor Scham. Ich soll trauern, nicht mich verlieben. Ganz zu schweigen von all dem anderen, das ich gemacht habe.

»Waaaaaaaaaaaaaaaaaaaaaaaaas! Das ist ja so unheimlich unglaublich! Nicht zu fassen! Wahnsinn! Irre! Wahnsin-nig! Kühe auf dem Mond, Len! Kühe. Auf. Dem. Mond!« Nun ja, so viel zu meiner Scham. Die innere Cheerleaderin ist über Sarah gekommen, sie wedelt mit den Armen und hopst auf der Stelle. Abrupt hört sie damit auf. »Warte, in wen? Doch hoffentlich NICHT Toby?«

»Nein, nein, natürlich nicht«, sage ich, während mich die Schuld wie ein heranrasender Schwerlaster plättet.

»Puh«, sagt Sarah und wischt sich dramatisch die Stirn. »Wer dann? In wen könntest du dich verliebt haben? Du bist nirgends hingegangen, jedenfalls weiß ich davon nichts, und diese Stadt ist schlimmer als Loserville, also wo hast du ihn gefunden?«

»Sarah, es ist Joe.«

»Hör auf.«

»Doch, er ist es.«

»Nein!«

»Ja.«

»Ist nicht wahr.«

»Wohl wahr.«

»Neeneeneeneenee.«

»Dochdochdoch.«

»Neeneenee.«

Und so weiter.

Ihre vorangehenden Begeisterungsbekundungen sind nichts im Vergleich zu dem, was jetzt abgeht. Sie umkreist mich und sagt. »Ogottogott. Ich bin ja soooooooooooooooo neidisch. Jedes Mädchen in Clover ist hinter einem dieser Fontaines her. Kein Wunder, dass du dich so zurückgezogen hast. Hätte ich auch getan, wenn ich mich mit einem von denen hätte zurückziehen können. Gott, lass es mich stellvertretend miterleben. Erzähl mir jedes verdammte Detail. Dieser schöne, schöne Junge, diese Augen, diese Wimpern, dieses hammerhafte Lächeln, dieses Trompetenspiel, wow, Lennnnnnie.« Jetzt läuft sie auf und ab, sie hat noch eine Zigarette angezündet, inbrünstig raucht sie Kette vor Entzücken – wie ein Schornstein, eine nackte Irre. Bin ich froh, dass ich mit diesem Wunder in Gestalt meiner besten Freundin Sarah herumhängen kann. Und bin ich so froh, dass ich froh darüber bin.

Ich lasse kein Detail aus. Erzähle, wie er jeden Morgen mit Croissants rübergekommen ist, wie wir zusammen Musik gemacht haben, wie er Grama und Big durch seine bloße Anwesenheit im Haus glücklich gemacht hat, wie wir gestern Nacht Wein getrunken und uns geküsst haben, bis ich sicher war, im Himmel angekommen zu sein. Ich erzählte ihr, dass ich glaubte, ich könnte sein Herz auch dann schlagen hören, wenn er nicht da ist, von diesem Gefühl, dass Blumen – Gramagantische Blumen – in meiner Brust erblühen, und dass ich mir sicher war, genauso zu empfinden wie Heathcliff für Cathy, ehe –

»Okay, hör mal einen Moment lang auf.« Sie lächelt immer noch, aber sie wirkt ein bisschen besorgt und auch erstaunt. »Lennie, du bist nicht verliebt, du hast den Verstand verloren. Ich hab noch nie jemanden so über einen Typen reden hören.«

Ich zucke die Achseln. »Dann hab ich den Verstand verloren.«

»Wow, ich will ihn auch verlieren.« Sie setzt sich neben

mich auf den Felsen. »Da hast du in deinem ganzen bisherigen Leben gerade mal drei Jungs geküsst und jetzt das. Vermutlich hast du es dir aufgespart oder so …«

Ich erzähle ihr von meiner Rip-van-Lennie-These, laut der ich mein ganzes Leben bis vor Kurzem verschlafen habe.

»Weiß nicht, Len. Mir kamst du immer ganz wach vor.«

»Ja, ich weiß auch nicht. Diese These war vom Wein inspiriert.«

Sarah nimmt einen Stein in die Hand und wirft ihn mit ein bisschen zu viel Kraft ins Wasser. »Was ist?«, frage ich.

Sie antwortet nicht sofort, sondern sammelt noch einen Stein auf und schleudert auch den weg. »Ich bin wütend auf dich, aber ich darf es nicht sein, weißt du?«

Genau dieses Gefühl habe ich in letzter Zeit manchmal Bailey gegenüber.

»Du hast mir so viel vorenthalten, Lennie. Ich hab gedacht … Keine Ahnung.«

Das ist, als würde sie meinen Text in einem Theaterstück sprechen.

»Tut mir leid«, sage ich wieder mit schwacher Stimme. Ich will mehr sagen, ihre eine Erklärung geben, aber in Wahrheit weiß ich nicht, warum ich mich vor ihr so verschlossen habe, seit Bailey tot ist.

»Schon in Ordnung«, sagt sie leise.

»Das wird jetzt anders«, sage ich in der Hoffnung, dass es wahr ist. »Versprochen.«

Ich beobachte, wie die Sonne den Fluss umschmeichelt, die grünen Blätter, die nassen Felsen hinter dem Wasserfall. »Willst du schwimmen?«

»Noch nicht«, sagt sie. »Ich hab Neuigkeiten für dich. Nichts Sensationelles, aber immerhin.« Eindeutig ein Seitenhieb, und den hab ich verdient. Ich hab nicht mal gefragt, wie es ihr geht.

Sie grinst mich an, ziemlich irre, ehrlich gesagt. »Seit gestern Abend bin ich mit Luke Jacobus zusammen.«

»Luke?« Ich bin erstaunt. Abgesehen von seinem Fehlgriff vor Kurzem, der ihm den Status eines Orchester-Opfers verliehen hat, liebt er Sarah seit der zweiten Klasse hingebungsvoll, aber unerwidert. König des Nerdiversums hat sie ihn immer genannt. »Hast du mit dem nicht mal in der siebten Klasse rumgemacht und ihn dann fallen gelassen, als dich dieser verblödete Surfer angeglitzert hat?«

»Ja, wahrscheinlich ist es doof«, sagt sie. »Ich hab mich bereit erklärt, den Text zu dieser unglaublichen Musik zu schreiben, die er komponiert hat, und wir haben miteinander abgehangen, da ist es einfach passiert.«

»Und was ist aus der Jean-Paul-Sartre-Regel geworden?«

»Sinn für Humor schlägt Belesenheit, hab ich beschlossen – und bei allen Giraffenherden, Len, der Typ sieht aus wie der Hulk dieser Tage.«

»Er ist witzig«, pflichte ich ihr bei. »Und grün.«

Sie lacht, genau da piept mein Handy mit einer SMS. Ich wühle in meiner Tasche und hoffe auf eine Nachricht von Joe.

Sarah singt: »Lennie kriegt ’nen Liebesbrief von Jo-hoe Fontaine«, und versucht über meine Schulter hinweg mitzulesen. »Komm, lass mal sehen.«

Sie schnappt mir das Telefon weg. Ich zieh es ihr aus der Hand, aber zu spät. Da steht: *Ich muss mit dir reden. T.*

»T wie Toby?«, will sie wissen. »Aber ich dachte … also eben hast du noch gesagt … Lennie, was machst du bloß?«

»Nichts«, sage ich und stopfe das Telefon wieder in meine Tasche. Schon hab ich mein Versprechen gebrochen. »Echt. Nichts.«

»Warum glaub ich dir nur nicht?«, sagt sie kopfschüttelnd. »Ich hab ein ganz schlechtes Gefühl bei der Sache.«

»Nicht nötig«, sage ich und schlucke mein eigenes furchtbares Gefühl runter. »Echt. Ich hab den Verstand verloren, weißt du noch?« Ich berühre sie am Arm. »Komm, wir gehen schwimmen.«

Eine Stunde lang treiben wir auf dem Rücken im Pool. Ich lass mir alles über ihren Abend mit Luke erzählen, damit ich nicht an Tobys SMS denken muss und was daran so dringend ist. Dann klettern wir zum Wasserfall hoch und stellen uns drunter, dabei schreien wir ein ums andere Mal FUCK ins Getöse, so wie immer seit Kindertagen.

Ich schreie wie eine Wahnsinnige.

21. Kapitel

Es waren einmal zwei Schwestern,
die fürchteten sich nicht vor der Dunkelheit,
denn es gab die Stimme der anderen
auf der anderen Seite des Zimmers.
Auch wenn wie Pech war die Nacht
Und sternenlos
Gingen sie den Weg vom Fluss gemeinsam,
testeten aus, wer am längsten aushielt
ohne den Schein der Taschenlampe.
Sie fürchteten sich nicht,
manchmal im pechschwarzen Dunkel
legten sie sich auf den Rücken
in der Mitte des Pfades,
schauten hoch, bis die Sterne wiederkehrten –
und standen sie dann am Himmel
hoben beide die Arme, sie zu berühren,
und taten es.

(Gefunden auf einem Briefumschlag unter dem Reifen eines Autos auf der Main Street)

Bis ich dann vom Fluss durch den Wald nach Hause gehe, habe ich beschlossen, dass sich Toby, genau wie ich, ganz furchtbar fühlt wegen des Vorgefallenen, deshalb die Dringlichkeit der SMS. Wahrscheinlich will er nur die Bestätigung, dass so was nie wieder vorkommen wird. Na, da sind wir uns einig. Keine Einwände von dieser armen Vonsinnenen.

Wolken sind aufgezogen und die Luft ist schwanger von einem seltenen Sommerregen. Ich sehe einen Pappbecher auf dem Boden liegen, setze mich hin und schreibe ein paar Zeilen darauf, danach begrabe ich ihn unter einem Haufen Kiefernnadeln. Dann lege ich mich auf den Rücken auf den weichen Waldboden. Das liebe ich – alles einfach dem ungeheuren Ausmaß des Himmels zu überlassen oder notfalls der Zimmerdecke, wenn ich drinnen bin. Mit ausgestreckten Armen, die Finger in den lehmigen Boden gedrückt, überlege ich, was ich wohl jetzt tun würde, was ich wohl jetzt in diesem Augenblick fühlen würde, wenn Bailey noch am Leben wäre. Mir wird etwas klar, was mir Angst macht: Ich wäre glücklich, aber auf eine gemäßigte Art, ich wäre nicht von Sinnen deswegen. Ich würde schildkrötenartig vor mich hin stapfen, so wie ich immer vor mich hin gestapft bin, gemütlich in meinem Panzer, gesund und munter.

Doch was, wenn ich jetzt eine panzerlose Schildkröte bin, gleichermaßen von Sinnen wie am Boden zerstört, ein verdammtunglaubliches Chaos von einem Mädchen, das mit ihrer Klarinette die Luft in Farbe verwandeln will und was, wenn mir das irgendwo tief drinnen ganz recht ist so? Was, wenn ich, sosehr ich mich auch davor fürchte, den

Tod als Schatten zu haben, langsam Gefallen daran finde, wie er den Puls beschleunigt und nicht nur meinen, den Puls der ganzen Welt. Wenn ich noch immer in diesem harten Panzer sanften Glücks stecken würde, hätte Joe mich vermutlich überhaupt nicht bemerkt. In sein Tagebuch hat er geschrieben, ich sei bis zum Anschlag aufgedreht, *ich*. Und vielleicht bin ich das jetzt, aber vorher war ich das nie. Wie kann der Preis für diese Veränderung nur so hoch sein? Dass Baileys Tod etwas Gutes mit sich bringt, kommt mir so verkehrt vor. Sogar, dass ich solche Gedanken habe, kommt mir verkehrt vor.

Aber dann denke ich an meine Schwester und was für eine panzerlose Schildkröte sie gewesen ist und wie sehr sie wollte, dass ich auch eine werde. *Kommschon, Lennie,* hat sie mindestens zehn Mal am Tag zu mir gesagt. *Kommschon, Len.*

Und dann geht es mir besser, denn es ist so, als würde mir jetzt ihr Tod und nicht ihr Leben beibringen, wie ich sein soll, wer ich sein soll.

Toby ist da, das weiß ich schon, bevor ich reingehe, denn Lucy und Ethel haben sich auf der Veranda breitgemacht. Als ich in die Küche komme, sehe ich ihn und Grama am Tisch sitzen und leise tuscheln.

»Hi«, sage ich verblüfft. Merkt der denn nicht, dass er nicht hier sein kann?

»Ich Glückspilz«, sagt Grama. »Ich war auf dem Heimweg, beladen mit Lebensmitteln, da kam Toby auf seinem Skateboard vorbeigezischt.«

Grama ist seit 1900 nicht mehr Auto gefahren. Sie geht überall in Clover zu Fuß hin, so ist sie Gartenguru geworden. Sie konnte nicht anders, sie fing an, auf dem Weg in die Stadt ihre Schere mitzunehmen, und wurde von Leuten überrascht, deren Büsche sie perfekt trimmte. Paradox, nicht? Denn bei den Büschen in ihrem eigenen Garten gilt: Hände weg.

»Glück gehabt«, sage ich zu Grama, dabei sehe ich mir Toby an. Frische Schrammen bedecken seine Arme, wahrscheinlich von Wahnsinnsakten auf dem Skateboard. Sein Blick ist irre und er ist zerzaust, total von der Rolle. Zwei Dinge weiß ich in diesem Augenblick: Ich hab mich geirrt mit der SMS und ich will nicht mehr mit ihm von der Rolle sein.

Eigentlich möchte ich am liebsten ins Allerheiligste gehen und Klarinette spielen.

Grama sieht mich an und lächelt. »Du warst schwimmen. Dein Haar sieht aus wie ein Wirbelsturm. Das würde ich gern malen.« Sie streckt die Hand aus und berührt den Wirbelsturm. »Toby bleibt zum Essen.«

Das glaub ich einfach nicht. »Ich hab keinen Hunger«, sage ich. »Ich geh hoch.«

Grama schnappt nach Luft, weil ich so unhöflich bin, aber das ist mir egal. Unter keinen Umständen quäle ich mich durch ein Abendessen mit Grama und Big und Toby, *der meine Brüste berührt hat*. Was denkt der sich denn?

Ich gehe hoch ins Allerheiligste, packe meine Klarinette aus und bau sie zusammen, dann hole ich die Edith-Piaf-Noten heraus, die ich mir von einem *certain garçon* geliehen habe, schlage »La Vie en Rose« auf und fange an zu spielen.

Das ist das Lied, bei dem gestern Abend die Welt explodiert ist. Hoffentlich kann ich mich einfach in diesem Zustand des Joeliriums verlieren und muss kein Klopfen an meiner Tür hören, wenn sie mit dem Essen fertig sind. Aber natürlich muss ich das doch.

Toby, *der meine Brüste berührt hat und – nicht zu vergessen – auch seine Hand in meine Hose gesteckt hat*, macht die Tür auf, geht zögernd durchs Zimmer und setzt sich auf Baileys Bett. Ich höre auf zu spielen, lege meine Klarinette auf dem Notenständer ab. Hau ab, denke ich herzlos, hau doch ab. Wir tun einfach so, als wäre nichts passiert, nichts von alledem.

Keiner von uns sagt ein Wort. Er reibt sich die Schenkel so intensiv, dass die Reibung garantiert Hitze erzeugt. Sein Blick wandert überall im Raum herum. Schließlich bleibt er an dem Foto von ihm und Bailey auf der Kommode haften. Er atmet durch, schaut mich an. Sein Blick verweilt.

»Ihr Hemd …«

Ich gucke an mir runter. Ich hatte vergessen, dass ich es anhabe. »Ja.« Ich trage Baileys Kleider nun immer häufiger auch außerhalb des Allerheiligsten. Wenn ich meine eigenen Schubladen durchgehe, denke ich immer: Wer war dieses Mädchen, das diese Sachen getragen hat? Eine Seelenklempnerin wäre ganz bestimmt begeistert, der hätte ich was zu bieten, denke ich mit einem Blick rüber zu Toby. Wahrscheinlich würde sie mir erzählen, ich würde versuchen, Baileys Platz einzunehmen. Oder schlimmer noch, mit ihr konkurrieren, was ich nie gekonnt hatte, als sie noch lebte. Aber ist es das? Es fühlt sich nicht so an. Wenn ich ihre Kleider trage, fühle ich mich einfach sicherer, so, als würde sie mir ins Ohr flüstern.

Ich bin tief in Gedanken, deshalb erschrecke ich, als Toby mit uncharakteristisch wackliger Stimme sagt: »Len, es tut mir leid. Alles.« Ich schaue ihn an. Er wirkt so verletzlich, so ängstlich. »Hab mich nicht mehr im Griff gehabt, fühl mich echt mies.« War es das, was er mir unbedingt mitteilen musste? Erleichterung poltert mir von der Brust.

»Ich auch«, sage ich und taue sofort auf. Wir stecken da beide drin.

»Ich noch mehr, kannst mir glauben«, sagt er und reibt sich wieder die Schenkel. Er ist so verstört. Glaubt er etwa, das ist alles nur seine Schuld oder so?

»Wir waren das beide, Toby«, sage ich. »Jedes Mal. Wir sind beide schrecklich.«

Er schaut mich an, seine dunklen Augen sind so warm. »Du bist nicht schrecklich, Lennie.« Seine Stimme ist sanft, vertraulich. Ich merke, dass er die Arme nach mir ausstrecken will. Ich bin froh, dass er auf der anderen Seite des Zimmers ist. Wenn er doch auf der anderen Seite des Äquators wäre. Denken unsere Körper jetzt etwa, sie dürften sich bei jeder Gelegenheit berühren? Meinem sag ich, dass so was ganz und gar nicht infrage kommt, und egal, dass ich es wieder fühle. Ganz egal.

Und dann durchbricht ein abtrünniger Asteroid den Schutzschild der Erde und schießt ins Allerheiligste: »Aber ich kann einfach nicht aufhören, an dich zu denken«, sagt er. »Geht nicht. Ich muss …« Er zerknüllt Baileys Tagesdecke zwischen den Fäusten. »Ich will –«

»Bitte, kein Wort mehr.« Ich gehe rüber zu meiner Kommode, ziehe die mittlere Schublade auf und hole ein Hemd heraus, mein Hemd. Baileys muss ich ausziehen. Denn plötzlich kommt mir der Gedanke, dass diese imaginäre Seelenklempnerin den Nagel auf den Kopf getroffen hat.

»Ich bin das nicht«, sage ich leise. Ich mach den Wandschrank auf und schlüpfe hinein. »Ich bin nicht sie.«

Ich bleibe in der ruhigen Dunkelheit, bis ich meine Atmung unter Kontrolle habe, bis ich mein Leben unter Kontrolle habe, bis ich mein eigenes Hemd am eigenen Körper trage. Unter meinen Füßen scheint ein reißender Fluss zu sein, der mich auf Toby zu trudeln lässt, immer noch, trotz allem, was mit Joe passiert ist, ein tosender, leidenschaftlicher, verzweifelter Fluss, aber dieses Mal will ich nicht hineinsteigen. Ich will am Ufer bleiben. Wir können doch nicht immer weiter unsere Arme um einen Geist schlingen.

Als ich aus dem Wandschrank komme, ist er weg.

»Tut mir furchtbar leid«, sage ich laut zu dem leeren orangefarbenen Zimmer.

Wie eine Antwort darauf fangen tausend Finger an, aufs Dach zu trommeln. Ich gehe zu meinem Bett, klettere aufs Fensterbrett und strecke die Hände raus. Da es bei uns nur zwei Gewitter pro Sommer gibt, ist Regen ein Ereignis. Ich lehne mich weit über das Fensterbrett hinaus, halte dem Himmel die Handflächen entgegen und lasse ihn durch die Finger tropfen, dabei erinnere ich mich an das, was Big an jenem Nachmittag zu Toby und mir gesagt hat. *Wir kommen nicht drum rum, wir müssen da durch.* Wer wusste denn, was *durch* sein würde?

Im Regenguss rennt jemand die Straße hinunter. Als die Gestalt sich dem beleuchteten Garten nähert, erkenne ich Joe, und das hebt meine Stimmung sofort. Mein Rettungsfloß.

»He!«, brülle ich und winke wie besessen.

Er schaut zum Fenster hoch, lächelt und ich kann gar nicht schnell genug die Treppen runter zur Haustür und hinaus zu ihm in den Regen.

»Du hast mir gefehlt«, sage ich und berühre seine Wange mit den Fingern. Regen tropft von seinen Wimpern und strömt in Bächen über sein Gesicht.

»Gott, du mir auch.« Dann sind seine Hände auf meinen Wangen und wir küssen uns und der Regen schüttet auf unsere verrückten Köpfe herunter und wieder steht mein ganzes Wesen vor lauter Freude lichterloh in Flammen.

Ich hatte nicht gewusst, dass Liebe sich anfühlt, als würde alles ganz hell werden.

»Was machst du?«, sage ich, als ich mich endlich überwinde, mich einen Augenblick von ihm loszureißen.

»Ich hab gesehen, dass es regnet – und hab mich rausgeschlichen, weil ich dich sehen wollte, einfach so.«

»Warum musstest du dich rausschleichen?« Der Regen hat uns durchweicht, mein Hemd klebt mir auf der Haut, und Joes Hände streichen mir über die Seiten.

»Ich bin im Gefängnis«, sagt er. »Bin so was von erwischt worden, der Wein, den wir getrunken haben, war so 'ne Vierhundert-Dollar-Flasche. Hatte keinen Schimmer. Ich wollte bei dir Eindruck machen und da hab ich sie aus dem Keller geholt. Mein Dad ist ausgerastet, als er die leere

Flasche gesehen hat. Jetzt zwingt er mich, Tag und Nacht in der Werkstatt Holz zu sortieren, während er ständig mit seiner Freundin telefoniert. Ich glaub, er hat ganz vergessen, dass ich Französisch spreche.«

Ich weiß nicht recht, ob ich auf die Vierhundert-Dollar-Flasche oder die Freundin reagieren soll, entscheide mich dann für Letztere. »Seine Freundin?«

»Egal. Ich musste dich sehen, aber jetzt muss ich zurück, und ich wollte dir das hier geben.« Er holt ein Stück Papier aus seiner Tasche und drückt es mir schnell in die Hand, ehe es klatschnass werden kann.

Er küsst mich noch einmal. »Okay, ich geh.« Er rührt sich nicht von der Stelle. »Ich will nicht gehen.«

»Ich will nicht, dass du gehst«, sage ich. Sein Haar ist schwarz und ringelt sich um sein strahlendes Gesicht. Es ist wie mit ihm unter der Dusche zu stehen. Wow – mit ihm unter der Dusche!

Dann dreht er sich wirklich um und ich merke, dass er die Augen zusammenkneift, als er mir über die Schulter guckt. »Warum ist der immer hier?«

Ich dreh mich um. Toby steht in der Tür, *beobachtet uns* – er sieht aus wie von einer Abrissbirne getroffen. Gott. Er ist gar nicht gegangen, er muss mit Grama im Atelier gewesen sein oder so. Er stößt die Tür auf, schnappt sich sein Skateboard und saust ohne ein Wort an uns vorbei, die Schultern vor dem Regen hochgezogen.

»Was ist hier los?«, fragt Joe und mustert mich mit Röntgenblick. Sein ganzer Körper ist erstarrt.

»Nichts. Echt nichts«, antworte ich wie bei Sarah. »Er ist

durcheinander wegen Bailey.« Was soll ich ihm sonst sagen? Wenn ich ihm sage, was hier vorgeht, was selbst dann noch passiert ist, nachdem er mich geküsst hat, werde ich ihn verlieren.

Als er dann sagt: »Bin ich blöd und hab Verfolgungswahn?«, sag ich nur: »Hm.« Und in meinem Kopf höre ich die Worte: *Verärgere niemals einen Hornisten.*

Er lächelt mich freundlich wie ein Sonnentag an. »Okay.« Dann küsst er mich noch ein letztes Mal heftig und wieder saugen wir einander den Regen von den Lippen. »Bye, John Lennon.«

Und weg ist er.

Ich laufe schnell rein, mache mir Sorgen über das, was Toby zu mir gesagt hat und was ich Joe nicht gesagt habe, während der Regen alle diese wunderschönen Küsse von mir abwäscht.

22. Kapitel

Ich liege auf meinem Bett, das Gegenmittel gegen Sorgen aller Art halte ich in meinen Händen, ein vom Regen noch immer feuchtes Notenblatt. Als Überschrift ist in Joes seltsam eckiger Jungshandschrift zu lesen: *Für eine empfindsame schöne Klarinettistin von einem unscheinbaren, langweiligen, untalentierten, aber leidenschaftlichen Gitarristen. Teil 1, Teil 2 folgt in Kürze.*

Ich versuche es in meinem Kopf zu hören, aber meine Fähigkeit zu hören, ohne zu spielen, ist furchtbar unterentwickelt. Ich stehe auf, hole meine Klarinette und Augenblicke später ergießt sich die Melodie in den Raum. Während ich spiele, erinnere ich mich wieder, dass er gesagt hat, mein Ton sei so einsam wie ein Tag ohne Vögel, aber die Musik, die er geschrieben hat, ist voller Vögel. Die fliegen aus meiner Klarinette, sie füllt die Luft eines ruhigen Sommertages, füllt Bäume und Himmel – es ist herrlich. Ich spiele die Melodie immer wieder, bis ich sie auswendig kann.

Es ist zwei Uhr morgens, und wenn ich das Lied noch ein Mal spiele, fallen mir die Finger ab, ich bin aber zu joeliriös zum Schlafen. Ich gehe nach unten und hole mir was zu essen, als ich danach wieder ins Allerheiligste komme, blendet mich ein so starkes Verlangen, dass ich mir den Mund zuhalten muss, um den Schrei zu ersticken. Ich will, dass Bailey quer auf ihrem Bett liegt und liest. Ich will mit ihr über Joe reden, will ihr dieses Lied vorspielen.

Ich will meine Schwester wiederhaben.

Ich will ein Hochhaus auf Gott schleudern.

Ich atme ein und stoße die Luft mit so viel Kraft wieder aus, dass die orange Farbe von den Wänden gepustet wird.

Es regnet nicht mehr – die frisch geschrubbte Neuheit der Nacht wälzt sich durchs offene Fenster herein. Ich weiß nicht, was ich machen soll, also gehe ich zu Baileys Schreibtisch und setze mich hin wie sonst auch. Wieder einmal schaue ich mir die Visitenkarte des Detektivs an. Ich habe dran gedacht, ihn anzurufen, hab es aber noch nicht getan, eingepackt hab ich auch noch kein Stück. Ich ziehe einen Karton heran und beschließe, mir ein oder zwei Schubladen vorzunehmen. Den Anblick der leeren Kisten hasse ich fast noch mehr als die Vorstellung, ihre Sachen einzupacken.

Die unterste Schublade ist voller Schulhefte, Hausaufgaben von Jahren, alle nutzlos jetzt. Ich nehme eins heraus, meine Finger gleiten über den Umschlag, ich drücke es an meine Brust und dann lege ich es in den Karton. All ihr Wissen ist jetzt verschwunden. Alles, was sie je gelernt, gehört oder gesehen hat. Ihre spezielle Art, Hamlet zu betrachten oder Gänseblümchen, ihre Gedanken über die Liebe, all ihre ureigenen komplizierten Gedanken, ihre belanglosen geheimen Träumereien – auch alle weg. Diese Redewendung hab ich mal gehört: Jedes Mal wenn jemand stirbt, brennt eine Bibliothek ab. Ich beobachte, wie sie bis auf die Grundmauern niederbrennt.

Die restlichen Schulhefte stapele ich auf das erste, mach die Schublade zu, und mit der darüber verfahre ich genauso. Den Karton verschließe ich und fange einen neuen an. In der nächsten Schublade sind noch mehr Hefte, einige sind Tagebücher, die ich nicht lesen werde. Ich blättere den Stapel durch und lege ein Heft nach dem anderen in den Karton. Auf dem Boden der Schublade liegt eines aufgeschlagen da. Baileys krakelige Schrift von oben bis unten, Kolonnen von Wörtern bedecken die ganze Seite, die meisten sind durchgestrichen. Ich nehme das Heft heraus, ein Schuldgefühl packt mich, aber das wandelt sich zu Überraschung und dann zu Angst, als ich erkenne, was das für Wörter sind.

Es sind alles Kombinationen des Namens unserer Mutter mit anderen Namen und Dingen. Ein ganzer Abschnitt besteht nur aus dem Namen Paige in Verbindung mit Leuten und Sachen, die mit John Lennon zu tun haben, meinem Namensvetter und – wie wir deswegen angenommen haben – ihrem Lieblingsmusiker. Wir wissen praktisch nichts über Mom. Als sie weggegangen ist, scheint sie alle Spuren ihres Lebens mitgenommen und nichts weiter als eine Geschichte zurückgelassen zu haben. Grama redet selten über etwas anderes als ihre erstaunliche Wanderlust und Big ist nicht viel besser.

»Mit fünf Jahren«, hat Grama uns immer wieder erzählt und die Finger hochgehalten, um das zu unterstreichen, »hat eure Mutter sich eines Nachts aus dem Bett weggestohlen, und ich hab sie dann mit ihrem kleinen blauen

Rucksack und einem Wanderstock auf halbem Weg in die Stadt aufgelesen. Sie sei auf Abenteuer, hat sie gesagt – mit fünf Jahren, Mädels!«

Das war also alles, was wir hatten, abgesehen von einer Kiste mit Siebensachen, die wir im Allerheiligsten aufbewahrten. Sie ist voller Bücher, die wir im Laufe der Jahre von den Regalen unten gehamstert haben, Bücher, in denen ihr Name steht: *Oliver Twist. Unterwegs. Siddhartha*, Gedichte von William Blake und ein paar Heftromane, die Buchsnobs wie uns total aus dem Konzept gebracht haben. Keins der Bücher hat Eselsohren oder ist mit Anmerkungen versehen. Wir haben ein paar Jahrbücher, aber in denen gibt es keine Kritzeleien von Freunden. Ein Exemplar von *The Joy of Cooking* ist darunter, das überall bekleckert ist. (Grama hat uns mal erzählt, dass Mom in der Küche zaubern konnte und dass sie vermutet, Mom verdiente sich ihren Lebensunterhalt unterwegs mit Kochen.)

Aber hauptsächlich haben wir Landkarten, haufenweise Landkarten: Straßenkarten, Messtischblätter, Karten von Clover, von Kalifornien, von den neunundvierzig anderen Bundesstaaten, von allen möglichen Ländern, allen möglichen Kontinenten. Mehrere Atlanten sind auch dabei, jeder davon sieht so gründlich gelesen und immer wieder gelesen aus wie meine Ausgabe von *Sturmhöhe*. Die Karten und Atlanten offenbaren mehr von ihr als alles andere. Die Welt hat dieses Mädchen gelockt. Als wir noch klein waren, haben Bailey und ich zahllose Stunden über den Atlanten verbracht und uns Reiserouten und Abenteuer für sie ausgedacht.

Ich fange an, das Heft durchzublättern. Seiten über Seiten

von diesen Kombinationen: Paige/Lennon/Walker, Paige/Lennon/Yoko, Paige/Lennon/Imagine, Paige/Dakota/Ono und immer so weiter. Manchmal hat sie sich Notizen unter einer Namenskombination gemacht. Zum Beispiel hat sie unter die Wörter Paige/Dakota eine Adresse in North Hampton MA gekritzelt. Aber die ist dann ausgestrichen worden und die Anmerkung *zu jung* ist dazu gekrakelt worden.

Ich bin schockiert. Wir haben beide den Namen unserer Mutter in Suchmaschinen eingegeben, ohne Erfolg, und manchmal haben wir Pseudonyme erfunden, die sie gewählt haben könnte, und auch nach denen haben wir erfolglos gesucht, aber nie so, nie systematisch, nie mit einer derartigen Gründlichkeit und Hartnäckigkeit. Das Heft ist praktisch voll. Bailey muss jede freie Minute darauf verwendet haben, jeden Moment, den ich nicht da war, denn ich hab sie so selten am Computer gesehen. Aber wenn ich jetzt darüber nachdenke, dann hab ich sie, bevor sie starb, schrecklich oft vor der Halbmutter gesehen, die sie so aufmerksam betrachtete, als würde sie auf ein Wort von ihr warten.

Ich blättere zur ersten Seite des Heftes. Sie ist vom 27. Februar, nicht ganz zwei Monate vor ihrem Tod. Wie hatte sie all das in dieser Zeit schaffen können? Kein Wunder, dass sie die Hilfe des heiligen Antonius gebraucht hat. Ich wünschte, sie hätte um meine gebeten.

Ich lege das Heft zurück in die Schublade, gehe zu meinem Bett, dann hole ich die Klarinette wieder aus dem Kasten und spiele Joes Lied. Ich möchte wieder in diesem Sommertag sein, ich möchte da mit meiner Schwester sein.

Nachts
als wir klein waren,
bauten wir ein Zelt aus Baileys Decken,
krochen mit unseren Taschenlampen darunter
und spielten Karten: Mau-Mau, Uno, Elfer raus
und unser Lieblingsspiel: Halli Galli.
Wir waren harte Gegner.
Den ganzen Tag lang, jeden Tag
Waren wir die Walker-Mädchen
Wie Pech und Schwefel
Unzertrennlich –
Doch wenn Grama die Tür schloss
und Gute Nacht gesagt hatte,
fletschten wir die Zähne.
Spielten um Abwasch und Müll
um Sklavenarbeiten
um Wahrheiten, Mutproben und Geld.
Wir spielten darum, besser, schlauer,
schöner zu sein und
mehr
einfach mehr.
Aber all das war eine List,
wir spielten,
damit wir im selben Bett einschlafen konnten,
ohne fragen zu müssen,
damit wir uns umeinander flechten konnten
wie ein Zopf,
damit im Schlaf
unsere Träume die Körper tauschen konnten.

(Gefunden auf der Rückseite des Titelblatts von Sturmhöhe in Lennies Zimmer)

23. Kapitel

Ich hab viel mit der Halbmutter gesprochen.
Aber ich hab gewartet, bis niemand zu Hause war,
dann hab ich gesagt:
Ich stell mir vor,
du bist da oben
nicht wie Wolke, Vogel oder Stern,
wie eine Mutter,
nur eine, die im Himmel wohnt,
die kein Theater macht
wegen der Schwerkraft,
die einfach tut, was sie will,
und mit dem Wind herumweht.

(Gefunden auf einem Stück Zeitungspapier unter der Veranda der Walkers)

ALS ICH AM NÄCHSTEN Morgen in die Küche komme, steht Grama am Herd und brät Würstchen, ihre Schultern sind zusammengezogen wie eine krause Stirn. Big hängt am Tisch über seinem Kaffee. Hinter ihnen hüllt der Morgennebel das Fenster ein, als schwebte das Haus in einer Wolke.

In der Tür überkommt mich dasselbe ängstliche, hohle Gefühl, das mich immer packt, wenn ich verlassene Häuser sehe, solche, in denen Unkraut durch die Treppe wuchert, deren Anstrich rissig und schmutzig ist und die kaputte und mit Brettern vernagelte Fenster haben.

»Wo ist Joe?«, fragt Big. Da wird mir klar, warum die Verzweiflung so nackt ist heute Morgen: Joe ist nicht hier.

»Im Gefängnis«, sage ich.

Big schaut auf und schmunzelt. »Was hat er gemacht?« Sofort hebt sich die Stimmung. Wow. Ich vermute mal, er ist nicht nur mein Rettungsfloß.

»Hat seinem Vater eine Vierhundert-Dollar-Flasche Wein weggenommen und sie an einem Abend mit einem Mädchen namens John Lennon getrunken.«

Grama und Big schnappen gleichzeitig nach Luft und rufen dann: »Vierhundert Dollar?!«

»Er hatte keinen Schimmer.«

»Lennie, es gefällt mir nicht, dass du trinkst.« Grama droht mir mit dem Pfannenheber. Die Würstchen brutzeln und spritzen hinter ihr in der Pfanne.

»Ich trinke nicht, nun ja, kaum. Keine Sorge.«

»Verdammt noch mal, Len? War er gut?« Bigs Gesicht ist eine Studie in Staunen.

»Weiß nicht. Ich hab noch nie Rotwein getrunken, glaub schon.« Ich schenke mir eine Tasse Kaffee so dünn wie Tee ein. Ich hab mich an den Schlamm gewöhnt, den Joe macht.

»Verdammt noch mal«, wiederholt Big, nimmt einen Schluck Kaffee und verzieht angewidert das Gesicht. Ich glaub, ihm schmeckt Joes Pampe jetzt auch besser. »Vermutlich wirst du auch nie wieder welchen trinken, wenn die Latte so hoch liegt.«

Ob Joe heute wohl zur ersten Orchesterprobe kommt, überlege ich gerade – ich hab beschlossen hinzugehen –, da kommt er plötzlich zur Tür herein mit Croissants und toten Käfern für Big und einem Lächeln so groß wie Gott für mich.

»Hey!«, sage ich.

»Sie haben dich rausgelassen«, sagt Big. »Ist ja großartig. Ist das ein ehelicher Besuch oder ist deine Strafe abgesessen?«

»Big!«, schimpft Grama. »Bitte!«

Joe lacht. »Ist erledigt. Mein Vater ist ein romantischer Mann, das ist wohl seine beste und schlimmste Eigenschaft. Als ich ihm erklärt hab, wie ich fühle –« Joe sieht mich an, fängt an rot anzulaufen, was mich natürlich dazu veranlasst, zur Tomate zu mutieren. Das kann doch nur gegen die Regeln verstoßen, so zu fühlen, wenn die Schwester tot ist!

Grama schüttelt den Kopf. »Wer hätte gedacht, dass Lennie so eine Romantikerin ist?«

»Das soll wohl ein Witz sein?«, ruft Joe. »Hat sie sich denn nicht schon ein wenig dadurch verraten, dass sie dreiundzwanzig Mal *Sturmhöhe* gelesen hat?« Ich gucke zu Boden. Es macht mich verlegen, wie sehr mich das berührt. *Er kennt mich*. Irgendwie besser als sie.

»*Touché*, Mr Fontaine«, sagt Grama und versteckt ihr Lächeln, indem sie sich wieder zum Herd umdreht.

Joe kommt von hinten und schlingt mir seine Arme um die Taille. Ich schließe die Augen, denke an seinen Körper, nackt unter seinen Kleidern, der sich an mich drückt, nackt unter meinen Kleidern. Ich drehe den Kopf, damit ich ihn ansehen kann. »Die Melodie, die du geschrieben hast, ist ja so schön. Ich will sie dir vorspielen.« Ehe das letzte Wort über meine Lippen ist, küsst er mich. Ich drehe mich in seinen Armen, bis wir uns gegenüberstehen, dann werfe ich ihm die Arme um den Hals, während er mich an sich zieht. O Gott, es ist mir egal, ob ich jede Regel in der westlichen Welt breche, mir ist ja alles so scheißegal, denn unsere Münder, die für einen Augenblick getrennt waren, finden sich wieder und außer dieser ekstatischen Tatsache verliert alles andere an Bedeutung.

Wie können Leute funktionieren, wenn sie so fühlen?

Wie können sie sich die Schuhe zubinden?

Oder Auto fahren?

Oder schwere Maschinen führen?

Wie bewegt sich die Zivilisation fort, während das hier passiert?

Töne, etwa zehn Dezibel unter ihrer normalen Lautstärke, stottern aus Onkel Big heraus. »Äh, Kids. Vielleicht solltet ihr, weiß auch nicht, hmmm …« In mir kommt alles quietschend zum Stillstand. Hat Big eben gestottert? Äh, Lennie? Wahrscheinlich ist es nicht besonders cool, mitten in der Küche vor Oma und Onkel herumzumachen. Ich löse mich von Joe; das ist wie einem Strudel zu entrinnen. Dann schaue ich Grama und Big an, die unruhig und betreten dastehen, während die Würstchen anbrennen. Sollten wir es geschafft haben, ein Gefühl der Peinlichkeit im König und der Königin der Abgedrehtheit zu erwecken?

Ich schaue wieder zu Joe. Der sieht aus wie eine Figur aus einem Comic, die gerade was mit der Keule auf den Kopf gekriegt hat. Die ganze Szene kommt mir irre komisch vor und ich falle lachend auf einen Stuhl.

Joe schenkt Grama und Big ein peinlich berührtes kleines Lächeln und lehnt sich gegen den Küchentresen, seinen Trompetenkasten hält er jetzt in strategisch günstiger Position vor dem Unterleib. Gott sei Dank hab ich keinen von denen. Wer will schon mitten am Körper so ein Lustometer rausragen haben?

»Du gehst doch zur Probe, oder?«, fragt er.

Plink. Plink. Plink.

Ja, vorausgesetzt wir kommen so weit.

Wir kommen so weit, in meinem Fall jedoch nur körperlich. Ich staune, dass meine Finger die Klappen finden, während ich durch die Stücke gleite, die Mr James für das bevorstehende River-Festival ausgewählt hat. Rachel schickt mir Mörderblicke und dreht den Notenständer mehrmals so, dass ich nichts sehen kann, und trotzdem verliere ich mich in der Musik, trotzdem kommt es mir vor, als würde ich mit Joe allein spielen, ich improvisiere und genieße es, nicht zu wissen, wo mich der nächste Ton hinführen wird … aber mitten in der Probe, mitten im Stück, mitten im Ton erfasst mich ein Gefühl des Grauens, als ich daran denke, wie Toby gestern Abend geguckt hat, bevor er gegangen ist. Und was er im Allerheiligsten gesagt hat. Er muss wissen, dass wir uns jetzt voneinander fernhalten müssen. Das muss er wissen. Ich drücke das panische Gefühl weg, bin aber für den Rest der Probe unangenehm wachsam und folge dem Arrangement ohne die geringste Abweichung.

Nach der Probe haben Joe und ich den ganzen Nachmittag für uns, denn er ist raus aus dem Gefängnis und ich muss nicht arbeiten. Wir gehen zurück zu mir nach Hause, der Wind treibt uns voran wie Laub.

»Ich weiß, was wir machen sollten«, sage ich.

»Wolltest du mir nicht das Lied vorspielen?«

»Doch, aber ich möchte es dir woanders vorspielen. Weißt du noch, neulich Abend hab ich dich rausgefordert, an einem echt windigen Tag mit mir in den Wald zu gehen? Und heute haben wir so einen Tag.«

Wir biegen von der Straße ab und wandern los, kämpfen uns durchs Unterholz vor, bis wir den Pfad finden, den ich gesucht habe. Die Sonne bricht hier und da durchs Blätterdach und wirft ein schwaches Licht auf den Waldboden. Wegen des Windes knarren die Bäume sinfonisch – eine Philharmonie der quietschenden Türen. Perfekt.

Nach einer Weile sagt er: »Ich finde, ich halte mich ausgesprochen gut, angesichts der Umstände, meinst du nicht?«

»Angesichts welcher Umstände?«

»Dass wir zum Soundtrack des gruseligsten Horrorfilms wandern, der je gedreht wurde, und sich über uns sämtliche Baumtrolle der Welt zusammengefunden haben und ihre Haustüren schlagen lassen.«

»Es ist helllichter Tag, du hast doch wohl keine Angst.«

»Doch, ehrlich gesagt, aber ich versuch, kein Weichei zu sein. Ich hab nun mal eine sehr niedrige Gruselschwelle.«

»Du wirst es wunderbar finden, wo ich dich hinführe, ehrlich.«

»Ich werd es wunderbar finden, wenn du da all deine Klamotten ausziehst, ehrlich, oder wenigstens ein paar, vielleicht ja nur eine Socke.« Er kommt zu mir, lässt sein Horn fallen und schwenkt mich herum, sodass wir uns gegenüberstehen.

»Du bist ziemlich verklemmt, weißt du. Das macht mich verrückt.«

»Kann nichts dafür. Ich bin Halbfranzose, *joie de vivre* und so. Aber ernsthaft, ich hab dich noch nie in einer Art unbekleidetem Zustand gesehen, und seit unserem ersten Kuss sind drei ganze Tage vergangen. *Quel catastrophe*, nicht?« Er streicht mir das windzerzauste Haar aus dem Gesicht, dann küsst er mich, bis mir das Herz aus meiner Brust springt wie ein wildes Pferd. »Obwohl ich ein ziemlich gutes Vorstellungsvermögen habe …«

»*Quel Trottel«*, sage ich und ziehe ihn weiter.

»Weißt du, ich benehm mich nur wie ein Trottel, damit du sagst *quel Trottel.*«

Der Pfad steigt zu dem Ort an, wo die alten Mammutbäume in den Himmel ragen und den Wald zu ihrem Dom machen. Der Wind hat sich gelegt und der Wald ist überirdisch still und friedvoll geworden. Blätter flimmern um uns herum wie winzige Lichtfragmente.

»Und was ist mit deiner Mutter?«, fragt Joe ganz plötzlich.

»Was?« Nichts liegt mir gerade ferner als Gedanken an meine Mutter.

»Als ich zum ersten Mal bei euch war, hat Grama gesagt,

sie würde das Porträt zu Ende malen, wenn deine Mutter zurückkommt. Wo ist sie?«

»Das weiß ich nicht.« Normalerweise belasse ich es dabei und fülle die Lücken nicht, aber bis jetzt ist er ja auch nicht vor all unseren anderen Familienmacken davongerannt. »Ich hab meine Mutter nie gekannt«, sage ich. »Nun ja, wir sind uns schon begegnet, aber als sie wegging, war ich ein Jahr alt. Sie hat ein ruheloses Wesen, ich glaub, das liegt in der Familie.«

Er geht nicht weiter. »Das ist es? Ist das die Erklärung? Dafür, dass sie weggegangen ist? Und *nie wiedergekommen ist?*«

Ja, es ist bekloppt, aber diese Walker-Bekloppttheit hat mir immer eingeleuchtet.

»Grama sagt, sie kommt zurück«, sage ich. Bei dem Gedanken, sie könne jetzt zurückkommen, krampft sich mein Magen zusammen. Ich denke an Bailey, die sich so sehr bemüht hat, sie zu finden. Denke daran, ihr die Tür vor der Nase zuzuknallen, wenn sie zurückkommt, zu schreien: Du kommst zu spät. Denke, dass ich nicht recht weiß, wie ich all das noch glauben soll ohne Bailey, die es mit mir glaubt. »Gramas Tante Sylvie hatte es auch«, ergänze ich und fühle mich schwachsinnig. »Sie ist nach zwanzig Jahren Abwesenheit wiedergekommen.«

»Wow«, sagt Joe. Noch nie habe ich seine Stirn so kraus gesehen.

»Hör mal, ich kenne meine Mutter nicht, deshalb vermisse ich sie auch nicht oder so ...«, sage ich, aber es kommt mir vor, als würde ich eher mich überzeugen wollen als Joe.

»Sie ist diese furchtlose, ungebundene Frau, die losgezogen ist, um ganz allein den gesamten Globus abzuklappern. Sie ist geheimnisvoll. Das ist cool.« Es ist *cool?* Gott, was bin ich nur für ein Depp. Aber wann hat sich das alles geändert? Denn es ist immer cool gewesen, supercool sogar, sie war unser Magellan, unser Marco Polo, eine der eigenwilligen Walkerfrauen, die von ihrem ruhelosen, unbegrenzten Geist von Ort zu Ort, von Liebe zu Liebe, von Augenblick zu unvorhersehbarem Augenblick getrieben wird.

Joe lächelt, er guckt mich mit so viel Wärme an, dass ich alles andere vergesse.

»Du bist cool«, sagt er. »Du kannst verzeihen. Ganz anders als ich Schwachkopf.« Verzeihen? Ich nehme seine Hand und denke über seine Reaktion und meine eigene nach. Bin ich cool, kann ich verzeihen oder mache ich mir nur was vor? Und wie ist das mit dem Schwachkopf Joe? Wer ist das? Der Joe, der nie wieder mit dieser Geigerin geredet hat? Wenn ja, dann will ich diesen Typen nie kennenlernen, nie im Leben. Schweigend gehen wir weiter, beide segeln wir noch für ungefähr eine Meile durch den Himmel unserer Gedanken und dann sind wir da und alle Gedanken an ihn als Schwachkopf und meine geheimnisvolle verschwundene Mutter sind weg.

»Okay. Mach die Augen zu«, sage ich. »Ich führe dich.« Ich halte ihm von hinten die Augen zu und lotse ihn den Pfad hinunter.

»Okay, Augen auf.«

Da steht ein Schlafzimmer. Ein ganzes Schlafzimmer mitten im Wald.

»Wow. Wo ist Schneewittchen?«, fragt Joe.

»Das bin ich dann wohl«, sage ich und hechte auf das weiche Bett. Das ist wie in eine Wolke springen. Er folgt mir.

»Du bist zu wach, um sie zu sein, darüber haben wir schon gesprochen.« Er steht an der Bettkante und sieht sich um. »Das ist ja unglaublich, wie kommt das hierher?«

»Ungefähr eine Meile weiter am Fluss ist ein Gasthaus. In den Sechzigern war das eine Kommune und der Besitzer Sam ist ein alter Hippie. Er hat dieses Waldschlafzimmer für seine Gäste aufgebaut, damit sie beim Wandern hier oben zufällig darauf stoßen, für überraschende Liebesabenteuer, nehme ich an, aber ich hab nie eine Menschenseele vorbeikommen sehen und ich komme hier schon ewig her. Ach ja, einmal hab ich hier jemanden gesehen: Sam, er hat die Bettwäsche gewechselt. Wenn es regnet, deckt er diese Plane drüber. Ich schreibe an diesem Schreibtisch, lese in diesem Schaukelstuhl und liege hier auf diesem Bett und träume vor mich hin. Aber ich war noch nie mit einem Jungen hier.«

Er lächelt, setzt sich neben mich aufs Bett, wo ich auf dem Rücken liege, und streicht mit den Fingern über meinen Bauch.

»Was träumst du denn so?«, will er wissen.

»So was«, sage ich, als seine Hände unter meinem T-Shirt über meine Taille wandern. Mein Atem wird schneller – ich will seine Hände überall spüren.

»John Lennon, kann ich dich mal was fragen?«

»Uh-oh, immer wenn Leute so was sagen, kommt als Nächstes was Unangenehmes.«

»Bist du Jungfrau?«

»Da haben wir's – die unangenehme Frage«, murmele ich und könnte im Boden versinken vor Peinlichkeit. Was für ein Stimmungskiller. Ich winde mich unter seiner Hand heraus. »Merkt man das so deutlich?«

»Irgendwie schon.« Uah. Ich möchte mich unter der Decke verkriechen. Er will einen Rückzieher machen. »Nein, ich meine, ich finde das cool.«

»Es ist absolut uncool.«

»Für dich vielleicht, aber nicht für mich, wenn ...«

»Wenn was?« Mein Magen spielt plötzlich verrückt. Ist unruhig.

Jetzt sieht er aus, als wär's ihm peinlich – gut so. »Also, wenn du irgendwann, nicht jetzt, aber irgendwann mal keine mehr sein möchtest, dann könnte ich dein Erster sein, und das wäre dann cool, also, für mich, weißt du.« Er guckt so schüchtern und süß, aber was er sagt, macht mir Angst, erregt und überwältigt mich. Ich hab das Gefühl, ich heul gleich los, was ich auch tu, und diesmal weiß nicht mal ich, warum.

»O, Lennie, tut mir leid, hab ich was so Schlimmes gesagt? Wein doch nicht, ich mach keinen Druck; dich zu küssen, überhaupt irgendwie mit dir zusammen zu sein ist Wahnsinn –«

»Nein«, sage ich jetzt unter Lachen und Weinen. »Ich weine nur, weil ... na ja, ich weiß auch nicht, warum ich weine, aber ich bin glücklich, nicht traurig ...«

Ich greife nach seinem Arm, den Ellenbogen neben meinem Kopf aufgestützt legt er sich neben mich, unsere Körper berühren sich in ganzer Länge. Die Art, wie er mir in die Augen guckt, bringt mich zum Zittern.

»Nur in deine Augen schauen …«, flüstert er. »So was hab ich noch nie gefühlt.«

Ich denke an Geneviève. Er war in sie verliebt, hat er gesagt, heißt das …

»Ich auch nicht«, sage ich und kann die Tränen nicht am Überlaufen hindern.

»Nicht weinen.« Seine Stimme ist gewichtslos, Dunst. Er küsst meine Augen, streift sacht meine Lippen.

Dann sieht er mich an, so nackt, mir wird ganz schwindelig, als müsste ich mich hinlegen, dabei liege ich doch schon. »Ich weiß, so lang ist es noch nicht her, Len, aber ich glaube … ich weiß nicht … ich bin vielleicht …«

Er muss es nicht aussprechen, ich spüre es auch. Es ist nichts Subtiles, eher so, als ob im Umkreis von Meilen alle Glocken auf einmal läuten, laute, scheppernde, hungrige und winzige, frohe, melodische – alle auf einmal tönen sie in diesem Moment los. Ich schlinge die Arme um seinen Hals, ziehe ihn an mich und dann küsst er mich heftig und mit so einer Tiefe, dass ich fliege, segele, hoch aufsteige …

Er murmelt mir ins Haar: »Vergiss, was ich vorhin gesagt habe, wir bleiben bei dieser Sache, mehr überlebe ich vielleicht nicht.« Ich lache. Dann springt er auf, packt meine Handgelenke und drückt sie über meinem Kopf runter. »Klar, wer's glaubt. War bloß ein Witz, ich will *alles* mit dir machen. Wenn du so weit bist, dann werde ich derjenige sein, versprochen?« Er ist über mir, plinkert mit den Wimpern und grinst wie auf Droge.

»Das versprech ich«, sage ich.

»Gut. Bin froh, dass das beschlossen ist.« Er zieht eine Augenbraue hoch. »Ich werde dich entjungfern, John Lennon.«

»O, Gott, das ist ja so was von peinlich, *quel, quel Obertrottel.*« Ich will mir die Hände vors Gesicht halten, aber er lässt mich nicht. Und dann ringen wir und lachen und viele, viele Minuten vergehen, ehe ich mich daran erinnere, dass meine Schwester gestorben ist.

24. Kapitel

Die.
Welt.
Ist.
Kein.
Sicherer.
Ort.

(Gefunden auf einem Bonbonpapier im Wald hinter der Clover High)

Ich sehe Tobys Truck vor dem Haus und die Wut fährt in mich wie ein Blitz. Warum kann er sich nicht mal einen verdammten Tag von mir fernhalten? Ich will einfach nur dieses Glück genießen. *Bitte.*

Ich finde Grama im Atelier beim Reinigen ihrer Pinsel. Toby ist nicht in Sicht.

»Warum hängt er immer hier rum?«, zische ich Grama zu.

Sie guckt mich erstaunt an. »Was ist denn mit dir los, Lennie? Ich hab ihn angerufen, weil er mir helfen sollte, die Spaliere im Garten zu reparieren, und er hat gesagt, er schaut vorbei, wenn er auf der Ranch fertig ist.«

»Kannst du nicht jemand anders holen?« In meiner Stimme brodeln Wut und Empörung. Für Grama muss es sich anhören, als wäre ich völlig übergeschnappt, da bin ich mir sicher. Ich bin übergeschnappt – ich will einfach nur verliebt sein. Ich will diese Freude spüren. Und ich will mich nicht mit Toby abgeben, mit Kummer und Trauer und Schuld und TOD: Ich hab die Schnauze voll von TOD.

Grama wirkt nicht erfreut. »Gott, Len, hast du denn kein Herz? Der Junge ist fertig. Wenn er bei uns ist, geht es ihm besser. Wir sind die Einzigen, die Verständnis haben. Jedenfalls hat er gestern Abend so was gesagt.«

Sie lässt die Pinsel über dem Becken abtropfen, bei jedem Schütteln knackt ihr Handgelenk dramatisch. »Ich hab dich doch gefragt, ob zwischen euch alles in Ordnung ist, da hast du Ja gesagt. Ich hab dir geglaubt.«

Ich atme tief ein und lasse die Luft langsam wieder raus, dabei versuche ich, Mr Hyde wieder in die Schranken meines Körpers zurückzudrängen. »Schon okay, alles in Ordnung, tut mir leid. Ich weiß nicht, was mit mir los ist.« Dann mach ich auf Grama und geh einfach aus dem Raum.

Oben im Allerheiligsten lege ich den widerlichsten Headbanger Punk auf, den ich habe, eine Band aus San Francisco, die sich *Filth* nennt. Ich weiß, dass Toby jede Art von Punk verabscheut, denn das war immer ein Streitpunkt zwischen ihm und Bailey, die Punk liebte. Schließlich hat er sie zu der Countrymusik bekehrt, die er mag, und zu Willie Nelson, Hank Williams und Johnny Cash, seiner Heiligen Dreieinigkeit, aber für Punk hat er sich nie erwärmen können.

Die Musik hilft nicht. Ich hüpfe auf dem blauen Tanzteppich, schüttele den Kopf zum hämmernden Rhythmus, bin aber selbst zum Punken zu wütend, WEIL ICH NICHT ALLEIN IM KÜRBISALLERHEILIGSTEN TANZEN WILL. Innerhalb eines Augenblicks hat sich all die Wut, die ich eben noch für Toby empfunden habe, auf Bailey übertragen. Ich versteh nicht, wie sie mir das antun und mich hier ganz allein lassen konnte. Besonders weil sie mir ihr Leben lang geschworen hat, nie, NIE zu verschwinden wie Mom, dass wir einander immer haben würden, immer, IMMER, IMMER. »Das ist der einzige Pakt, der wirklich etwas bedeutet, Bailey!«, rufe ich laut, nehme das Kissen und schlage damit wieder und wieder aufs Bett ein, bis ich endlich, viele, viele Songs später, ein bisschen ruhiger werde.

Ich lasse mich aufs Bett fallen, bleibe keuchend und schwitzend auf dem Rücken liegen. Wie überlebe ich dieses Vermissen? Wie machen andere das? Immerzu sterben Leute. Jeden Tag. Jede Stunde. Überall auf der Welt gibt es Familien, die auf Betten starren, in denen nicht mehr geschlafen wird, Schuhe, die nicht mehr getragen werden. Familien, die eine bestimmte Marke Frühstücksflocken nicht mehr kaufen müssen, ein Shampoo. Überall gibt es Leute, die vor Kinos Schlange stehen, Gardinen kaufen, mit Hunden spazieren gehen, während in ihnen die Herzen in Stücke reißen. Jahre lang. Leben lang. Ich glaube nicht, dass die Zeit heilt. Ich will das auch nicht. Wenn ich heile, heißt das dann nicht, dass ich die Welt ohne sie akzeptiert habe?

Mir fällt das Heft wieder ein. Ich stehe auf, drehe *Filth* ab und lege ein Nocturne von Chopin auf, weil mich das vielleicht beruhigen kann, und gehe zu ihrem Schreibtisch. Ich hole das Heft raus, schlage die letzte Seite auf, wo ein paar Kombinationen von Moms Namen noch nicht ausgestrichen sind. Die ganze Seite ist voll mit Kombinationen von

Moms Namen mit Dickens-Charakteren. Paige/Twist, Paige/Fagan, Walker/Havisham, Walker/Oliver/Paige, Pip/Paige.

Ich fahre den Computer hoch, gebe *Paige Twist* ein und durchsuche seitenweise Dokumente, finde aber nichts, das mit ihr zu tun haben könnte. Dann gebe ich *Paige Dickens* ein und lande ein paar Treffer, aber die Dokumente stammen hauptsächlich von Schulmannschaften oder College-Zeitschriften, nichts davon steht in irgendeinem Zusammenhang mit ihr. Ich gehe noch einige Dickens-Kombinationen durch, finde aber nicht den entferntesten Anhaltspunkt.

Eine Stunde ist vergangen und ich hab erst eine Handvoll Suchen durchgeführt. Ich überfliege all die Seiten davor, die Bailey bearbeitet hat, und frag mich erneut, wann sie all das gemacht hat und wo. Vielleicht im Computerlabor am College, denn wie hätte mir entgehen können, dass sie stundenlang mit verschwommenem Blick vor diesem Computer sitzt? Wieder erschüttert mich, wie dringend sie Mom finden wollte, denn warum hätte sie wohl sonst so viel Zeit dafür geopfert? Was war da im Februar wohl passiert, dass sie auf diesen Trip gebracht hat? Ob es wohl Tobys Heiratsantrag gewesen ist? Vielleicht wollte sie, dass Mom zur Hochzeit kam. Aber Toby hat gesagt, er hätte sie kurz vor ihrem Tod gefragt. Ich muss mit ihm reden.

Ich geh runter, entschuldige mich bei Grama, sage ihr, dass ich den ganzen Tag schon so aufgewühlt bin, was in letzter Zeit für jeden verdammten Tag zutrifft. Sie schaut mich an, streicht mir übers Haar und sagt: »Schon in Ordnung, kleine Wicke, vielleicht können wir ja morgen mal einen Spaziergang machen, etwas reden –« Wann *kapiert* sie das endlich? Ich will nicht mit ihr über Bailey reden und auch sonst nicht.

Als ich aus dem Haus komme, steht Toby auf einer Leiter und arbeitet am Spalier im Vorgarten. Luftschlangen aus Gold und Pink ziehen quer über den Himmel. Der ganze Garten glüht in der untergehenden Sonne, die Rosen scheinen von innen zu leuchten wie Laternen.

Er guckt zu mir rüber, stößt dramatisch die Luft aus, dann klettert er langsam von der Leiter und lehnt sich mit vor der Brust verschränkten Armen dagegen. »Wollte mich entschuldigen … schon wieder.« Er seufzt. »In letzter Zeit bin ich nicht ganz dicht.« Forschend schaut er mir in die Augen. »Bist du okay?«

»Ja, bis auf das nicht ganz Dichte«, sag ich.

Darüber lächelt er, sein ganzes Gesicht erstrahlt vor Güte und Verständnis. Ich entspanne mich ein bisschen, komme mir schlecht vor, weil ich ihn vor einer Stunde noch enthaupten wollte.

»Ich hab da so ein Heft in Baileys Schreibtisch gefunden«, erzähle ich ihm, denn ich bin ganz versessen darauf, herauszufinden, ob er irgendwas darüber weiß, und noch versessener darauf, nicht über gestern zu reden oder nachzudenken. »Sieht aus, als hätte sie nach Mom gesucht, aber fieberhaft, Toby, Seite um Seite alle möglichen Pseudonyme, die sie in Suchmaschinen eingegeben haben muss. Sie hat alles versucht, muss rund um die Uhr damit beschäftigt gewesen sein. Keine Ahnung, wo sie das gemacht hat, keine Ahnung, warum sie es gemacht hat …«

»Weiß ich auch nicht«, sagt er mit etwas zittriger Stimme.

Er guckt nach unten. Verbirgt er was vor mir?

»Das Heft ist datiert. Anfang Februar hat sie damit angefangen – ist da was passiert, wovon du weißt?«

Tobys Knochen lösen sich aus ihren Angeln und er rutscht am Spalier nach unten, lässt den Kopf in die Hände sinken und fängt an zu weinen.

Was ist hier los?

Ich beuge mich zu ihm herunter, knie mich vor ihn und lege die Hände auf seine Arme. »Toby«, sage ich sanft. »Schon gut.« Ich streichele sein Haar. Die Angst kribbelt mir an Hals und Armen.

Er schüttelt den Kopf. »Nichts ist gut.« Er kriegt die Wörter kaum raus. »Das wollte ich dir niemals erzählen.«

»Was? Was wolltest du mir nicht erzählen?« Meine Stimme klingt schrill, irre.

»Das macht es schlimmer, Len, und ich wollte nicht, dass es für dich noch schwerer wird.«

»Was?« Mir stehen sämtliche Haare am Körper zu Berge. Jetzt hab ich wirklich Angst. Was könnte Baileys Tod denn überhaupt noch schlimmer machen?

Er greift nach meiner Hand und hält sie ganz fest. »Wir hätten ein Baby bekommen.« Ich höre mich nach Luft schnappen. »Sie war schwanger, als sie starb.« Nein, denke ich, das kann nicht sein. »Vielleicht hat sie deswegen nach deiner Mom gesucht. So gegen Ende Februar haben wir es festgestellt.«

Die Vorstellung löst eine Lawine in mir aus, die an Geschwindigkeit und Volumen gewinnt. Meine andere Hand ist auf seiner Schulter gelandet, und obwohl ich in sein Gesicht schaue, beobachte ich meine Schwester, die ihr Baby in die Luft reckt und Frettchengesichter für es macht, beobachte, wie sie und Toby jeder eine Hand ihres Kindes nehmen und mit ihm zum Fluss gehen. Oder mit ihr. Gott. In Tobys Augen kann ich all das sehen, was er allein mit sich herumgetragen hat, und zum ersten Mal seit Baileys Tod tut mir ein anderer mehr leid als ich mir selbst. Ich nehme ihn in die Arme und wiege ihn. Und dann, als unsere Blicke sich treffen und wir wieder in diesem Haus des hilflosen Kummers sind, einem Ort, an dem Bailey nie sein kann und an dem Joe Fontaine nicht existiert, einem Ort, an dem nur Toby und ich zurückgelassen worden sind, küsse ich ihn. Ich küsse ihn, um ihn zu trösten, um ihm zu sagen, wie leid es mir tut, um ihm zu zeigen, dass ich hier bin und lebendig und dass er das auch ist. Ich küsse ihn, weil mir alles über den Kopf gewachsen ist und weil ich keinen Boden mehr unter den Füßen habe – und das schon seit Monaten. Ich küsse ihn und küsse immer weiter und halte und streichele ihn aus egal welchem beschissenen Grund, ich tu es einfach.

In dem Moment, in dem Toby in meinen Armen erstarrt, weiß ich Bescheid.

Ich weiß es, aber ich weiß nicht, wer es ist.

Zuerst denke ich, es ist Grama, sie muss es sein. Aber sie ist es nicht.

Und Big auch nicht.

Ich drehe mich um und da steht er, ein paar Meter weiter, reglos, ein Standbild.

Unsere Blicke halten sich fest, dann stolpert er zurück.

Ich springe aus Tobys Umarmung und renne auf Joe zu, aber er wendet sich ab und fängt an zu rennen.

»Warte, bitte«, schreie ich. »Bitte.«

Mit dem Rücken zu mir erstarrt er, eine Silhouette vor einem Himmel, der jetzt auflodert wie ein Buschfeuer, das ungebremst auf den Horizont zurast. Ich hab ein Gefühl, als würde ich die Treppen runterfallen, aufschlagen und mich drehen, ohne eine Möglichkeit zu stoppen. Und doch zwinge ich mich weiter und gehe zu ihm. Ich nehme seine Hand und will ihn umdrehen, aber er reißt sie mir weg, als ob meine Berührung ihn anwidern würde. Dann dreht er sich um, langsam, wie unter Wasser. Ich warte, wahnsinnig vor Angst ihn anzusehen, zu sehen, was ich getan habe. Als er mir endlich gegenübersteht, sind seine Augen leblos, sein Gesicht versteinert. Es ist, als hätte sein wunderbarer Geist seinen Körper verlassen.

Die Wörter fliegen mir aus dem Mund. »Es ist nicht wie bei uns, ich fühle nicht… das ist was anderes, meine Schwester …« *Meine Schwester war schwanger*, will ich gerade erklären, aber wie kann das eine Erklärung für irgendwas sein? Ich wünsche mir verzweifelt, dass er es kapiert, aber ich kapiere es nicht.

»Es ist nicht das, was du denkst«, sage ich, vorhersehbar, erbärmlich.

Im selben Moment werde ich Zeuge der Explosion aus Wut und Verletztheit in seinem Gesicht.

»Doch, das *ist* es. Es ist *genau das*, was ich denke, genau das, was ich *gedacht hatte.*« Er spuckt die Worte vor mir aus. »Wie konntest du nur … Ich dachte, du –«

»Das tu ich, wirklich.« Jetzt weine ich rückhaltlos, die Tränen strömen mir übers Gesicht. »Du verstehst das nicht.«

In seinem Gesicht tobt die Enttäuschung. »Du hast recht. Das tu ich nicht. Hier.«

Er holt ein Blatt Papier aus der Tasche. »Das wollte ich dir bringen.« Er knüllt das Papier zusammen und bewirft mich damit, dann dreht er sich um und rennt, so schnell wie er kann, in die sich senkende Nacht.

Ich hebe das zerknüllte Papier auf und streiche es glatt. Oben auf der Seite steht: *Teil 2: Duett für bereits erwähnte Klarinettistin und Gitaristen.* Sorgfältig falte ich es zusammen und stecke es in meine Tasche, dann setze ich mich aufs Gras, ein Sack voller Knochen. Genau auf diesem Fleck haben Joe und ich uns gestern Abend im Regen geküsst, fällt mir auf. Der Himmel hat ausgewütet, ein paar zerstreute goldene Streifen werden noch von der Dunkelheit verschlungen. Ich versuche, die Melodie, die er für mich komponiert hat, im Kopf zu hören, aber das geht nicht. Alles, was ich höre ist sein: *Wie konntest du nur?*

Wie konnte ich nur?

Soll doch jemand den ganzen Himmel einrollen und ihn für alle Zeiten wegpacken.

Bald darauf liegt eine Hand auf meiner Schulter. Toby. Ich lege meine Hand auf seine. Er geht neben mir auf ein Knie runter.

»Tut mir leid«, sagt er leise und einen Moment später: »Ich geh jetzt, Len.« Zurück bleibt nur die Kälte auf meiner Schulter, wo seine Hand gewesen ist. Ich höre seinen Truck anspringen und lausche dem Brummen des Motors, als er Joe die Straße hinunter folgt.

Nur ich allein. Glaube ich zumindest, bis ich zum Haus schaue und Grama in der Tür stehen sehe, wie Toby gestern Abend. Ich weiß nicht, wie lange sie schon da gestanden hat, ich weiß nicht, was sie gesehen hat und was nicht. Sie macht die Tür ganz auf, geht auf die Veranda hinaus und stützt sich mit beiden Händen aufs Geländer.

»Komm rein, kleine Wicke.«

Ich erzähl ihr nicht, was mit Joe los war, ebenso wenig wie ich ihr je erzählt habe, was mit Toby gelaufen ist. Und doch verrät mir ein Blick in ihre kummervollen Augen, dass sie wahrscheinlich schon alles weiß.

»Eines Tages wirst du wieder mit mir reden.« Sie nimmt meine Hände. »Du fehlst mir, weißt du. Und Big auch.«

»Sie war schwanger«, flüstere ich.

Grama nickt.

»Hat sie es dir erzählt?«

»Die Autopsie.«

»Sie waren verlobt«, sage ich. Das, verrät mir ihr Gesicht, hat sie nicht gewusst.

Sie schließt mich in die Arme. Gut beschützt bleibe ich in ihrer Umarmung und lasse die Tränen kommen und laufen und laufen, bis ihr Kleid ganz nass ist und die Nacht das Haus erfüllt.

25. Kapitel

Ich gehe nicht zum Schreibtischaltar, um mit Bailey auf dem Gipfel des Berges zu sprechen. Ich mache nicht mal das Licht an. Mit allen meinen Kleidern gehe ich sofort ins Bett und bete um Schlaf. Der kommt nicht.

Was kommt, ist Scham, Wochen von Scham, in Wellen, die mich durchzucken wie Übelkeit, sodass ich in mein Kissen stöhnen muss. Die Lügen und Halbwahrheiten und Kurzfassungen, die ich Joe erzählt und verschwiegen habe, packen mich und drücken mich nieder, bis ich kaum noch atmen kann. Wie konnte ich ihn so verletzen? Wie konnte ich ihm genau dasselbe antun wie Geneviève? All die Liebe, die ich für ihn habe, rumort in meinem Körper herum. Meine Brust tut weh. Alles tut mir weh. Er hat ausgesehen wie ein ganz anderer Mensch. Er ist ein anderer Mensch. Nicht der, der mich geliebt hat.

Ich sehe Joes Gesicht vor mir, dann Baileys, mit je vier Worten auf den Lippen schweben beide über mir: *Wie konntest du nur?*

Darauf habe ich keine Antwort.

Es tut mir leid, schreibe ich immer wieder mit dem Finger auf die Laken, bis ich es nicht mehr aushalten kann und das Licht anknipse.

Aber das Licht bringt echte Übelkeit und all die Augenblicke mit meiner Schwester, die jetzt ungelebt bleiben werden: ihr Baby in meinen Armen. Ihrem Kind Klarinette spielen beibringen. Einfach Tag für Tag gemeinsam älter werden. Die ganze Zukunft, die wir nicht haben werden, bricht aus mir heraus und über den Mülleimer gekauert huste und würge ich sie raus, bis nichts mehr da ist, nichts, nur ich in diesem scheußlichen orangefarbenen Zimmer.

Und da trifft es mich wie ein Schlag.

Ohne die Ruhe und das Chaos in Tobys Armen und die herrliche Zerstreuung in Joes gibt es nur mich.

Mich, wie eine kleine Muschel, in der die Einsamkeit des ganzen Ozeans tost.

Ich.

Ohne.

Bailey.

Für immer.

Ich werfe meinen Kopf in mein Kissen und schreie hinein, als würde mir die Seele mittendurch gerissen werden, denn so ist es.

Bailey, liebst du Grama mehr als mich?
Nee.
Und Onkel Big?
Nee.
Und wie ist das mit Toby?
Ich liebe niemanden mehr als dich, Lennie, klar?
Ich auch.
Dann haben wir das geklärt.
Und du wirst nie verschwinden wie Mom?
Nie.
Versprochen?
Gott, wie oft muss ich das noch sagen.
Ich werde nie verschwinden wie Mom.
Schlaf endlich.

(Gefunden auf einem Pappbecher, Rain River)
(Gefunden auf dem Ast eines Baumes vor der Clover High)
(Gefunden auf einen Tisch geschrieben, Leihbücherei Clover)

Teil zwei

Len, wo ist sie heute Abend?
Ich hab schon geschlafen.
Sag schon, Len.
Okay, in Indien, Klettern im Himalaja.
Das haben wir letzte Woche schon gemacht.
Dann fang du an.
Gut. Sie ist in Spanien. Barcelona. Mit einem Schal um den
Kopf sitzt sie am Wasser, trinkt Sangria
mit einem Mann namens Pablo.
Sind sie verliebt?
Ja.
Aber wenn der Morgen anbricht, verlässt sie ihn.
Ja.
Sie wacht vor Tagesanbruch auf, holt heimlich ihren Koffer
unterm Bett hervor, setzt eine rote Perücke auf,
mit grünem Schal, einem gelben Kleid und
weißen Pumps macht sie sich auf zum ersten Zug.
Wird sie ihm einen Zettel hinlegen?
Nein.
Das tut sie nie.
Nein.
Dann sitzt sie im Zug, starrt aus dem Fenster aufs Meer.
Eine Frau setzt sich neben sie und sie fangen
ein Gespräch an. Die Frau fragt sie, ob sie Kinder hat.
»Nein«, sagt sie.
Irrtum, Len. Sie sagt:
»Ich bin gerade auf dem Weg zu meinen Töchtern.«

(Gefunden auf einem Papier zwischen zwei Felsen am Flying Man's)

26. Kapitel

Später wache ich mit dem Gesicht ins Kissen gequetscht auf. Auf die Ellenbogen gestützt gucke ich aus dem Fenster. Die Sterne haben den schwarzen Nachthimmel verzaubert. Es ist eine glänzende Nacht. Ich mache das Fenster auf und das Murmeln des Flusses wird von der rosenduftenden Brise bis in unser Zimmer getragen. Mir geht es besser, als ich das begreife, ist es wie ein Schock, ich scheine mich bis zu einem Ort vorgeschlafen zu haben, an dem es etwas mehr Luft gibt. Gedanken an Joe und Toby schiebe ich von mir, atme noch einmal tief die Blumen, den Fluss, die Welt ein, dann stehe ich auf, bringe den Mülleimer ins Bad und mache ihn und mich sauber. Dann gehe ich sofort an Baileys Schreibtisch.

Ich schalte den Computer ein, hole das Heft aus der obersten Schublade, in der ich es jetzt aufbewahre, und beschließe, dort weiterzumachen, wo ich neulich aufgehört habe. Ich muss was für meine Schwester tun und mir fällt nichts anderes ein, als unsere Mutter für sie zu suchen.

Ich fange an, die restlichen Kombinationen aus Baileys

Heft einzugeben. Ich kann verstehen, warum selber Mutter zu werden Bailey dazu veranlasst hat, auf diese Weise nach Mom zu suchen. Irgendwie leuchtet mir das ein. Aber ich habe noch einen anderen Verdacht. In einer der hintersten, unzugänglichsten Ecken meines Kopfes steht eine Kommode, und ganz hinten, in die allerunterste Schublade gestopft, ist ein Gedanke. Ich weiß, er ist da, denn ich hab ihn dort abgelegt, wo ich ihn nicht ansehen muss. Aber heute Nacht ziehe ich diese knarrende Schublade auf und stelle mich dem, was ich immer geglaubt habe – und das ist: Bailey hatte es auch. Rastlosigkeit trampelte durch das ganze Leben meiner Schwester, sie war der Motor für alles, was Bailey getan hat, vom Waldlauf bis zum Rollenwechsel auf der Bühne. Ich hatte immer gedacht, das wäre der Grund gewesen, der hinter ihrer Suche nach unserer Mutter steckte. Und ich weiß, dass ich deshalb nicht wollte, dass sie es machte. Ich wette, deshalb hat sie mir nicht erzählt, dass sie auf diese Art nach Mom fahndete. Sie wusste, ich würde versuchen, sie aufzuhalten. Ich wollte nicht, dass unsere Mutter Bailey einen Weg aus unserem Leben heraus zeigte.

Ein Forschungsreisender pro Familie reicht.

Aber jetzt kann ich das wiedergutmachen, indem ich Mom finde. Ich gebe eine Kombination nach der anderen in verschiedene Suchmaschinen ein. Doch nach einer Stunde würde ich den Computer am liebsten aus dem Fenster schmeißen. Es ist sinnlos. Ich bin bis ans Ende von Baileys Heft vorgedrungen und hab selbst eines angefangen, in dem ich eigene Worte und Symbole aus den Gedichten Blakes verwende. In Baileys Heft kann ich sehen, dass sie Moms

Kiste systematisch nach Hinweisen auf das Pseudonym durchsucht hat. Sie hatte Verweise auf *Oliver Twist*, *Siddhartha*, *Unterwegs* benutzt, war aber noch nicht bis zu William Blake gekommen. Seine Gedichte liegen aufgeschlagen vor mir und ich kombiniere Wörter wie Tiger, Giftbaum oder Teufel mit Paige oder Walker und den Begriffen Koch, Küche, Restaurant, weil ich wie Grama glaube, dass sie so auf Reisen ihr Geld verdient hat. Aber es nützt nichts. Nach einer weiteren Stunde ohne Treffer sage ich der Bailey auf dem Berg in dem Forschungsreisendenbild, dass ich nicht aufgebe. Ich brauche nur eine Pause, und ich gehe nach unten und schaue nach, ob noch jemand wach ist.

Big ist auf der Veranda, er sitzt auf der kleinen Bank wie auf einem Thron. Ich quetsche mich neben ihn.

»Nicht zu fassen«, murmelt er und kneift mir ins Knie. »Kann mich gar nicht mehr erinnern, wann du dich das letzte Mal zu einem nächtlichen Schwatz zu mir gesetzt hast. Ich überlege gerade, ob ich morgen nicht blaumachen soll. Mal gucken, ob diese neue Freundin, die ich da habe, mit mir im Restaurant Mittag essen geht. Ich hab es satt, in Bäumen zu essen.« Er zwirbelt seinen Schnurrbart ein wenig zu verträumt.

Uh-oh.

»Denk dran«, warne ich. »Bevor du nicht ein ganzes Jahr mit ihr zusammen gewesen bist, darfst du keine bitten, dich zu heiraten. Diese Regel hast du selbst nach deiner letzten Scheidung aufgestellt.« Ich ziehe ihn am Schnurbart und, um das noch zu unterstreichen, füge ich hinzu: »Deiner fünften Scheidung.«

»Ich weiß, ich weiß«, sagt er. »Aber, Jungejunge, mir fehlen diese Anträge, es gibt nichts Romantischeres. Solltest du unbedingt versuchen, wenigstens ein Mal, Len – das ist wie Fallschirmspringen mit den Füßen am Boden.« Er lacht auf eine klingelnde Art, die man wohl Kichern nennen könnte, wenn er nicht zehn Meter lang wäre. Das hat er Bailey und mir ständig erzählt. Bevor Sarah in der sechsten Klasse eine Brandrede über die Ungerechtigkeiten der Ehe gehalten hatte, war mir offen gestanden gar nicht klar gewesen, dass Heiratsanträge nicht immer auf Chancengleichheit beruhten.

Ich schaue über den kleinen Garten hinweg, in dem Joe mich vor ein paar Stunden verlassen hat, wahrscheinlich für immer. Kurz denke ich daran, Big zu erzählen, dass Joe wahrscheinlich nicht mehr kommen wird, aber dann ertrag ich es nicht, ihm das zu eröffnen. Er hängt beinahe so sehr an ihm wie ich. Und überhaupt, ich will mit ihm über etwas anderes reden.

»Big?«

»Hmmm?«

»Glaubst du wirklich an dieses Zeug mit dem Rastlosigkeits-Gen?«

Überrascht guckt er mich an, dann sagt er: »Klingt nach einem schönen Haufen Kacke, was?«

Mir fällt ein, wie ungläubig Joe darauf heute im Wald reagiert hat, ich denke an meine eigenen Zweifel und an die aller anderen … immer. Wenn ich mal jemandem in dieser Stadt, in der Freigeist zu sein ein grundlegender Familienwert ist, erzählt habe, dass meine Mutter losgezogen ist, um ein Leben in Freiheit und Wanderschaft zu führen, als ich ein Jahr alt war, wurde ich angeguckt, als wollte man mich irgendwo in einer schönen Gummizelle unterbringen. Trotzdem hatte ich dieses Walkerevangelium nie für so unwahrscheinlich gehalten. Jeder, der schon mal einen Roman gelesen hat, die Straße runtergegangen oder durch unsere Haustür gekommen ist, weiß, dass Leute auf alle möglichen Arten seltsam sein können, besonders meine Leute, denke ich mit einem Blick hinüber zu Big, der Gott weiß was in Bäumen treibt, andauernd heiratet, versucht, tote Käfer wieder zum Leben zu erwecken, mehr Hasch raucht als die ganze elfte Klasse und aussieht, als sollte er über ein Königreich im Märchen herrschen. Warum sollte seine Schwester also keine Abenteuerin sein, kein unbeschwerter Geist? Warum sollte meine Mutter nicht so sein wie die Helden in so vielen Geschichten, die Mutige, die in die Welt hinauszieht? Wie Luke Skywalker, Gulliver, Captain Kirk, Don Quixote, Odysseus. Okay, die kommen mir nicht besonders echt vor, sondern mythisch und magisch, durchaus zu vergleichen jedoch mit meinen Lieblingsheiligen oder den Charakteren in Romanen, an die ich mich möglicherweise ein bisschen zu fest klammere.

»Ich weiß nicht«, antworte ich ehrlich. »Ist das alles Kacke?«

Lange Zeit sagt Big nichts, zwirbelt nur nachdenklich den Schnurrbart und denkt. »Nee, das hat was mit Etikettierung zu tun, wenn du weißt, was ich meine?« Weiß ich nicht, aber ich will nicht unterbrechen. »Vieles liegt ja in der Familie, nicht? Und diese Tendenz, was das auch sein mag und aus welchem Grund auch immer, liegt in unserer. Hätte schlimmer kommen können, wir hätten auch Depressionen, Alkoholismus oder Bitterkeit haben können. Unsere betroffenen Verwandten hauen einfach nur ab –«

»Ich glaub, Bailey hatte es, Big«, sage ich, die Wörter sind raus, ehe ich sie wieder einfangen kann, und offenbaren, wie sehr ich trotz allem tatsächlich daran glaube. »Das hab ich immer gedacht.«

»Bailey?« Er zieht die Stirn kraus. »Nee, das seh ich nicht. Ehrlich gesagt, ein so erleichtertes Mädchen wie damals, als sie von dieser Schule in New York abgelehnt wurde, ist mir noch nicht untergekommen.«

»Erleichtert?« *Das* ist jetzt aber wirklich ein Haufen Kacke! »Machst du Witze? Sie wollte immer auf die Juilliard. Sie hat soooooooooooooooooooooo hart dafür gearbeitet. Das war ihr Traum!«

Big mustert mein heißes Gesicht, dann sagt er sanft. »Wessen Traum, Len?« Er hält die Hände so, als würde er eine unsichtbare Klarinette spielen. »Denn die Einzige, die ich hier immer sooooooooooooooooooooooo hart arbeiten sehen hab, warst du.«

Gott.

Marguerites Trällern kommt mir wieder in den Kopf: *Du spielst hinreißend. Arbeite an deinen Nerven, Lennie, dann schaffst du es auf die Juilliard.*

Stattdessen hab ich alles hingeschmissen.

Stattdessen hab ich mich zusammengequetscht, in eine Kiste gesperrt und zu einem Springteufel gemacht.

»Komm mal her.« Big streckt den Arm wie einen riesigen

Flügel und schlägt ihn um mich, während ich mich an ihn schmiege und versuche, nicht daran zu denken, welche Heidenangst ich jedes Mal hatte, wenn Marguerite Juilliard erwähnt hat, jedes Mal, wenn ich mir vorstellte, wie ich –

»Träume ändern sich«, sagt Big. »Ich glaube mit ihren war das so.«

Träume ändern sich, ja, das leuchtet ein, aber ich hab nicht gewusst, dass sie sich auch in einem Menschen verstecken können.

Er schlingt auch den anderen Arm um mich und ich lasse mich in sein Bärsein fallen, atme den starken Geruch von Pot ein, der seine Kleider durchdringt. Er drückt mich ganz fest, streicht mit seiner riesigen Hand über mein Haar. Ich hatte vergessen, wie behaglich Big ist, ein Ofen in Menschengestalt. Ich gucke hoch in sein Gesicht. Eine Träne läuft ihm die Wange runter.

Nach ein paar Minuten sagt er: »Bailey hatte vielleicht ein paar Hummeln im Hintern, wie die meisten Leute, aber ich glaube, sie war mehr so wie ich – oder du in letzter Zeit – eine *Sklavin der Liebe*.« Er lächelt mich an, als ob er mich in einen Geheimbund einführen wollte. »Vielleicht liegt es an diesen verdammten Rosen, und fürs Protokoll: An die glaube ich voll und ganz. Die sind tödlich fürs Herz, ich schwöre dir, wir sind wie Laborratten, die diesen Duft die ganze Saison lang einatmen …« Er zwirbelt den Schnurrbart und scheint vergessen zu haben, was er sagen wollte. Ich warte, erinnere mich daran, dass er bekifft ist. Wie ein Band durchzieht der Rosenduft die Luft zwischen uns. Ich atme ihn ein, denke an Joe und weiß ganz genau, dass es nicht die

Rosen waren, die diese Liebe in meinem Herzen haben sprießen lassen, sondern der Junge, so ein faszinierender Junge. *Wie konnte ich nur?*

In der Ferne ruft eine Eule, ein hohler, einsamer Klang, der dieselben Gefühle in mir auslöst.

Big redet weiter, als ob gar keine Zeit vergangen wäre. »Nee, Bailey war keine von denen, die es hatte –«

»Was willst du damit sagen?«, frage ich und richte mich auf.

Er hört auf zu zwirbeln. Sein Gesicht ist ernst geworden. »Grama war anders, als wir heranwuchsen«, sagt er. »Wenn das sonst noch jemand gehabt hat, dann sie.«

»Grama verlässt doch kaum mal die Nachbarschaft.« Ich kann ihm nicht folgen.

Er schmunzelt. »Ich weiß. Das beweist wohl, wie wenig ich an dieses Gen glaube. Ich hab immer gedacht, meine Mutter hätte es. Ich dachte, sie hielte es nur irgendwie unter Verschluss, indem sie sich wochenlang in diesem Atelier verschanzte und es auf die Leinwände schleuderte.«

»Na, wenn das so ist, warum hat *meine Mutter* es denn nicht einfach unterdrückt?« Ich versuche, leise zu sprechen, aber plötzlich bin ich fuchsteufelswild. »Warum musste sie weggehen, wenn Grama nur ein paar Bilder malen muss?«

»Weiß ich nicht, Schatz, vielleicht hatte Paige es schlimmer.«

»*Was* hatte sie schlimmer?«

»Keine Ahnung!« Und ich merke, dass er es wirklich nicht weiß, dass er genauso frustriert und verwirrt ist wie ich. »Was immer das auch ist, was eine Frau dazu veranlasst, zwei kleine Kinder, ihren Bruder und ihre Mutter zu verlassen und sechzehn Jahre nicht zurückzukommen. Das! Damit will ich sagen, bei uns heißt das Wanderlust, aber andere Familien sind da vielleicht nicht so freundlich.«

»Wie würden andere Familien es denn nennen?«, frage ich. Noch nie hat er Derartiges über Mom durchblicken lassen. Ist das alles nur eine Coverstory für Irrsinn? Hatte sie wirklich und wahrhaftig nicht mehr alle Äste in der Krone?

»Spielt keine Rolle, wie andere das nennen würden, Len«, sagt er. »Das ist *unsere* Geschichte.«

Das ist unsere Geschichte. Das sagt er in seinem Verkündigungston und so kommt es auch bei mir an: mit Gewicht. Man sollte meinen, so viel wie ich lese, hätte ich schon mal darüber nachgedacht, doch das habe ich nicht. Noch nie habe ich über die Interpretation, die Erzählkunst des Lebens, meines Lebens, nachgedacht. Ich kam mir immer vor wie in einer Geschichte, ja, aber nicht wie der Autor dieser Geschichte und ich war nie auf den Gedanken gekommen, dass ich irgendwie Einfluss darauf nehmen konnte, wie sie erzählt wurde.

Du kannst deine Geschichte auf jede verdammte Weise erzählen, die dir gefällt.

Sie ist dein Solo.

27. Kapitel

Das ist das Geheimnis, das ich immer vor dir bewahrte,
Bailey, und vor mir auch:
Ich glaube, es gefiel mir, dass Mom weg war,
dass sie irgendwer sein konnte
irgendwo
und sonst was machte.
Mir gefiel, dass sie unsere Erfindung war.
Eine Frau,
die auf der letzten Seite der Geschichte lebte,
vor sich nur das, was wir uns vorstellten.
Mir gefiel, dass sie uns gehörte, uns allein.

(Gefunden auf einer aus Sturmhöhe *herausgerissenen Seite,*
im Wald auf einen Zweig gespießt)

Joelosigkeit legt sich über den Morgen wie ein Leichentuch. Grama und ich hängen rückgratlos in entgegengesetzte Richtungen starrend über dem Küchentisch.

Als ich gestern Nacht wieder ins Allerheiligste gegangen bin, habe ich Baileys Heft zu den anderen in den Karton gelegt und ihn zugeklebt. Dann habe ich den heiligen Antonius auf das Sims vor der Halbmutter zurückgestellt. Ich weiß nicht, wie ich meine Mutter finden werde, aber ich weiß genau, dass es nicht über das Internet sein wird. Die ganze Nacht habe ich über das nachgedacht, was Big gesagt hat. Möglicherweise ist keiner in dieser Familie ganz der, für den ich ihn gehalten habe, das gilt besonders für mich. Bei mir hat Big voll ins Schwarze getroffen, da bin ich mir ziemlich sicher.

Und mit Bailey vielleicht auch. Vielleicht hat Big recht und sie hat es nicht gehabt – was immer *es* auch ist. Vielleicht wollte meine Schwester einfach nur hierblieben, heiraten und eine Familie haben.

Vielleicht war es das, was sie unter außergewöhnlich verstand.

»Bailey hatte all diese Geheimnisse«, sage ich zu Grama.

»Scheint in der Familie zu liegen«, erwidert sie mit einem müden Seufzen.

Ich will sie fragen, wie sie das meint, weil ich mich erinnere, was Big gestern Nacht auch über sie gesagt hat, aber das kann ich nicht, weil er gerade reingestapft kommt, als Double von Paul Bunyan, dem Riesenholzfäller. Er wirft einen Blick auf uns und sagt: »Wer ist gestorben?« Mitten im Schritt erstarrt er und schüttelt den Kopf. »Ich kann gar nicht glauben, dass ich das eben gesagt hab.« Er klopft sich gegen den Schädel, als wollte er prüfen, ob jemand zu Hause ist. Dann sieht er sich um.

»He, wo steckt Joe heute Morgen?«

Grama und ich schauen beide zu Boden.

»Was ist?«, fragt er.

»Ich glaub nicht, dass er noch mal kommt«, sage ich.

»Echt?« Vor meinen Augen schrumpft Big von Gulliver zum Liliputaner. »Warum, mein Schatz?«

Mir kommen die Tränen. »Weiß nicht.«

Gnädigerweise lässt er das Thema fallen und verlässt die Küche, um nach den Käfern zu sehen.

Den ganzen Weg zum Deli denke ich an die verrückte französische Geigerin, in die Joe verliebt war, mit der er nie wieder gesprochen hat. Ich denke an seine Einschätzung von Hornisten als Alles-oder-nichts-Typen. Ich denke, dass ich alles von ihm hatte und nun nichts mehr von ihm haben werde, es sei denn, mir gelingt es, ihm irgendwie begreiflich zu machen, was gestern Abend und all die anderen Abende davor mit Toby geschehen ist. Aber wie? Ich hab heute Morgen schon zwei Nachrichten auf seinem Handy hinterlassen und sogar ein Mal bei den Fontaines zu Haus angerufen. Das lief so ab:

Lennie (in ihren Flip-Flops zitternd): Ist Joe da?

Marcus: Wow, Lennie, was für'n Schocker … mutiges Mädchen.

Lennie (guckt runter und sieht scharlachroten Buchstaben auf ihrem T-Shirt): Ist er da?

Marcus: Nee, ist früh gegangen.

Marcus und Lennie: peinliches Schweigen.

Marcus: Er nimmt das ziemlich schwer. Hab ihn noch nie

so fertig gesehen wegen eines Mädchens, eigentlich auch nicht wegen sonst was …

Lennie (den Tränen nahe): Sagst du ihm, dass ich angerufen habe?

Marcus: Mach ich.

Marcus und Lennie: peinliches Schweigen.

Marcus (vorsichtig): Lennie, wenn du ihn magst, also, dann gib nicht auf.

Freizeichen.

Und das ist das Problem, ich mag ihn wahnsinnig. Ich setze einen Notruf an Sarah ab, sie soll während meiner Schicht ins Deli kommen.

Zen in der Kunst der Lasagneherstellung, so läuft das bei mir normalerweise. Nach dreieinhalb Sommern, vier Schichten pro Woche, acht Lasagnen pro Schicht: 896 Lasagnen bis dato – hab ich ausgerechnet – hab ich das drauf. Ist Meditation für mich. Mit der Geduld und Präzision eines Chirurgen löse ich eine Nudelplatte nach der anderen von dem klebrigen Batzen aus dem Kühlschrank. Ich tauche die Hände in den Ricotta und die Kräuter und schlage die Mischung, bis sie leicht wie eine Wolke ist. Den Käse schneide ich hauchdünn und würze die Soße, bis sie singt. Und dann schichte ich alles zu einem Berg der Vollkommenheit auf. Meine Lasagne ist ein Gedicht. Aber heute singt meine Lasagne nicht. Erst hacke ich mir beinahe den Finger mit dem Gemüsehobel ab, dann fällt der klebrige Batzen Nudeln auf den Fußboden und die neue Portion kocht zu lange, daraufhin plumpst mir eine Lkw-Ladung Salz in die Nudelsoße.

Maria gibt mir den Idiotenjob und lässt mich mit einem stumpfen Gegenstand Cannelloni stopfen, während sie an meiner Seite die Lasagne zubereitet. Ich stecke in der Klemme. Für Kunden ist es noch zu früh, also bin ich im *National Enquirer* gefangen – Maria ist die Stadtschreierin, nonstop plappert sie über das liederliche und lüsterne Treiben in Clover, selbstverständlich inklusive der arboritären Eskapaden vom Romeo dieser Stadt, meinem Onkel Big.

»Wie geht's ihm denn so?«

»Weißt du doch.«

»Alle fragen nach ihm. Früher hat er jeden Abend im Saloon vorbeigeschaut, wenn er aus den Wipfeln zur Erde zurückgekehrt ist.« Maria rührt neben mir einen Bottich Soße wie eine Hexe vor ihrem Kessel, derweil versuche ich zu vertuschen, dass ich noch eine Nudelröhre zerbrochen habe. Ich bin ein liebeskrankes Nervenbündel mit einer toten Schwester. »Ohne ihn ist der Laden nicht mehr das, was er mal war. Kommt er zurecht?« Maria dreht sich zu mir, wischt sich eine dunkle Lockensträhne von der feuchten Stirn und bemerkt irritiert den wachsenden Haufen zerbrochener Cannellonihülsen.

»Es geht ihm gut, wie uns allen«, sag ich. »Er kommt nach der Arbeit gleich nach Hause.« Ich sage nicht: *und raucht drei Schüsseln Gras, um den Schmerz zu betäuben.* Ich lasse die Tür nicht aus den Augen und stelle mir vor, wie Joe hereinsegelt.

»Ich hab gehört, er hatte kürzlich Besuch in der Krone«, säuselt Maria und widmet sich wieder anderer Leute Angelegenheiten.

»Kann nicht sein«, sage ich und weiß sehr wohl, dass sie damit höchstwahrscheinlich recht hat.

»Doch. Dorothy Rodriguez, die kennst du doch, oder? Sie unterrichtet die zweite Klasse. Gestern Abend hab ich an der Bar gehört, dass sie mit ihm im Korb bis oben ins Blätterdach gefahren ist, und du weißt schon ...« Sie zwinkert mir zu. »Da haben sie gepicknickt.«

Ich stöhne. »Maria, bitte, er ist mein Onkel.«

Sie lacht, dann schwatzt sie über ein Dutzend weiterer Techtelmechtel in Clover daher, bis Sarah – angetan wie ein auf Paisley spezialisierter Stoffladen – ihren Auftritt hat. Sie stellt sich in die Tür, hebt die Arme und macht das Friedenszeichen mit beiden Händen.

»Sarah! Wenn du nicht aussiehst wie meine Doppelgängerin vor zwanzig – ach, fast dreißig Jahren!«, sagt Maria, die in den Kühlraum steuert. Die Tür fällt hinter ihr zu.

»Warum schickst du ein SOS?«, sagt Sarah. Der Sommertag ist mit ihr hereingekommen. Ihr Haar ist noch nass vom Schwimmen. Als ich vorhin angerufen habe, war sie mit Luke am Flying Man's, wo sie an irgendeinem Lied »gearbeitet« haben. Ich kann den Fluss noch an ihr riechen, als sie mich über den Tresen hinweg umarmt.

»Trägst du Zehenringe?«, frage ich, weil ich mein Geständnis noch etwas hinausschieben möchte.

»Klar.« Damit ich sie sehen kann, hebt sie ihr kaleidoskopisch gewandetes Bein in die Luft.

»Eindrucksvoll.«

Auf ihrer Seite des Tresens hüpft sie auf den Hocker mir gegenüber und knallt ihr Buch auf die Ladentheke. Ich werfe einen flüchtigen Blick darauf: Es ist von einer Hélène Cixous. »Lennie, diese französischen Feministinnen sind ja so viel cooler als diese blöden Existenzialisten. Ich fahr ja so was von ab auf dieses Konzept der *jouissance*, der alles übersteigenden Verzückung, über die du und Joe sicher gut Bescheid wisst –« Mit unsichtbaren Stöcken trommelt sie die Luft.

»Wusstet.« Ich hole tief Luft. Bereite mich auf das *Hab ich doch gleich gesagt* des Jahrhunderts vor.

Ihr Gesichtsausdruck bleibt irgendwo zwischen Unglauben und Schock stecken. »*Wusstet* – was willst du damit sagen?«

»*War mal*, soll das heißen.«

»Aber gestern …« Sie schüttelt den Kopf, versucht die Neuigkeit zu verarbeiten. »Ihr beiden seid nach der Probe davongesprungen, wir anderen waren ganz krank von der eindeutigen, unwiderlegbaren, unverkennbaren wahren Liebe, die aus jeder Pore eurer an der Hüfte zusammengewachsenen Körper drang. Rachel wär fast explodiert. Es war himmlisch.« Und dann dämmert es ihr. »Nein, das hast du nicht gemacht!«

»Bitte, komm jetzt nicht mit 'ner Kuh, einem Pferd, Erdferkel oder sonst einem Vieh nieder. Keine Moralpolizei, okay?«

»Okay, versprochen. Jetzt sag mir, du hast das nicht getan. Ich hatte ein schlechtes Gefühl, hab ich dir gleich gesagt.«

»Doch, ich hab's getan.« Ich halte mir die Hände vors Gesicht. »Gestern Abend hat Joe gesehen, wie wir uns geküsst haben.«

»Das soll wohl ein Witz sein.«

Ich schüttele den Kopf.

Wie auf ein Stichwort zischt geräuscharm wie eine 747 eine Bande von Miniatur-Tobys auf ihren Skateboards vorbei, als wollten sie den Bürgersteig aufreißen.

»Aber warum, Len? Warum tust du so was?« Ihr Ton ist erstaunlich wenig verurteilend. Sie will es wirklich wissen. »Du liebst Toby doch nicht.«

»Nein.«

»Und du bist dementoid wegen Joe.«

»Absolut.«

»Warum also?« Das ist die Millionenfrage.

Ich stopfe zwei Cannellonis und entscheide mich für eine Formulierung: »Ich glaube, es hat damit zu tun, wie sehr wir beide Bailey lieben, auch wenn sich das verrückt anhört.«

Sarah starrt mich an. »Du hast recht, das hört sich verrückt an. Bailey würde dich *umbringen.*«

Mein Herz rast wie wild in meiner Brust. »Ich weiß. Aber Bailey ist *tot*, Sarah. Und Toby und ich kommen damit nicht zurecht. Und dann ist es so passiert. Okay?« In meinem ganzen Leben hab ich Sarah noch nie angebrüllt, und das hier ging jetzt definitiv in Richtung Brüllen. Aber ich bin wütend auf sie, weil sie gesagt hat, was ich selbst weiß. Bailey würde mich tatsächlich umbringen, und deshalb möchte ich Sarah weiter anschreien, was ich auch tue. »Was soll ich denn machen? Buße tun? Soll ich mein Fleisch kasteien, meine Hände in Säure baden oder mir Pfeffer ins Gesicht reiben wie die heilige Rosa? Wie wär's mit einem härenen Gewand?«

Sie kriegt Stielaugen. »Ja, genau das solltest du machen, finde ich!«, brüllt sie, aber dann zuckt ihr Mund ein bisschen. »Richtig, wirf dich in ein härenes Gewand, zieh dir 'ne härene Mütze dazu an. Ein ganzes härenes Ensemble!« Die Gesichtszüge entgleisen ihr und sie blökt: »Die heilige Lennie«, dann biegt sie sich vor Lachen. Ich tue es ihr nach, unsere ganze Wut verwandelt sich in ein haltloses, enormes Gelächter – wir krümmen uns beide, versuchen Luft zu holen und es ist ein großartiges Gefühl, selbst wenn ich an Sauerstoffmangel eingehen sollte.

»Tut mir leid«, sage ich zwischen den Japsern.

Sie quält heraus: »Nein, mir. Ich hatte versprochen, nicht so zu reagieren. Fühlte sich aber total gut an, es dir zu geben.«

»Gleichfalls«, quietsche ich.

Mit der Schürze voller Tomaten, Paprika und Zwiebeln kommt Maria wieder hereingefegt, sie guckt uns an und sagt: »Du und deine irre Kollegin, raus hier. Mach Pause.«

Sarah und ich lassen uns vor dem Laden auf die Bank fallen. Die Straße erwacht zum Leben, sonnengebräunte Paare aus San Francisco stolpern aus Frühstückspensionen. In schwarze Klamotten gehüllt suchen sie nach Pfannkuchen, Fahrradschläuchen oder Gras.

Kopfschüttelnd zündet Sarah sich eine Zigarette an. Ich hab sie durcheinandergebracht. Das ist keine leichte Sache. Ich weiß, dass sie immer noch gerne poltern würde: *Was in aller fliegenden Füchse Namen hast du dir dabei gedacht, Lennie*? Aber sie tut es nicht.

»Okay, die Aufgabe, die sich jetzt stellt, ist, den Fontainejungen zurückzukriegen«, sagt sie ruhig.

»Genau.«

»Ihn eifersüchtig zu machen, kommt offensichtlich nicht infrage.«

»Offensichtlich.« Ich stütze das Kinn in die Hände und schaue hoch in den tausendjährigen Mammutbaum auf der anderen Straßenseite – konsterniert pliert er auf mich runter. Er würde mir, dem Frischling auf der Erde, gern in den miesen Hintern treten.

»Ich weiß!«, ruft Sarah. »Du verführst ihn.« Sie senkt die Lider, macht um die Zigarette herum einen Schmollmund, inhaliert tief und stößt einen perfekten Rauchring aus. »Verführung klappt immer. Mir fällt kein Film ein, in dem das fehlgeschlagen hätte. Und dir?«

»Das meinst du doch wohl nicht ernst. Er ist so verletzt, so angepisst. Er redet nicht mal mit mir, ich hab heute schon drei Mal angerufen … und – nicht vergessen – wir reden hier von mir, nicht dir. Ich hab keinen Schimmer, wie man verführt.« Ich bin völlig fertig – immerzu sehe ich Joes Gesicht vor mir, versteinert, leblos, so wie gestern Abend. Wenn es je ein Gesicht gegeben hat, das unzugänglich für Verführungen war, dann dieses.

Sarah wirbelt ihren Schal mit der einen Hand herum, mit der anderen raucht sie. »Du musst nichts *tun*, Len, nur morgen bei der Probe auftauchen und toll aussehen, *unwiderstehlich.*« Sie spricht *unwiderstehlich* aus wie ein Wort mit zehn Silben. »Seine tobenden Hormone und die wilde Leidenschaft für dich erledigen den Rest.«

»Ist das nicht unglaublich oberflächlich, Ms französische Feministin?«

»*Au contraire, ma petite.* Diesen Feministinnen geht es ja darum, den Körper zu feiern, seine *langage.*« Sie fuchtelt mit dem Schal. »Wie ich schon sagte, die sind alle auf *jouis-*

sance aus. Als Mittel, versteht sich, um das dominierende patriarchalische Paradigma und den weißen, männlichen Kanon der Literatur zu zerrütten, aber darauf können wir ein anderes Mal näher eingehen.« Sie schnippt ihre Zigarette auf die Straße. »Egal, schaden kann's nicht, Len. Und es macht Spaß. Mir jedenfalls …« Traurigkeit zieht wie eine Wolke über ihr Gesicht.

Wir wechseln einen Blick, in dem die ungesagten Worte von Wochen mitschwingen.

»Ich hatte bloß gedacht, dass du mich nicht mehr verstehen könntest«, platzt es aus mir heraus. Ich hatte mich wie ein anderer Mensch gefühlt, während Sarah für mich dieselbe alte Sarah geblieben war, und ich wette, Bailey war es mit mir genauso gegangen und sie hatte auch recht gehabt. Manchmal muss man eben einfach auf seine ganz eigene chaotische Art irgendwo durch.

»Ich konnte das nicht verstehen«, ruft Sarah aus. »Echt nicht. Hab mich – *fühl* mich so nutzlos, Lennie. Und Mann, diese Trauerbücher kotzen mich an, die sind so formelhaft, so total hundertprozentiger Scheißdreck.«

»Danke«, sage ich. »Dass du sie gelesen hast.«

Sie guckt auf ihre Füße. »Mir fehlt sie auch.« Bis zu diesem Moment war mir gar nicht in den Sinn gekommen, dass sie diese Bücher auch für sich selbst gelesen hat. Aber klar. Sie hatte Bailey verehrt. Ich hab sie ganz allein trauern lassen. Und ich weiß nicht, was ich sagen soll, deshalb lange ich über die Bank und drücke sie. Ganz fest.

Ein Auto hupt, ein Haufen grölender Doofnüsse von Clover High sitzt drinnen. Die können aber auch alles kaputt machen. Wir lassen uns los, Sarah droht ihnen mit ihrem feministischen Buch wie eine religiöse Fanatikerin – und ich muss lachen.

Als sie weg sind, holt sie noch eine Zigarette aus ihrem Rucksack und tippt mir damit leicht aufs Knie. »Diese Tobysache, die kapier ich einfach nicht.« Sie zündet die Kippe an, wie ein Metronom schüttelt sie das Streichholz noch lange, nachdem es aus ist. »Wart ihr Konkurrentinnen, du und Bailey? Ihr habt nie so gewirkt wie diese Schwestern in König Lear. Hab ich wenigstens nie so gesehen.«

»Nein, waren wir nicht. Nein … aber … ich weiß nicht, ich hab mich das auch gefragt –«

Ich hab mich da kopfüber in das gestürzt, was Big letzte Nacht gesagt hat, das enorm große Etwas.

»Erinnerst du dich an damals, als wir beim Kentucky-Derby zugeschaut haben?«, frage ich, keine Ahnung, ob das für irgendjemanden einen Sinn ergibt, abgesehen von mir.

Sie guckt mich an, als wäre ich verrückt. »Ja, äh, warum?«

»Hast du bemerkt, dass die Rennpferde diese Beistellponys hatten, die ihnen nicht von der Seite wichen?«

»Glaub schon.«

»Also, ich glaub, so war das mit mir und Bailey.«

Sie schweigt eine Weile, stößt eine lange Rauchfahne aus und sagt dann: »Ihr wart beide Rennpferde, Len.« Ich merke aber, sie glaubt das nicht, sie will einfach nur nett sein.

Ich schüttele den Kopf. »Komm, echt jetzt, ich war keins. Gott, überhaupt nicht. Ich bin keins.« Und das liegt an niemand anderem als mir. Bailey ist genauso durchgedreht wie Grama, als ich den Unterricht geschmissen habe.

»Willst du's sein?«, fragt Sarah.

»Vielleicht«, sage ich, ein Ja bringe ich nicht ganz zustande.

Sie lächelt, dann beobachten wir schweigend, wie ein Auto nach dem anderen vorüberschleicht, die meisten vollgepackt mit lächerlich grellen Gummiteilen für den Fluss: Giraffenboote, Elefantenkanus und dergleichen. Schließlich sagt sie: » Muss ganz schön scheiße sein so als Beistellpony. Jetzt nicht im übertragenen Sinn, ich mein, wenn du ein Pferd bist. Lass dir das mal durch den Kopf gehen. Selbstaufgabe rund um die Uhr, tagein, tagaus, kein Ruhm, keine Ehre ... die sollten eine Gewerkschaft gründen und ihr eigenes Beistellpferderennen abhalten.«

»Eine neues Projekt für dich.«

»Nein. Mein neues Projekt ist, die heilige Lennon in eine Femme fatale zu verwandeln.« Sie grinst. »Nun kommschon, Len, sag Ja.«

Ihr *Kommschon, Len* erinnert mich an Bailey, und ehe ich weiß, was ich tu, höre ich mich schon sagen: »Okay, gut.«

»Ich geh da ganz subtil vor, das verspreche ich.«

»Ist ja deine Stärke.«

Sie lacht. »Ja, du bist ja so im Arsch.«

Die Idee ist hoffnungslos, aber eine andere hab ich nicht. Ich muss etwas tun und Sarah hat recht, es kann ja nicht schaden, sexy auszusehen – vorausgesetzt, ich kann sexy aussehen. Ist schließlich wahr, dass Verführung in Filmen kaum je fehlschlägt, und das gilt besonders für französische Filme. Also füge ich mich Sarahs Sachverstand, Erfahrung, dem

Konzept der *jouissance* und die Operation Verführung läuft offiziell an.

Ich habe ein Dekolleté. Melonen. Hammerdinger. Möpse. Megatitten. Handvollweise Busen quillt aus dem winzigen schwarzen Kleid, das ich am helllichten Tag bei der Orchesterprobe tragen werde. Ich bin gut bestückt, eine vollbusige Lola. Ich mageres Ding bin ausgesprochen kurvenreich. Wie bringt ein BH so was bloß fertig? Anmerkung für Physiker: Materie kann doch aus dem Nichts erschaffen werden. Ganz zu schweigen davon, dass ich Plateauschuhe trage und zwei Meter siebzig lang zu sein scheine, mit Lippen rot wie Granatäpfel.

Sarah und ich haben uns in ein Klassenzimmer neben dem Musiksaal verdrückt.

»Bist du sicher, Sarah?« Wie konnte ich nur in dieser lächerlichen Episode von *I Love Lucy* landen?

»Noch nie war ich mir sicherer. Kein Typ wird dir widerstehen können. Aber ich mach mir ein bisschen Sorgen um Mr James, der überlebt das unter Umständen nicht.«

»Gut. Dann los«, sage ich.

Den Weg den Flur entlang nutze ich, um mir vorzustellen, dass ich jemand anders bin. Jemand in einem Film, einem französischen Schwarz-Weiß-Film, in dem jeder raucht, geheimnisvoll und verrucht ist. Ich bin kein Mädchen, ich bin eine Frau und ich werde einen Mann verführen. Wem will ich hier eigentlich was vormachen? Ich krieg Panik und renne wieder zurück in das Klassenzimmer. Sarah folgt mir, meine Brautjungfer.

»Lennie, kommschon.« Sie ist gereizt.

Da ist es wieder, dieses *Lennie kommschon*. Ich versuche es noch einmal. Dieses Mal denke ich an Bailey, an die Art wie sie dahingeglitten ist und ihren Auftritt inszeniert hat – und mühelos segele ich in den Musiksaal.

Ich bemerke sofort, dass Joe nicht da ist, doch es ist ja noch Zeit, bis die Probe anfängt, so etwa fünfzehn Sekunden, und er kommt immer früh, aber vielleicht ist er ja aufgehalten worden.

Vierzehn Sekunden: Sarah hatte recht, alle Jungs starren mich an, als wäre ich aus einem Pin-up-Magazin gestiegen. Rachel lässt fast die Klarinette fallen.

Dreizehn, zwölf, elf: Mr James reißt die Arme hoch wie im Triumph. »Lennie, du siehst hinreißend aus!« Ich erreiche meinen Platz.

Zehn, neun: Ich baue meine Klarinette zusammen, aber ich will das Mundstück nicht mit Lippenstift vollschmieren. Lässt sich nicht verhindern.

Acht, sieben: Stimmen.

Vier, drei: Ich dreh mich um. Sarah schüttelt den Kopf, formt mit den Lippen das Wort: *verdammtunglaublich*.

Zwei, eins. Die Ankündigung, die ich jetzt erwarte. »Wir wollen anfangen. Tut mir leid, euch mitteilen zu müssen, dass wir unseren Trompeter fürs Festival verloren haben. Joe wird stattdessen mit seinen Brüdern auftreten. Nehmt eure Bleistifte, es gibt Änderungen.«

Ich lasse meinen glamourösen Kopf in die Hände sinken und höre Rachel sagen: »Hab ich dir doch gesagt, dass der nicht in deiner Liga spielt, Lennie.«

28. Kapitel

Es war einmal ein Mädchen, das plötzlich feststellte,
es war tot.
Sie lugte über die Himmelskante
Und sah, dass unten auf der Erde
Ihre Schwester, die sie gar zu sehr vermisste,
gar zu traurig war.
Da ging sie Wege,
die nicht zu gehen waren,
nahm Augenblicke in die Hand,
schüttelte sie
und warf sie wie Würfel
in die Welt der Lebenden.
Es gelang.
Der Junge mit der Gitarre stieß
mit ihrer Schwester zusammen.
»So, Len«, flüsterte sie. »Der Rest liegt nun in deiner Hand.«

(Gefunden auf der Rückseite eines Flugblatts auf dem Bürgersteig der Main Street)

»Möge die Macht mit dir sein«, sagt Sarah und schickt mich auf den Weg, und zwar den Hügel hinauf zu den Fontaines im bereits erwähnten Cocktailkleid, mit Plateausohlen und Megamöpsen. Den ganzen Weg nach oben wiederhole ich ein Mantra: *Ich bin die Autorin meiner Geschichte und ich kann sie so erzählen, wie ich es will. Ich bin Solistin. Ich bin ein Rennpferd.*

Ja, damit hab ich mich für die Kategorie der Extradurchgeknallten qualifiziert, aber es wirkt und ich komme damit auf den Hügel. Fünfzehn Minuten später schaue ich hoch zum Maison Fontaine, um mich herum knistert das trockene Sommergras, in dem verborgene Insekten summen. Dabei fällt mir etwas ein: Wie in aller Welt weiß Rachel, was mit Joe passiert ist?

In der Auffahrt sehe ich einen Mann, ganz in Schwarz gekleidet mit einem Schopf weißer Haare, der wie ein Derwisch mit den Armen herumwedelt und auf Französisch eine elegante Frau in einem schwarzen Kleid (ihres passt zu ihr) anbrüllt, die einen ebenso angefressenen Eindruck macht. Sie faucht auf Englisch zurück. An diesen beiden Panthern will ich auf keinen Fall vorbei, deshalb schleiche ich mich auf die andere Seite des Anwesens und schlüpfe unter die riesige Weide, die wie eine Königin über den Garten herrscht, der dicke Blättervorhang fällt wie ein schimmerndes grünes Ballkleid um Stamm und Äste und bietet das perfekte Versteck für eine Lauscherin.

Ich brauche einen Moment, um meine Nerven zu stählen, deshalb laufe ich in meiner neuen schimmernd grünen Wohnung herum und versuche mir zurechtzulegen, was ich tatsächlich zu Joe sagen soll, ein Punkt, den Sarah und ich beide zu bedenken vergessen haben.

Und da höre ich es: Klarinettentöne schweben aus dem Haus hinaus, die Melodie, die Joe für mich geschrieben hat. Mein Herz macht einen hoffnungsvollen Satz. Ich gehe rüber zu der Seite des Maison Fontaine, die an den Baum angrenzt, – immer noch im Schutz des Blättervorhangs – stelle mich auf die Zehenspitzen und sehe durch das offene Fenster ein Stück von Joe, der im Wohnzimmer Bassklarinette spielt.

Und so beginnt mein Leben als Spionin.

Ich sag mir, nach diesem Lied werde ich an der Tür klingeln und für alles geradestehen. Aber dann spielt er die Melodie noch einmal und noch einmal, und ehe ich weiß, was mit mir geschieht, liege ich auf dem Rücken, lausche dieser faszinierenden Musik und suche in Sarahs Handtasche nach einem Stift, den ich ebenso wie ein Stück Papier finde. Ich schreibe schnell ein Gedicht, das ich mit einem Stock in den Boden spieße, dann gleite ich zurück in diesen Kuss, trinke noch einmal den süßen Regen von seinen Lippen –

Und werde rüde von DougFreds genervter Stimme unterbrochen: »Mann, du machst mich wahnsinnig, dasselbe Lied immer und immer wieder, seit zwei Tagen geht das schon so, ich kann nicht mehr. Wir springen alle von der Brücke, gleich nach dir. Warum redest du nicht einfach mit ihr?« Ich springe auf und husche zum Fenster: Harriet, die kleine Detektivin als Dragqueen. *Bitte, sag, dass du mit ihr reden wirst*, funke ich Joe telepathisch zu.

»Nie im Leben«, sagt er.

»Joe, das ist erbärmlich ... komm schon.«

Joes Stimme klingt gepresst, angespannt. »Ich *bin ja so* erbärmlich. Sie hat mich die ganze Zeit belogen ... genau wie Geneviève, genau wie Dad das mit Mom macht übrigens ...

Oje. Oje. Oje. Junge, hab ich das versaut.

»Egal, keine Ahnung und so – manchmal ist der ganze Scheiß eben echt kompliziert, Mann.« *Halleluja, DougFred.*

»Für mich nicht.«

»Hol jetzt dein Horn, wir müssen üben.«

Immer noch unter dem Baum versteckt höre ich Joe, Marcus und DougFred beim Üben zu: Das läuft so: drei Töne, dann klingelt ein Handy: Marcus: *Hi Amy*, dann fünf Minuten später noch ein Klingeln: Marcus: *Salut Sophie*, dann DougFred: *Hey, Chloe*, dann eine Viertelstunde später: *Hi Nicole*. Diese Typen sind Clovers Katzenminze. Ich erinnere mich, dass das Telefon an dem Abend, an dem ich hier war, auch andauernd geklingelt hatte. Schließlich sagt Joe: *Macht die Handys aus, sonst können wir nicht einen einzigen Song durchspielen* – aber diesen Satz hat er gerade beendet, da klingelt sein Handy und seine Brüder lachen. Ich höre, wie er sagt: *Hallo, Rachel.* Und das ist mein Ende. *Hallo, Rachel* – in einem Ton, der darauf schließen lässt, dass er sich freut, von ihr zu hören, als hätte er den Anruf erwartet, geradezu darauf gewartet.

Ich denke an die heilige Wilgefortis, die als Schönheit schlafen ging und mit Vollbart erwachte, und wünsche, Rachel möge dasselbe Schicksal ereilen. Heute Nacht.

Dann höre ich: *Du hast absolut recht. Diese Kehlsänger von Tuva sind toll.*

Ruft den Krankenwagen.

Okay, beruhige dich, Lennie. Hör auf rumzutigern. Denk nicht daran, wie er Rachel Brazile mit seinen Wimpern anplinkert! Sie angrinst, sie küsst, ihr das Gefühl gibt, ein Teil des Himmels zu sein … *Was hab ich getan*? Ich lege mich wieder unter den Schirm von sonnendurchleuchteten Blättern. Ein Telefongespräch hat mich umgehauen. Wie muss es da für ihn gewesen sein, als er gesehen hat, wie ich Toby tatsächlich geküsst habe?

Ich bin zum Kotzen, anders kann man es nicht sagen.

Und anders kann man das hier auch nicht sagen: Ich bin so verdammt verliebt – in meinem Inneren schmettert eine irre Oper.

Aber zurück zu ZICKZILLA!

Sei vernünftig, sage ich mir, geh systematisch vor, denk an all die vielen harmlosen, unromantischen Gründe, aus denen sie ihn anrufen könnte. Mir fällt aber kein einziger ein, obwohl mich schon das Grübeln so anstrengt, dass ich nicht mal höre, wie der Truck vorfährt, nur das Türenknallen. Ich stehe auf und spähe durch den dichten Blättervorhang. Als ich Toby zur Haustür gehen sehe, falle ich beinahe in Ohnmacht. Was zum Geier soll das denn? Ehe er klingelt, zögert er, atmet tief durch. Dann drückt er den Knopf, wartet, drückt ihn noch einmal. Er tritt einen Schritt zurück, guckt zum Wohnzimmer rüber, wo die Musik jetzt ohrenbetäubend ist, dann klopft er kräftig. Die Musik verstummt und ich höre Schritte, dann beobachte ich, wie die Tür aufgeht, und höre Toby sagen: »Ist Joe da?«

Schluck.

Als Nächstes höre ich Joe, der immer noch im Wohnzimmer ist: »Was hat der für ein Problem? Gestern wollte ich nicht mit ihm reden und heute will ich immer noch nicht mit ihm reden.«

Marcus ist wieder im Wohnzimmer. »Rede einfach mit dem Typen.«

»Nein.«

Aber Joe muss zur Tür gegangen sein, denn es wird leise gesprochen und ich sehe, wie Tobys Mund sich bewegt, obwohl er so leise spricht, dass ich seine Worte nicht verstehen kann.

Was als Nächstes passiert, habe ich nicht geplant. Es passiert einfach. In meinem Kopf läuft dieses blöde Es-ist-meine-Geschichte-ich-bin-ein-Rennpferd-Mantra in einer Schleife ab und deshalb beschließe ich: Egal was passiert, gut oder schlecht, ich will mich nicht in einem Baum verstecken, wenn es losgeht. Ich nehme also all meinen Mut zusammen und teile den Blättervorhang.

Das Erste, was ich bemerke, ist der Himmel, der so voller Blau und strahlend weißer Wolken ist, dass es einen in Ekstase versetzt, Augen zu haben. Unter diesem Himmel kann nichts schiefgehen, denke ich, als ich über den Rasen gehe und versuche, nicht auf den hohen Schuhen zu wackeln. Die Panthereltern Fontaine sind weit und breit nicht in Sicht, wahrscheinlich zischen sie sich in der Scheune an. Toby hat meine Schritte wohl gehört, er dreht sich um.

»Lennie?«

Dann geht die Tür auf und drei Fontaines purzeln heraus, als wären sie in ein Auto gestopft worden.

Marcus sagt als Erster was: »Va va va voom.«

Joes Mund klappt runter.

Tobys übrigens auch.

»Heilige Scheiße«, kommt über DougFreds permanent von einem entrückten Lächeln beseelten Lippen. Alle vier stehen da wie eine Reihe vom Donner gerührter Enten. Ich bin mir nur allzu bewusst, wie kurz mein Kleid ist und wie eng es über der Brust sitzt, wie wild mein Haar ist und wie rot meine Lippen sind. Ich könnte sterben. Ich möchte mir die Arme um den Körper wickeln. Für den Rest meines Lebens werde ich das Femmefatalen anderen Femmes überlassen. Ich will nur weg, aber ich will nicht, dass sie mir auf den Hintern glotzen, während ich in diesem winzigen Stofffetzen, der sich als Kleid ausgibt, in die Wälder abtauche. Sekunde mal – ich schaue von einem zum anderen und registriere, was für idiotische Gesichter sie machen. Hatte Sarah etwa recht? Könnte das hier klappen? Sind Jungs wirklich so einfältig?

Marcus reagiert überschwänglich. »Ziemlich heißer Feger, John Lennon.«

Joe funkelt ihn wütend an. »Klappe, Marcus.« Er hat seine Fassung wiedergewonnen und seine Wut. Nee, Joe ist garantiert nicht so einfältig. Ich weiß sofort, dass das ein ganz, ganz schlechter Zug war.

»Was ist bloß los mit euch beiden?«, sagt er zu Toby und mir und wirft in perfekter Nachahmung seines Derwischvaters die Arme in die Luft.

Er drängelt sich an seinen Brüdern und Toby vorbei, springt die Stufen runter und kommt so dicht an mich heran, dass ich seine Wut riechen kann. »Kapierst du das nicht? Was du getan hast? Es ist erledigt, Lennie, wir sind fertig miteinander.« Joes wunderschöne Lippen, die Lippen, die mich geküsst und mir ins Haar geflüstert haben, zucken und spucken Wörter, die ich hasse. Unter mir beginnt der Boden zu schwanken. Leute fallen doch nicht wirklich in Ohnmacht, oder? »Merk dir das, denn ich meine es ernst. Es ist kaputt. *Alles* ist kaputt.«

Ich möchte im Boden versinken. Und Sarah bringe ich um. Was ich hier gemacht hab, war doch typisch Beistellpony. Ich wusste, es würde nicht funktionieren. Diesen kolossalen Verrat würde er nicht so einfach zur Seite schieben, weil ich mich in dieses lächerlich kleine Kleid gequetscht habe. Wie konnte ich so blöd sein?

Und eben ist mir aufgegangen, dass ich zwar Autor meiner eigenen Geschichte sein mag, aber alle anderen sind auch Autoren ihrer eigenen Geschichten und manchmal, so wie jetzt, gibt es keine Überschneidungen.

Er geht weg von mir. Es ist mir völlig egal, dass sechs Augen und Ohren auf uns gerichtet sind. Er darf nicht gehen, bevor ich nicht die Chance hatte, etwas zu sagen, die Chance, ihm begreiflich zu machen, was passiert ist und was ich für ihn empfinde. Ich packe ihn unten an seinem T-Shirt. Er fährt herum, schleudert meine Hand weg und guckt mir in die Augen. Ich weiß nicht, was er darin sieht, aber er wird ein wenig weicher.

Etwas von seiner Wut fällt von ihm ab, als er mich ansieht. Ohne sie wirkt er aus der Fassung gebracht und verletzlich, wie ein kleiner, mutloser Junge. Die Zärtlichkeit, die ich für ihn spüre, tut richtig weh. Ich möchte sein schönes Gesicht berühren. Ich schaue auf seine Hände, sie zittern.

So wie ich am ganzen Leibe.

»Es tut mir leid«, bringe ich raus.

»Ist mir egal«, sagt er, seine Stimme bricht ein wenig. Er guckt zu Boden. Ich folge seinem Blick, sehe seine nackten Füße unter den Jeans hervorschauen, lang und dünn mit Affenzehen. Noch nie habe ich seine Füße ohne Schuhe und Socken gesehen. Absolut affenartig – die Zehen sind so lang, er könnte damit Klavier spielen.

»Deine Füße«, sage ich, bevor ich es merke. »Die hab ich noch nie gesehen.«

Meine idiotischen Worte prasseln in die Luft zwischen uns und für den Bruchteil einer Sekunde weiß ich, dass er lachen, den Arm ausstrecken und mich an sich ziehen möchte, mich damit aufziehen, etwas so Lächerliches zu sagen, wo er mich gerade ermorden will. Das sehe ich in seinem Gesicht, als ob die Gedanken darauf gekritzelt wären. Aber dann wird das alles genauso schnell wieder weggewischt, wie es aufgetaucht ist, und was zurückbleibt, ist die sperrige Verletzlichkeit in seinen nicht plinkernden Augen, sein nicht lächelnder Mund. Er wird mir nie vergeben.

Ich hab die Freude aus dem freudigsten Menschen des Planeten Erde genommen.

»Es tut mir so leid«, sage ich. »Ich …«

»Gott, hör doch auf, das zu sagen.« Seine Hände flattern um mich herum wie verrückte Fledermäuse. Ich hab seine Wut wieder entfacht. »Für mich spielt das keine Rolle, dass es dir leidtut. Das kapierst du einfach nicht.« Damit fährt er herum und rennt ins Haus, ehe ich noch ein weiteres Wort sagen kann.

Marcus schüttelt den Kopf und seufzt, dann folgt er mit DougFred im Schlepptau seinem Bruder nach drinnen.

Ich steh da, Joes Worte versengen mir noch die Haut, und ich denke, was für eine schreckliche Idee es war, hier hochzukommen, in diesem winzigen Kleid, diesen Wolkenkratzerschuhen. Ich wische den Gesang der Sirene von meinen Lippen. Bin angewidert von mir. Ich hab ihn nicht um Verzeihung gebeten, ihm nichts erklärt, ihm nicht gesagt, dass er das Faszinierendste ist, das mir je passiert ist, dass ich ihn liebe, dass er der Einzige für mich ist. Stattdessen hab ich über seine Füße geredet. *Seine Füße.*

Klarer Fall von Abwürgen unter Druck. Und dann erinnere ich mich an das *Hallo, Rachel*, das einen Molotowcocktail der Eifersucht in mein Elend schleudert und das düstere Bild vervollständigt.

Ich will den perfekten Postkartenhimmel treten.

Und bin so in meine Selbstkasteiung verstrickt, dass ich ganz vergesse, dass Toby da ist, bis er sagt: »Ziemlich gefühlsbetonter Typ.«

Ich schaue hoch. Er sitzt jetzt auf der Treppe, die Beine lang ausgestreckt, stützt er sich mit den Armen ab. Er muss direkt von der Arbeit hergekommen sein, er sitzt da nicht in seinen normalen Skaterklamotten, sondern in Matsch bespritzten Jeans und Boots und einem karierten Hemd. Nur der Stetson fehlt, sonst wäre das Bild vom Marlboro-Mann komplett. Er sieht aus wie an dem Tag, an dem er das Herz meiner Schwester im Sturm genommen hat: Baileys Revolutionär.

»Gestern wäre er beinahe mit seiner Gitarre auf mich losgegangen. Ich glaube, wir machen Fortschritte.«

»Toby, was tust du hier?«

»Was tust du denn, warum versteckst du dich in den Bäumen?«, fragt er zurück mit einer Kopfbewegung Richtung Weide.

»Ich versuche, was wiedergutzumachen«, sage ich.

»Ich auch«, sagt er schnell und springt auf. »Aber bei dir. Ich wollte ihm erklären, was was ist.« Seine Worte überraschen mich.

»Ich bring dich nach Hause«, sagt er.

»Wir steigen beide in seinen Truck. Ich kann die Übelkeit nicht im Zaum halten, die mich infolge der zweifellos schlimmsten Verführung in der Geschichte der Liebe befällt. Igitt. Und darüber hinaus bin ich mir auch sicher, dass Joe uns von einem Fenster aus beobachtet und all seine Verdächtigungen in seinem heißen Kopf brodeln, als ich mit Toby davonfahre.

»Was hast du denn zu ihm gesagt?«, frage ich, nachdem wir das Territorium der Fontaines geräumt haben.

»Also, die drei Wörter, die ich gestern sagen konnte, und die zehn, die ich heute loswerden konnte, laufen mehr oder weniger darauf hinaus, dass er dir eine zweite Chance geben sollte, dass zwischen uns nichts ist, dass wir einfach nur völlig fertig waren ...«

»Wow, echt nett von dir. Einmischung wie sonst was, aber nett.«

Er guckt einen Moment lang zu mir rüber, ehe er die Augen wieder auf die Straße richtet. »Ich hab euch beide in dieser Nacht im Regen beobachtet … ich hab gesehen, was ihr fühlt.«

In seiner Stimme schwingen so viele Emotionen mit, die ich nicht deuten kann und wahrscheinlich auch nicht deuten will. »Danke«, sage ich leise, gerührt, dass er das trotz allem, wegen allem getan hat.

Er antwortet nicht, guckt nur geradeaus in die Sonne, die mit ihrem unbändigen Strahlen alles auf unserem Weg auslöscht. Der Truck schießt durch die Bäume und ich strecke die Hand aus dem Fenster, versuche den Wind zu fangen, wie Bailey das immer gemacht hat, vermisse sie, vermisse das Mädchen, das ich in ihrer Gegenwart war, vermisse, wie wir alle waren. Diese Menschen werden wir nie wieder sein. Sie hat sie alle mitgenommen.

Tobys Finger trommeln nervös auf dem Lenkrad herum. Er hört nicht auf damit. Tap. Tap. Tap.

»Was ist los?«, frage ich.

Er packt das Lenkrad mit beiden Händen.

»Ich liebe sie wirklich«, sagt er, seine Stimme bricht. »Mehr als alles andere.«

»O, Toby, das weiß ich.« Das ist das Einzige in diesem ganzen Durcheinander, das ich verstehe: Alles, was zwischen uns geschehen ist, ist aus zu viel Liebe für Bailey geschehen, nicht aus zu wenig.

»Ich weiß«, wiederhole ich.

Er nickt.

Mir kommt ein Gedanke: Bailey hat Toby und mich so

sehr geliebt – ihr ganzes Herz bestand eigentlich aus ihm und mir –, vielleicht haben wir versucht, es wieder zusammenzusetzen, indem wir zusammen waren.

Er hält vor unserem Haus an. Die Sonne strömt in die Fahrerkabine und badet uns in Licht. Ich guck aus meinem Fenster, kann sehen, wie Bailey aus dem Haus rennt und von der Veranda hechtet, um in diesen Truck zu springen, in dem ich jetzt sitze. Wie seltsam. Ewig hab ich es Toby angekreidet, dass er mir meine Schwester weggenommen hat, und jetzt scheine ich auf ihn zu zählen, sie wieder zurückzuholen.

Ich mache die Tür auf und setze einen der Plateauschuhe auf den Boden.

»Len?«

Ich drehe mich um.

»Du wirst ihn mürbemachen.« Sein Lächeln ist warm und kommt von Herzen. Er legt den Kopf aufs Lenkrad und sieht mich an. »Ich lass dich eine Weile in Ruhe, aber wenn du mich brauchst … egal wofür, okay?«

»Gleichfalls«, sage ich und bekomme einen Kloß im Hals. Unsere Liebesverbundenheit zu Bailey zittert zwischen uns wie etwas Lebendiges, zart wie ein kleiner Vogel und genauso atemberaubend in seiner Sehnsucht nach dem Fliegen. Mein Herz schmerzt für uns beide.

»Mach keine Dummheiten auf diesem Brett«, sage ich.

»Nee.«

»Okay.« Dann rutsche ich raus, schlag die Tür zu und geh ins Haus.

29. Kapitel

Manchmal hab ich gesehen,
wie sich ihre Blicke trafen –
der Sarahs und der ihrer Mom,
von einer Seite des Raumes zur anderen.
Dann wollte ich mein Leben umwerfen wie einen Tisch.
Dann sagte ich mir, so dürfe ich nicht fühlen,
ich hatte doch Glück,
ich hatte Bailey,
ich hatte Grama und Big,
ich hatte meine Klarinette, Bücher, den Fluss, den Himmel.
Ich sagte mir, dass ich auch eine Mutter habe,
bloß keine, die andere sehen können,
nur Bailey und ich.

(Gefunden unter der Bank vor Marias Deli, auf die Kleinanzeigenseite der Clover Gazette *gekritzelt)*

Sarah ist an der State Uni, weil da heute Nachmittag das Symposium stattfindet, ich hab also niemanden, dem ich das *Hallo-Rachel*-Verführungsfiasko vorwerfen kann außer mir selbst. Ich hinterlasse ihr eine Nachricht, in der ich ihr mitteile, dass ich total gedemütigt worden bin, wie es sich für eine gute Heilige gehört, alles wegen ihrer *jouissance*, und dass ich jetzt auf ein Ultima-Ratio-Wunder warte.

Das Haus ist still. Grama muss weggegangen sein, was echt schlimm ist, denn zum ersten Mal seit Urzeiten würde ich nichts lieber tun als mit ihr am Küchentisch sitzen und Tee trinken.

Ich geh hoch ins Allerheiligste, um über Joe zu meditieren, aber da bleibt mein Blick immerzu an den Kisten hängen, die ich neulich Abend gepackt habe. Ich ertrage es nicht länger sie anzusehen, deshalb bringe ich sie auf den Dachboden, nachdem ich mein lächerliches Outfit aus- und mich umgezogen habe.

Hier oben bin ich jahrelang nicht gewesen. Ich mag das Mausoleumsartige nicht, den verbrannten Geruch gefangener Hitze, das Stickige. Irgendwie wirkt es auch so traurig, so voller abgelegter, vergessener Sachen. Ich schau mir den leblosen Ramsch an und will Baileys Sachen nicht hier hochbringen. Genau davor drücke ich mich jetzt schon seit Monaten. Ich hole tief Luft, schaue mich um. Es gibt nur ein Fenster, und obwohl darunter alles mit Kisten und Bergen von Krimskrams vollgestellt ist, beschließe ich, dass Baileys Sachen dort stehen sollen, wo die Sonne wenigstens ein Mal am Tag hinfällt.

Durch einen Hindernisparcours aus kaputten Möbeln,

Kisten und alten Leinwänden arbeite ich mich bis zu der Stelle vor. Dann schiebe ich als Erstes ein paar Kartons beiseite, damit ich das Fenster aufmachen und den Fluss hören kann. Der Himmel über mir ist immer noch fantastisch und hoffentlich schaut Joe hoch. Egal, wohin ich in mir blicke, ich finde immer nur noch mehr Liebe für ihn, für alles, was mit ihm zu tun hat, seine Wut ebenso wie seine Zärtlichkeit – er ist so lebendig, dass ich das Gefühl bekomme, ich könnte ein großes Stück aus der Erdkugel beißen. Wenn die Worte mich heute doch nicht verlassen hätten, wenn ich doch nur zurückgebrüllt hätte: *Doch, ich hab was kapiert! Ich hab nämlich kapiert, dass dich, solange du lebst, niemand so sehr lieben wird wie ich – ich besitze ein Herz, damit ich es dir allein schenken kann!* Genau so fühle ich – aber leider reden Menschen außerhalb viktorianischer Romane nicht so.

Ich ziehe meinen Kopf aus dem Himmel und hole ihn zurück auf den stickigen Dachboden. Meine Augen müssen sich erst daran gewöhnen, und als sie es getan haben, bin ich immer noch überzeugt davon, dass dies der einzige mögliche Platz für Baileys Sachen ist. Den ganzen Kram, der dort schon steht, räume ich in die Regale an der hinteren Wand. Nach viel Hin- und Hergelaufe bücke ich mich endlich nach dem letzten Karton, einem Schuhkarton, dessen Deckel aufgeht. Er ist voller Briefe, alle an Big adressiert, wahrscheinlich Liebesbriefe. Ich werfe einen Blick auf die Postkarte von einer Edie, entschließe mich jedoch, nicht weiter zu schnüffeln, mein Karma könnte so schon nicht schlechter sein. Ich lege den Deckel wieder drauf, stelle den Karton auf eines der unteren Borde, wo immer noch Platz ist. Gleich dahinter entdecke ich einen alten Briefkasten, dessen Holz poliert ist und glänzt. Was macht so eine Antiquität hier oben, warum steht er nicht unten bei Gramas anderen Schätzen, zumal er aussieht wie ein richtiges Schmuckstück? Ich hole ihn hervor, das Holz ist Mahagoni und in den Deckel ist ein Ring galoppierender Pferde geschnitzt. Warum ist er nicht mit Staub bedeckt wie alles andere auf diesen Regalen? Ich hebe den Deckel an und sehe, dass in dem Kasten gefaltete Blätter von Gramas minzgrünem Schreibpapier liegen, richtig viele und jede Menge Briefe dazu. Ich will schon alles wieder zurückstellen, als ich auf einem der Briefumschläge in Gramas ordentlicher Schrift den Namen *Paige* sehe. Ich blättere die anderen Briefumschläge durch. Auf jedem einzelnen steht *Paige* mit der Jahreszahl neben ihrem Namen. Grama schreibt Briefe an Mom? Jedes Jahr? Alle Umschläge sind zugeklebt. Ich weiß, das ist etwas Privates, ich sollte den Kasten zurückstellen, aber ich kann es nicht. Scheiß aufs Karma. Ich klappe einen der gefalteten Bögen auf. Da steht:

Liebling,
die zweite Lilienblüte ist in vollem Gang, ich muss Dir schreiben. Ich weiß, das schreibe ich Dir jedes Jahr, aber seit Du weg bist, haben sie nie wieder so geblüht wie davor. Sie sind jetzt so geizig. Vielleicht liegt es daran, dass niemand sie annähernd so liebt, wie Du es getan hast – wie könnte man das auch? Jeden Frühling frage ich mich, ob ich die Mädchen auch im Garten schla-

fend finden werde, so wie Dich jeden Morgen. Hast Du gewusst, wie sehr ich es genossen habe, hinauszugehen und Dich inmitten meiner Lilien und Rosen schlafen zu sehen – ich habe nie auch nur versucht, dieses Bild zu malen. Das werde ich nie tun. Ich möchte es mir nicht verderben.

Mom

Wow, meine Mutter liebt Lilien, so richtig. Ja, ja, schon wahr, die meisten Menschen lieben Lilien, aber meine Mutter ist so verrückt nach ihnen, dass sie immer in Gramas Garten geschlafen hat, Nacht für Nacht, den ganzen Frühling hindurch, so verrückt, dass sie es nicht ertragen konnte, drinnen zu sein, wenn all diese Blumen vor ihrem Fenster so einen Riesenaufstand machten. Ob sie ihre Bettdecke mit rausgenommen hat? Einen Schlafsack? Gar nichts? Ob sie sich rausgeschlichen hat, als alle anderen schliefen? Hat sie das getan, als sie in meinem Alter war? Ob sie genauso gern in den Himmel geschaut hat wie ich? Ich will mehr wissen. Ich fühle mich kribbelig und schwindelig, so als ob ich sie das erste Mal treffen würde. Ich setze mich auf eine Kiste und versuche, mich zu beruhigen. Es funktioniert nicht. Ich nehme noch ein Blatt. Darauf steht:

Erinnerst Du Dich noch an dieses Pesto, das Du mit Walnüssen statt Pinienkernen zubereitet hast? Nun, ich hab's mit Pekannüssen versucht – und weißt Du, was? Das ist noch besser.

Das Rezept:

2 Tassen frisches Basilikum
2/3 Tasse Olivenöl
1/2 Tasse Pekannüsse
1/3 Tasse frisch geriebener Parmesan
2 große zerdrückte Knoblauchzehen
1/2 Teelöffel Salz

Meine Mutter macht Pesto mit Walnüssen! Das ist ja noch besser, als unter Lilien zu schlafen. So normal. So *Ich glaub, ich mach heut Pasta mit Pesto zum Abendessen*. Meine Mutter werkelt in der Küche herum. Sie gibt Walnüsse und Basilikum in die Küchenmaschine und schaltet sie ein. Sie kocht Wasser für die Nudeln! Das muss ich Bailey erzählen. Ich will ihr aus dem Fenster zuschreien: *Unsere Mutter kocht Nudelwasser!* Ich werde es tun. Ich werde es Bailey erzählen. Ich bahne mir den Weg zum Fenster, klettere auf den Schreibtisch und stecke meinen Kopf nach draußen, gröle in den Himmel und erzähle meiner Schwester alles, was ich eben erfahren habe. Mir ist schwindelig und ich komm mir ein bisschen verrückt vor, als ich wieder auf den Dachboden zurückkrieche. Ich hoffe, dass keiner dieses Mädchen aus vollem Halse was von Pasta und Lilien hat brüllen hören. Ich atme tief durch. Öffne noch einen Bogen.

Paige,
ich hab immerzu das Parfum getragen, das Du jahrelang benutzt hast. Das, von dem Du fandest, er rieche wie Sonnenschein. Ich habe gerade festgestellt, dass er nicht mehr verkauft wird.

Jetzt kommt es mir vor, als hätte ich Dich endgültig verloren. Das kann ich nicht ertragen.

Mom

Oh.

Aber warum hat Grama uns nicht erzählt, dass unsere Mutter ein Parfum getragen hat, das wie Sonnenschein duftete? Dass sie im Frühling im Garten geschlafen hat? Und Pesto mit Walnüssen gemacht hat? Warum hat sie uns diese Mutter aus dem wirklichen Leben vorenthalten? Aber schon als ich diese Frage stelle, kenne ich die Antwort, weil ich plötzlich kein Blut mehr in den Adern habe, das durch meinen Körper gepumpt wird, sondern Sehnsucht nach einer Mutter, die Lilien liebt. Eine Sehnsucht, die ich nach der Paige Walker, die die Welt durchwandert, nie gehabt habe. Bei jener Paige Walker hatte ich nie das Gefühl, eine Tochter zu sein, bei einer Mutter, die Nudelwasser kocht, schon. Doch muss man nicht als Tochter eingefordert werden? Muss man nicht geliebt werden?

Und jetzt überkommt mich etwas Schlimmeres als Sehnsucht, denn wie kann eine Mutter, die Nudelwasser kocht, zwei kleine Mädchen zurücklassen?

Wie konnte sie das tun?

Ich mache den Deckel zu, stelle den Kasten wieder auf ein Bord und stapele Baileys Kisten schnell am Fenster auf, dann klettere ich die Treppen hinunter in das leere Haus.

30. Kapitel

Die Architektur
des Denkens meiner Schwester,
jetzt Trugbild.
Ich falle
Treppen hinunter,
die nichts sind
als Luft.

(Gefunden auf einem Pappbecher bei einer Gruppe Mammutbäume)

Die nächsten Tage kriechen elendiglich dahin. Ich lasse die Orchesterprobe ausfallen und ziehe mich ins Allerheiligste zurück. Joe Fontaine kommt nicht vorbei, ruft nicht an, simst nicht, schreibt keine Botschaften in den Himmel, morst nicht und kommuniziert auch nicht telepathisch mit mir. Nichts. Ich bin mir ganz sicher, dass er und *Hallo Rachel* nach Paris gezogen sind, wo sie von Schokolade, Musik und Rotwein leben, während ich an diesem Fenster sitze und auf die Straße hinunterschaue, auf der niemand mit der Gitarre in der Hand angesprungen kommt wie früher.

Im Laufe der Tage hat Paige Walkers Liebe zu Lilien und ihre Fähigkeit, Wasser zu kochen, die eigenartige Wirkung entfaltet, sechzehn Jahre Mythos einfach von ihr runterzuspülen. Und ohne den bleibt nur dies übrig: Unsere Mutter hat uns verlassen. Anders kann man es nicht sehen. Und was für eine Art Mensch tut so etwas? Rip van Lennie hat recht. Ich habe in einer Traumwelt gelebt, Grama hat mir eine Gehirnwäsche verpasst. Meine Mutter ist total durchgeknallt und ich auch, denn welcher Dummkopf schluckt schon so eine bekloppte Geschichte? Alle diese hypothetischen Familien, von denen Big neulich Nacht geredet hat, hätten völlig recht damit, die Sache nicht freundlich zu betrachten. Meine Mutter ist pflichtvergessen und unverantwortlich und höchstwahrscheinlich auch geistig nicht ganz auf der Höhe. Sie ist überhaupt keine Heldin. Sie ist einfach nur eine egoistische Frau, die es nicht gepackt hat, die zwei Kleinkinder auf der Veranda ihrer Mutter sitzen gelassen hat und *nie wieder zurückgekommen ist*. So ist sie. Und wir sind auch nicht mehr als das: zwei abgelegte Kinder, die einfach hier zurückgelassen worden sind. Bin ich froh, dass Bailey das nie so sehen musste.

Ich steig nicht wieder hoch auf den Dachboden.

Es geht schon. Ich bin an eine Mutter gewöhnt, die auf einem fliegenden Teppich herumreist. Da werde ich mich wohl auch an diese Mutter gewöhnen können, oder? Aber ich kann mich nicht daran gewöhnen, dass ich an Joes Vergebung nicht mehr glauben kann, obwohl ich ihn doch jeden Tag mehr liebe. Wie gewöhnt man sich daran, von niemandem mehr John Lennon genannt zu werden? Oder dass keiner einen glauben macht, der Himmel beginne bei deinen Füßen? Oder sich benimmt wie ein Trottel, nur damit man sagt *quel Trottel?* Wie gewöhnt man sich daran, ohne einen Jungen zu sein, der einen erstrahlen lässt?

Ich kann das nicht.

Und was noch schlimmer ist, mit jedem Tag, der vergeht, wird das Allerheiligste stiller, sogar wenn ich die Anlage voll aufdrehe, sogar wenn ich mit Sarah rede, die sich noch immer für das Verführungsfiasko entschuldigt, sogar wenn ich Strawinsky übe, wird es stiller und stiller, bis es so still ist, dass ich immer wieder dieses Knarren höre, mit dem sich der Sarg in die Erde senkt.

Mit jedem Tag, der vergeht, werden die Abschnitte länger, in denen ich nicht mehr glaube, Baileys Absätze den Flur entlangklackern zu hören, oder meine, sie lesend auf dem Bett liegen oder am Rande meines Blickfeldes vor dem Spiegel ihre Zeilen rezitieren zu sehen. Ich gewöhne mich an ein Allerheiligstes ohne sie und ich hasse es. Hasse es, dass ich in ihrer Kleiderkammer stehen und meine Nase in ein Kleidungsstück nach dem anderen drücken kann, ohne eine Bluse oder ein Kleid zu finden, das noch ihren Duft trägt, und das ist meine Schuld. Alles riecht jetzt nach mir.

Ich hasse es, dass ihr Handy schließlich abgestellt worden ist.

Mit jedem Tag, der vergeht, verschwinden mehr Spuren

meiner Schwester, nicht allein aus der Welt, sondern auch aus meinem Kopf und ich kann nichts dagegen machen, nur im geräuschlosen, geruchlosen Allerheiligsten sitzen und weinen.

Am sechsten dieser Tage erklärt Sarah mich zum Notfall und ringt mir das Versprechen ab, mit ihr abends ins Kino zu gehen.

Sie holt mich mit Ennui ab, in einem schwarzen Minirock, einem noch minieren Tanktop, das eine Menge gebräunte Taille preisgibt, und turmhohen schwarzen Pumps, das alles gekrönt von einer schwarzen Skimütze. Die ist ihr Versuch praktisch zu sein, denn ein kalter Wind ist aufgekommen und es ist eisig. Ich trage einen braunen Wildledermantel, Rollkragenpullover und Jeans. Man könnte meinen, wir stammten aus zwei verschiedenen Wetterzonen.

»Hi!«, sagt sie, nimmt die Zigarette aus dem Mund, um mich zu küssen, als ich einsteige. »Dieser Film soll richtig gut sein. Nicht wie der letzte, in den ich dich geschleift habe, bei dem während der ganzen ersten Hälfte diese Frau mit der Katze in einem Sessel gesessen hat. Ich geb zu, das war problematisch.«

Sarah und ich haben entgegengesetzte Kinogängerphilosophien. Alles, was ich mir von einem Streifen Zelluloid erhoffe, ist, mit einem riesigen Eimer Popcorn im Dunkeln sitzen zu können. Gebt mir Verfolgungsjagden, wahre Liebe mit Hindernissen, Underdogs, die es schaffen, lasst mich in Ohnmacht sinken, kreischen und weinen. Sarah dagegen erträgt solche gewöhnliche Kost nicht und klagt pausenlos darüber, wie unser Intellekt verkommt und wir bald nicht mehr in der Lage sein werden, einen eigenständigen Gedanken zu denken, weil wir unsere Hirne an das herrschende Paradigma verlieren werden. Sarah hat eine Vorliebe für *The Guild*, wo trostlose ausländische Filme gezeigt werden, in denen nichts passiert, niemand spricht und alle jemanden lieben, der sie nicht wiederliebt, und dann ist der Film zu Ende. Heute Abend steht ein unerträglich langweiliger Schwarz-Weiß-Film aus Norwegen auf dem Programm.

Ihr Gesicht wird ganz lang, als sie mich mustert. »Du siehst unglücklich aus.«

»War eine rundum beschissene Woche.«

»Das wird bestimmt gut heute Abend, ehrlich.« Sie nimmt eine Hand vom Steuer und holt eine braune Tüte aus dem Rucksack. »Für den Film.« Sie reicht sie mir. »Wodka.«

»Hmm, da schlafe ich bestimmt ein in diesem total spannungsgeladenen Actionthriller von einem norwegischen Stummfilm.«

Sie verdreht die Augen. »Das ist kein Stummfilm, Lennie.«

Während wir in der Schlange stehen, hopst Sarah herum, weil sie sich warm halten will. Sie erzählt mir, wie erstaunlich gut Luke sich bei dem Symposium gehalten hat, obwohl er da der einzige Typ war, und dass er sie sogar dazu angehalten hat, eine Frage über Musik zu stellen, aber dann mitten im Satz und mitten im Hopser bekommt sie ganz große Augen. Das krieg ich mit, obwohl sie schon weiterredet, als wäre nichts passiert. Ich dreh mich um und auf der anderen Straßenseite steht Joe mit Rachel.

Sie sind so ins Gespräch vertieft, dass sie gar nicht merken, dass die Ampel umgesprungen ist.

Geh über die Straße, will ich schreien. *Geh rüber, ehe du dich verliebst.* Denn das scheint da gerade zu passieren. Ich beobachte, wie Joe sie am Ärmel zupft, während er ihr irgendwas erzählt, sicherlich was von Paris. Ich sehe das Lächeln, all das Strahlen, das sich über Rachel ergießt, und denke, ich falle um wie ein abgesägter Baum.

»Komm, wir gehen.«

»Ja.« Sarah geht schon zum Auto und fummelt in ihrer Tasche nach den Schlüsseln. Ich folge ihr, gucke mich aber ein Mal um und schaue Joe direkt in die Augen. Sarah verschwindet. Dann Rachel. Dann alle Leute in der Schlange. Dann die Autos und die Bäume, die Häuser, der Boden und der Himmel, bis es nur noch Joe und mich gibt, die sich über den leeren Raum hinweg anstarren. Er lächelt nicht. Das ist das Gegenteil von einem Lächeln. Aber ich kann nicht weggucken und er scheint das auch nicht zu können. Die Zeit hat sich so sehr verlangsamt, dass ich mich schon frage, ob wir alt sein werden und unser ganzes Leben nach ein paar mickrigen Küssen vorüber sein wird, wenn wir endlich damit fertig sind, uns anzustarren. Mir ist ganz schwindlig vor Sehnsucht nach ihm, schwindlig, ihn zu sehen, schwindlig, nur wenige Meter von ihm entfernt zu stehen. Ich will über die Straße rennen, will gerade loslaufen, mein Herz schlägt hoch, stößt mich auf ihn zu, aber dann schüttelt er den Kopf, wie im Selbstgespräch, und er wendet den Blick von mir ab und schaut Rachel an, die jetzt wieder in den Fokus rückt. Scharf gestellt. Sehr gewollt legt er ihr den Arm um und gemeinsam überqueren sie die Straße und stellen sich vor dem Kino an. Ein durchdringender Schmerz packt mich. Er schaut sich nicht um, aber Rachel.

Sie salutiert mit einem triumphierenden Lächeln auf dem Gesicht, dann verhöhnt sie mich mit dem Zurückwerfen ihres blonden Haares, legt ihm den Arm um die Hüfte und dreht sich weg.

Mein Herz wird in eine dunkle Ecke meines Körpers gekickt. *Okay, ich hab's kapiert*, will ich in den Himmel brüllen. *So fühlt sich das also an*. Lektion gelernt. Quittung erhalten. Ich beobachte, wie die beiden Arm in Arm ins Kino gehen, und wünschte, ich hätte einen Radiergummi, mit dem ich sie aus diesem Bild wischen könnte. Oder einen Staubsauger. Ein Staubsauger wäre noch besser, einfach aufsaugen und weg ist sie. Raus aus seinen Armen. Raus aus meinem Stuhl. Ein für alle Mal.

»Kommschon, Len, wir hauen ab«, sagt eine vertraute Stimme. Ich nehme an, es gibt Sarah noch, und sie redet mit mir, also muss es mich auch noch, geben. Ich schaue runter, sehe meine Beine, merke, dass ich noch stehe. Ich setze einen Fuß vor den anderen, bis ich Ennui erreicht habe.

Kein Mond, keine Sterne, nur eine nicht strahlende, lichtlose graue Schüssel über unseren Köpfen auf unserer Heimfahrt.

»Ich werde sie herausfordern, ich will erste Klarinette spielen«, sage ich.

»Endlich.«

»Nicht wegen heute –«

»Ich weiß. Weil du ein Rennpferd bist, kein dödeliges Beistellpony.« In ihrer Stimme ist nicht eine Spur von Ironie.

Ich kurbele das Seitenfenster runter und lasse die kalte Luft auf mich einschlagen wie blöde.

Weißt du noch
Wie es war
Wenn wir uns
küssten?
Fuder
um
Fuder
wurde
Licht
auf uns
Geworfen.
Ein
Seil
Fiel
Vom
Himmel.
Wie
Kann
Das
Wort
Liebe
Das
Wort
Leben
Nur
Im
Mund
Platz
Finden?

31. Kapitel

SARAH UND ICH hängen uns weit aus meinem Fenster und reichen die Wodkaflasche hin und her.

»Wir könnten sie doch um die Ecke bringen«, schlägt Sarah vor, all ihre Worte werden zu einem Genuschel.

»Wie denn?«, frage ich und kippe mir einen riesigen Schluck Wodka hinter die Binde.

»Gift. Ist immer die beste Lösung, schwer nachzuweisen.«

»Dann vergiften wir ihn auch und all seine blöden hinreißenden Brüder.« Die Wörter bleiben in meiner Mundhöhle kleben.

»Er hat nicht mal eine Woche gewartet, Sarah.«

(Gefunden auf einem Stück Papier unter der großen Weide)

»Das hat nichts weiter zu bedeuten. Er ist verletzt.«

»Gott, was findet er nur an der?«

Sarah schüttelt den Kopf. »Ich hab gesehen, wie er dich auf der Straße angeguckt hat, wie ein Irrer, echt aus dem Häuschen, noch dementer als dement, total toledanischer Tiger – durchgeknallt. Weißt du, was ich glaube? Ich glaub, er hat ihr nur wegen dir den Arm umgelegt.«

»Und wenn er nur wegen mir Sex mit ihr hat?« Die Eifersucht hetzt durch mich hindurch wie eine wilde Meute. Doch das ist noch nicht das Schlimmste, auch die Reue nicht, das Schlimmste ist, dass ich immer an den Nachmittag auf dem Waldbett denken muss, wie verletzlich ich mich gefühlt habe, wie sehr ich es genossen habe, so offen zu sein, so sehr *ich*, mit ihm. Hatte ich mich je jemandem so nah gefühlt?

»Krieg ich 'ne Zigarette?«, frage ich und hab mir schon eine genommen, ehe sie antwortet.

Sie legt die eine Hand schützend um das Ende ihrer Kippe, zündet sie mit der anderen an und gibt sie mir, dann nimmt sie mir meine ab und steckt sie für sich selbst an. Ich ziehe, huste, ist mir aber egal, zieh noch mal und schaffe es, nicht dran zu ersticken und eine graue Rauchfahne in die Nachtluft steigen zu lassen.

»Bailey würde wissen, was zu tun ist«, sage ich.

»Würde sie«, stimmt Sarah zu.

Schweigend rauchen wir gemeinsam im Mondschein, dann begreife ich etwas, was ich niemals zu Sarah sagen könnte. Vielleicht hat es noch einen anderen Grund, einen tieferen, dafür gegeben, dass ich nicht in ihrer Nähe sein wollte. Nämlich, dass sie nicht Bailey ist und dass das ein bisschen zu unerträglich für mich ist – aber ich muss damit fertigwerden. Ich konzentriere mich auf die Melodie des Flusses, die immer im gleichen Takt voraneilt, und lasse mich von ihr treiben.

Nach ein paar Augenblicken sage ich: »Du kannst meinen Freifahrschein wieder einziehen.«

Sie legt den Kopf schräg und lächelt mich auf eine Weise an, die mich durchströmt wie Wärme. »Abgemacht.«

Sie drückt ihre Zigarette auf dem Fenstersims aus und hüpft wieder auf das Bett. Ich mache meine auch aus, bleibe aber draußen und schaue über Gramas üppigen Garten, atme ihn ein und falle praktisch in Ohnmacht von dem Duft, der mit der kühlen Brise zu mir hinaufweht.

Und da kommt mir die Idee. Die *brillante* Idee. Ich muss mit Joe reden. Ich muss wenigstens versuchen, es ihm begreiflich zu machen. Aber ich könnte schon ein bisschen Hilfe gebrauchen.

»Sarah«, sag ich, als ich mich aufs Bett fallen lasse. »Die Rosen, die sind doch ein Aphrodisiakum, nicht?«

Sie kapiert es sofort. »Ja, Lennie! Das ist das Ultima-Ratio-Wunder! Fliegende Feigen, ja!«

»Feigen?«

»Mir fällt kein Tier ein, bin zu besoffen.«

Ich habe einen Plan. Sarah habe ich im Tiefschlaf in Baileys Bett liegen lassen und mein hämmernder Wodkaschädel schleicht auf Zehenspitzen mit mir die Treppe hinunter in die herankriechende Morgendämmerung. Der Nebel ist dicht und traurig, die ganze Welt ein Röntgenbild ihrer selbst. Ich trage meine Waffe in der Hand und bin kurz davor, mit meiner Arbeit zu beginnen. Grama wird mich umbringen, aber das ist der Preis, den ich zahlen muss.

Bei dem Busch, der mir am liebsten von allen ist, fange ich an, die *Magic Lanterns*, Rosen, die eine Symphonie aus Farben in jeder Blüte vereinen. Ich schnippe die Köpfe von den außergewöhnlichsten Exemplaren ab, die ich finden kann. Dann gehe ich rüber zu den *Opening Nights* und schnipp, schnipp, schnipp, immer munter voran zu den *Perfect Moments*, den *Sweet Surrenders* und den *Black Magics*. Das Herz in meiner Brust läuft Amok vor Angst und Aufregung.

So gehe ich von einem preisgekrönten Busch zum nächsten, von den samtigen roten *Lasting Loves* zu den rosa *Fragant Clouds*, den orangefarbenen *Marilyn Monroes* und stehe am Ende vor der schönsten orangeroten Rose des Planeten, die den passenden Namen *The Trumpeter* trägt. Da schlage ich so richtig zu, bis mir ein so hinreißendes Bukett Rosen vor den Füßen liegt, dass Gott selbst, sollte er heiraten, sich keinen anderen Strauß aussuchen würde. Ich habe so viele abgeschnitten, dass ich die Stiele nicht in einer Hand halten kann, sondern beide nehmen muss, als ich an der Straße einen Platz suche, an dem ich sie für später aufbewahren kann. Ich lege die Blumen neben eine meiner Lieblingseichen, hier sind sie vom Haus aus absolut nicht zu sehen. Dann mache ich mir Sorgen, dass sie welken könnten, also renne ich zum Haus zurück, lege einen Korb mit nassen Handtüchern aus, gehe damit an die Straße zurück und wickele die Stiele ein.

Später an diesem Morgen, nachdem Sarah weg ist, Big in die Bäume gegangen und Grama sich zu ihren grünen Damen ins Atelier zurückgezogen hat, schleiche ich zur Tür hinaus. Wider alle Vernunft bin ich davon überzeugt, dass diese Sache funktionieren wird. Ich muss immer daran denken, dass Bailey stolz auf diesen idiotischen Plan wäre. *Außergewöhnlich*, würde sie sagen. Genau genommen würde es Bailey vielleicht sogar gefallen, dass ich mich schon so schnell nach ihrem Tod in Joe verliebt habe. Vielleicht ist das genau die unpassende Art, auf die meine Schwester von mir betrauert werden möchte.

Die Blumen sind immer noch hinter der Eiche, wo ich sie stehen gelassen habe. Bei ihrem Anblick bin ich wieder erschüttert von ihrer außerordentlichen Schönheit. Noch nie habe ich so einen Strauß gesehen, noch nie habe ich die explodierende Farbe einer Blüte gleich neben der nächsten gesehen.

In einer Wolke exquisiten Dufts gehe ich den Hügel zu den Fontaines hoch. Ob es die Kraft der Einbildung ist oder ob die Rosen wirklich verzaubert sind, wer weiß das schon, aber als ich zum Haus komme, bin ich so verliebt in Joe, dass ich kaum klingeln kann. Ich habe ernste Zweifel, ob ich in der Lage bin, einen zusammenhängenden Satz zu bilden. Wenn er die Tür aufmacht, sollte ich ihn einfach zu Boden ringen, bis er aufgibt und gut ist.

Aber das Glück hab ich nicht.

Die elegante Frau, die sich neulich im Garten gestritten hat, öffnet die Tür. »Sag nichts, du musst Lennie sein.« Es wird sofort offenbar, dass die Fontainesprosse Mutter Fontaine in Sachen Lächeln nicht das Wasser reichen können. Das sollte ich Big erzählen – mit ihrem Lächeln hat sie bessere Chancen, Käfer zum Leben zu erwecken, als er mit seinen Pyramiden.

»Das bin ich«, sage ich. »Schön, Sie kennenzulernen, Mrs Fontaine.« Sie ist so freundlich, dass ich mir nicht vorstellen kann, dass sie weiß, was zwischen mir und ihrem Sohn vorgefallen ist. Wahrscheinlich redet er genauso viel mit ihr wie ich mit Grama.

»Und diese Rosen! So was habe ich ja noch nie im Leben gesehen. Wo hast du sie gepflückt? Im Garten Eden?« Der Apfel fällt nicht weit vom Stamm. Ich erinnere mich, dass Joe dasselbe gesagt hat am ersten Tag.

»So ähnlich«, sage ich. »Meine Großmutter hat ein Händchen für Blumen. Die sind für Joe. Ist er zu Hause?« Plötzlich bin ich nervös. Echt nervös. Mein Bauch beherbergt ein Bienensymposium.

»Und dieser Duft. Mein Gott, was für ein Duft!«, ruft sie. Ich glaube, die Blumen haben sie hypnotisiert. Wow. Vielleicht wirken sie ja doch. »Dieser Glückspilz Joe, ein tolles Geschenk, aber es tut mir leid, Liebes, er ist nicht zu Hause. Er hat aber gesagt, er kommt bald zurück. Ich kann sie ins Wasser stellen und in sein Zimmer tragen, wenn du möchtest.«

Ich bin zu enttäuscht zum Antworten. Ich nicke nur und gebe ihr die Blumen. Garantiert ist er bei Rachel und füttert ihre Familie mit Schokocroissants. Mir kommt ein furchtbarer Gedanke – was ist, wenn diese Rosen tatsächlich die Liebe erwecken und Joe mit Rachel nach Hause kommt und die beiden von ihnen verzaubert werden? Was für eine katastrophale Vorstellung, aber jetzt kann ich die Rosen nicht mehr zurücknehmen. Ehrlich gesagt, ich glaub, man müsste schon ein Maschinengewehr zum Einsatz bringen, damit Mrs Fontaine sie wieder rausrückt. Mit jeder Sekunde, die vergeht, beugt sie sich tiefer über den Strauß.

»Danke«, sage ich. »Dass Sie ihm die Rosen geben.« Ob sie sich von diesen Blumen trennen können wird?

»War nett, dich kennenzulernen, Lennie. Darauf hatte ich mich schon gefreut. Ich glaube ganz bestimmt, dass Joe diese Blumen *wirklich* zu schätzen wissen wird.«

»Lennie«, sagt jemand in entnervtem Ton hinter mir. Das Symposium in meinem Bauch hat soeben auch die Tore für Wespen und Hornissen geöffnet. Jetzt geht's los. Ich drehe mich um und sehe Joe den Weg hochkommen. In seinem Gang ist keine Elastizität. Die Schwerkraft hat eine Hand auf seiner Schulter, so wie nie zuvor.

»O, Schatz!«, ruft Mrs Fontaine aus. »Sieh nur, was Lennie dir gebracht hat. Hast du je solche Rosen gesehen! Ich ganz bestimmt nicht. Meine Güte.« Mrs Fontaine spricht jetzt direkt mit den Rosen und saugt ihren Duft in tiefen Zügen ein. »Nun, ich bring sie mal rein und suche einen schönen Platz für sie. Amüsiert euch nur, Kinder ....«

Ihr Kopf verschwindet total im Rosenstrauß, als die Tür hinter ihr zugeht. Ich will mich auf sie stürzen, die Blumen packen und kreischen: *Ich brauche diese Rosen nötiger als Sie!*, aber ich habe ein dringlicheres Problem: Joes schweigendes Wüten neben mir.

Sobald die Tür ins Schloss gefallen ist, sagt er: »Du

kapierst es immer noch nicht, was?« Sein Ton ist so drohend, nicht ganz so wie der eines Haies – wenn der sprechen könnte –, aber nah dran. Er zeigt auf die Tür, hinter der Dutzende aphrodisiakischer Rosen die Luft mit Verheißung erfüllen.

»Das soll wohl ein Witz sein. Glaubst du, das geht so einfach?« Sein Gesicht läuft rot an, die Augen treten hervor und sein Blick ist irre. »Ich will keine winzigen Kleider oder bescheuerte scheiß Zauberblumen!« Er fuchtelt herum wie eine Marionette. »Ich *bin* bereits in dich verliebt, Lennie, kapierst du das nicht? Aber ich kann nicht mit dir zusammen sein. Jedes Mal wenn ich die Augen zumache, sehe ich dich mit *ihm*.«

Ich stehe da wie vom Donner gerührt – klar, hier sind eben ein paar entmutigende Dinge gesagt worden, aber die scheinen alle unter den Tisch gefallen zu sein. Mir bleiben sechs wunderbare Wörter: *Ich bin bereits in dich verliebt*. Gegenwart, nicht Vergangenheit. Rachel Brazile soll sich gehackt legen. Ein Himmel voller Hoffnung knallt mir an den Kopf.

»Lass mich erklären«, sage ich, fest entschlossen, dieses Mal meinen Text nicht zu vergessen, fest entschlossen, ihm die Augen zu öffnen.

Er gibt ein Geräusch von sich, eine Mischung aus Stöhnen und Knurren, so etwa: *ahhhharrrgh*, dann sagt er: »Da gibt's nichts zu erklären. Ich hab euch *gesehen*. Du hast mich von vorne bis hinten belogen.«

»Toby und ich waren –«

Er fällt mir ins Wort. »Lass das, ich will nichts davon hören. Ich hab dir erzählt, was mir in Frankreich passiert ist, und trotzdem hast du das gemacht. Ich kann dir nicht vergeben. So bin ich nun mal. Du musst mich in Ruhe lassen. Tut mir leid.«

Meine Knie werden weich, als mir langsam aufgeht, dass sein Schmerz und seine Wut längst über seine Liebe triumphieren.

Mit einer Geste weist er den Hügel hinunter, dorthin, wo Toby und ich in jener Nacht gestanden haben, und sagt: »Was. Hast. Du. Erwartet?« Was *hab* ich denn erwartet? In einem Moment versucht er mir zu sagen, dass er mich liebt, und im nächsten sieht er, wie ich einen anderen Typen küsse. Selbstverständlich fühlt er so.

Ich muss etwas sagen, also sage ich das Einzige, was in meinem verwirrten Herzen einen Sinn ergibt. »Ich bin so verliebt in dich.«

Meine Worte hauen ihn um.

Es ist, als ob um uns herum alles innehält, um ja nicht zu verpassen, was als Nächstes passiert – die Bäume beugen sich vor, Vögel fliegen auf der Stelle, Blumen halten die Blütenblätter still. Bleibt ihm etwas anderes übrig, als sich dieser verrückten großen Liebe zu ergeben, die wir beide fühlen? Das ist doch nicht möglich, oder?

Ich strecke meine Hand aus, will ihn berühren, aber er zieht seinen Arm aus meiner Reichweite.

Er schüttelt den Kopf, schaut auf den Boden. »Ich kann nicht mit jemandem zusammen sein, der mir so was antut.« Dann sieht er mir direkt in die Augen und sagt: »Ich kann nicht mit jemandem zusammen sein, der *seiner Schwester* so was antut.«

Diese Wörter haben die Kraft einer Guillotine. Ich taumele zurück, zersplittere in tausend Stücke. Seine Hand zuckt vor seinen Mund. Vielleicht wünscht er sich, die Worte zurückzunehmen. Vielleicht denkt er, er ist zu weit gegangen, aber es spielt keine Rolle. Ich sollte es kapieren und ich hab's kapiert.

Ich tu das Einzige, was möglich ist. Ich drehe mich um und renne weg von ihm, hoffe, dass meine zitternden Beine mich tragen, bis ich geflohen bin. Wie Heathcliff und Cathy hatte ich den Big Bang, die Liebe meines Lebens, und ich hab alles zerstört.

Ich will nur noch hoch ins Allerheiligste, damit ich mir die Decke über den Kopf ziehen und für mehrere Hundert Jahre verschwinden kann. Außer Atem vom Rennen stürze ich durch die Haustür. Ich fege an der Küche vorbei, komme aber zurück, als mein Blick auf Grama fällt. Mit vor der Brust verschränkten Armen sitzt sie am Küchentisch, ihr Gesicht ist hart und streng. Vor ihr auf dem Tisch liegt ihre Gartenschere und mein Exemplar von *Sturmhöhe*.

Uh-oh.

Sie kommt sofort zur Sache. »Du hast ja keine Ahnung, wie nah ich dran war, dein kostbares Buch in Stücke zu schneiden, aber ich hab mich im Griff und ich habe Respekt vor den Sachen anderer Leute.« Sie steht auf. Wenn Grama wütend ist, nimmt sie praktisch doppelte Größe an und geballte drei Meter sechzig stampfen quer durch die Küche direkt auf mich zu.

»Was hast du dir dabei gedacht, Lennie? Du kommst daher wie Gevatter Tod und mähst meinen Garten nieder, meine *Rosen*. Wie konntest du nur? Du weißt genau, dass ich es nicht mag, wenn jemand meine Blumen anfasst. Das ist nun wirklich das Einzige, das ich verlange. Das und mehr nicht.«

Drohend ragt sie über mir auf. »Und?«

»Die wachsen wieder nach.« Ich weiß, ich hab das Falsche gesagt, aber der Heute-schreien-wir-Lennie-an-Tag fordert seinen Tribut.

Sie wirft die Arme hoch, ist völlig außer sich über mich, und plötzlich fällt mir auf, wie viel Ähnlichkeit ihr Mienenspiel und Gefuchtel mit dem von Joe hat. »Darum geht es nicht, und das weißt du.« Sie zeigt auf mich. »Du bist ziemlich egoistisch geworden, Lennie Walker.«

Damit hab ich nicht gerechnet. Noch nie im Leben hat mich jemand egoistisch genannt, erst recht nicht Grama – der nie versiegende Brunnen des Lobens und Hätschelns. Treten sie und Joe grad beim selben Prozess als Zeugen auf?

Kann dieser Tag noch schlimmer werden?

Ist die Antwort darauf nicht immer Ja?

Gramas Hände sind jetzt auf ihren Hüften, ihr Gesicht ist gerötet, die Augen funkeln, ojeoje – ich lehne mich gegen die Wand, mache mich auf den bevorstehenden Angriff gefasst. Sie beugt sich über mich. »Jawohl, Lennie. Du benimmst dich, als wärst du die Einzige in diesem Haus, die jemanden verloren hat. Sie war wie meine Tochter, weißt du, wie sich das anfühlt? Weißt du das? Meine *Tochter*. Nein, du weißt es nicht, du hast ja nicht ein Mal gefragt. Nicht ein einziges Mal hast du gefragt, wie es mir geht. Ist dir je in den Sinn gekommen, dass *ich* vielleicht das Bedürfnis haben könnte zu reden?« Jetzt brüllt sie. »Ich weiß, dass du am Boden zerstört bist, Lennie, aber du bist nicht die Einzige.«

Die ganze Luft saust aus dem Raum und ich sause mit.

32. Kapitel

Bailey packt meine Hand.
Und zieht mich aus dem Fenster.
In den Himmel,
zieht Musik aus meinen Taschen.
»Zeit für dich, fliegen zu lernen«, sagt sie
und verschwindet.

(Gefunden auf einem Bonbonpapier auf dem Pfad zum Rain River)

Ich schiesse den Flur entlang und zur Tür hinaus, springe alle vier Stufen der Veranda runter. Ich will in die Wälder rennen, vom Pfad abweichen und einen Platz finden, an dem niemand mich aufspüren kann. Dort will ich mich unter eine knorrige Eiche setzen und weinen. Weinen, weinen, weinen und weinen, bis die Erde des ganzen Waldes zu

Matsch geworden ist. Aber als ich den Pfad erreiche, merke ich, dass ich es nicht kann. Ich kann nicht von Grama weglaufen, erst recht nicht nach allem, was sie eben gesagt hat. Denn ich weiß, dass sie recht hat. Sie und Big waren so was wie Hintergrundgeräusche für mich, seit Bailey gestorben ist. Ich habe kaum einen Gedanken darauf verschwendet, was sie durchmachen. Toby habe ich mir zu meinem Verbündeten im Schmerz erkoren, als ob er und ich das Exklusivrecht auf Trauer hätten, das Exklusivrecht auf Bailey selbst. Ich denke an die vielen Male, wo Grama in der Tür zum Allerheiligsten gestanden und versucht hat, mich dazu zu bringen, über Bailey zu reden, wie sie mich gebeten hat, runterzukommen und eine Tasse Tee zu trinken. Ich hatte immer gedacht, sie wolle mich trösten. Nie ist mir in den Sinn gekommen, sie könnte es selbst brauchen zu reden, sie könnte *mich* brauchen.

Wie hatte ich nur so achtlos mit ihren Gefühlen umgehen können? Und mit Joes? Und denen aller anderen?

Ich atme tief durch, drehe mich um und mache mich auf den Weg zurück zur Küche. Bei Joe kann ich nichts mehr retten, aber bei Grama kann ich es wenigstens versuchen. Sie sitzt noch immer auf demselben Stuhl am Tisch. Ich stelle mich vor sie auf die andere Seite, lege die Hände auf die Tischplatte und warte darauf, dass sie zu mir aufschaut. Kein Fenster ist offen und die heiße, stickige Küche riecht fast schon faulig.

»Es tut mir leid«, sage ich. »Wirklich.« Sie nickt und guckt runter auf ihre Hände. In den letzten Monaten habe ich alle, die ich liebe, verletzt oder verraten, denke ich.

Grama, Bailey, Joe, Toby, Sarah, sogar Big. Wie hab ich das geschafft? Ich glaube, vor Baileys Tod habe ich eigentlich nie jemanden enttäuscht. Hat Bailey sich um alles und jeden für mich gekümmert? Oder hat vorher einfach nie jemand was von mir erwartet? Oder hab ich nur nie etwas gemacht oder gewollt und hab ich deshalb nie die Konsequenzen meiner vermurksten Taten tragen müssen? Oder bin ich wirklich egoistisch geworden und nur mit mir beschäftigt? Oder trifft alles Obengenannte zu?

Ich guck mir die kränkliche Lennie-Topfblume auf dem Küchentresen an und bin mir ganz sicher, dass ich das nicht mehr bin. Das war ich einmal, früher, und deshalb stirbt sie jetzt. Dieses Ich gibt es nicht mehr.

»Ich weiß nicht, wer ich bin«, sage ich und setze mich. »Ohne sie kann ich nicht mehr sein, wer ich war, und wer ich werde, ist ein totales Desaster.«

Grama leugnet das nicht. Sie ist immer noch wütend, nicht mehr drei Meter sechzig wütend, aber ziemlich wütend.

»Nächste Woche könnten wir in die Stadt fahren, Mittag essen und den ganzen Tag zusammen verbringen«, sage ich und komm mir schäbig vor, weil ich mit einem Mittagessen aufwiegen will, dass ich sie monatelang ignoriert habe.

Sie nickt, denkt aber an etwas anderes. »Nur damit du es weißt, ohne sie weiß ich auch nicht, wer ich bin.«

»Wirklich?«

Sie schüttelt den Kopf. »Nee. Sobald du und Big aus dem Haus seid, stehe ich jeden Tag nur vor einer leeren Leinwand und denke, wie angewidert ich doch von der Farbe

Grün bin, wie mich jede einzelne ihrer Schattierungen anekelt oder enttäuscht oder mir das Herz bricht.« Traurigkeit erfüllt mich. Ich stelle mir vor, wie all die grünen, gertenschlanken Frauen von ihren Leinwänden gleiten und sich zu unserer Haustür hinausschleichen.

»Versteh ich«, sage ich leise.

Grama schließt die Augen. Ihre Hände liegen gefaltet vor ihr auf dem Tisch. Ich lege meine Hand auf ihre und sie nimmt sie schnell zwischen ihre Handflächen.

»Es ist furchtbar«, flüstert sie.

»Das ist es«, sage ich.

Das Licht des frühen Nachmittags fließt durch die Fenster ab und hinterlässt lange, dunkle Zebraschatten im Raum. Grama sieht alt und müde aus, und das macht mich ganz verzweifelt. Bailey, Onkel Big und ich sind ihr ganzes Leben gewesen, abgesehen von ein paar Generationen von Blumen und einer Menge grüner Gemälde.

»Weißt du, was ich noch hasse?«, sagt sie. »Ich hasse es, wenn mir alle immerzu sagen, dass ich Bailey in meinem Herzen trage. Ich möchte sie anbrüllen: *Da will ich sie nicht haben*. In der Küche soll sie sein, bei Lennie und mir. Am Fluss soll sie sein mit Toby und ihrem Kind. Ich will, dass sie Julia ist und Lady Macbeth, ihr dummen, dummen Leute. Bailey will weder in meinem Herzen noch in irgendeinem anderen gefangen sein.« Grama haut mit der Faust auf den Tisch. Ich drücke mit den Händen zu und nicke, *Ja*, und fühle, *Ja*, ein riesiges, pulsierendes, wütendes *Ja*, das von ihr zu mir geht. Ich schaue auf unsere Hände und mein Blick fällt auf *Sturmhöhe*, das da still und hilflos und störrisch wie eh und je liegt. Ich denke an all die vergeudeten Leben, all die vergeudete Liebe, die sich da ballt.

»Grama, tu es.«

»Was? Was soll ich tun?«, fragt sie.

Ich nehme das Buch und die Gartenschere und halte sie ihr hin. »Mach's einfach, hack es in Stücke. Hier.« Finger und Daumen gleiten in den Griff der Gartenschere, genau wie heute Morgen, aber dieses Mal empfinde ich keine Angst, nur dieses wilde, pulsierende, total angepisste *Ja* rast in mir, als ich einen Schnitt in das Buch mache, in dem ich angestrichen und Notizen gemacht habe, ein Buch, das von den Jahren mit mir zerknickt und verschmutzt ist, Jahre von Flusswasser und Sommersonne und Sand vom Strand, Schweiß von den Handflächen, ein Buch, das sich den Kurven meines wachen und schlafenden Körpers angepasst hat. Ich mache noch einen Schnitt, schneide durch einen dicken Batzen Papier, durch all die winzigen Wörter, schneide die leidenschaftliche, hoffnungslose Geschichte in Stücke, schlitze ihr Leben auf, ihre unmögliche Liebe, ihr ganzes Chaos und ihre Tragödie. Jetzt gehe ich zum Angriff über, genieße das Geräusch der Schneiden, das metallische Kratzen nach jedem herrlichen Schnitt. Ich zerschneide Heathcliff, den armen, liebeskranken, verbitterten Heathcliff und die dumme Cathy wegen der schlechten Wahl, die sie getroffen hat, und der unverzeihlichen Kompromisse. Und wo ich gerade dabei bin, bekommt Joes Eifersucht, Wut und Verurteilung auch gleich etwas mit und seine *schwachköpfige Unfähigkeit* zu vergeben. Ich hacke auf diesen lächerlichen Alles-oder-nichts-Hornisten-Blödsinn ein, und dann mache ich mich über meine Doppelzüngigkeit, meine Täuschungsmanöver, das Chaos, den Schmerz und mein schlechtes Urteilsvermögen und meinen überwältigenden, nie endenden Kummer her. Ich schneide immer weiter auf alles mir in den Sinn Kommende ein, das Joe und mich davon abhält, diese wunderbare große Liebe zu leben, solange wir das können.

Grama hat Stielaugen und bekommt den Mund nicht zu. Aber dann findet ein schwaches Lächeln ihre Lippen. Sie sagt: »So, lass mich mal.« Und dann nimmt sie die Schere und fängt an zu schneiden, zögerlich zuerst, doch dann wird sie genauso mitgerissen wie ich zuvor und hackt auf ganze Bündel von Seiten ein, bis die Wörter um uns herumfliegen wie Konfetti.

Grama lacht. »Nun, das kam unerwartet.« Wir sind beide außer Atem, erschöpft und lächeln benommen.

»Ich bin mit dir verwandt – oder nicht?«, sage ich.

»O, Lennie, du hast mir gefehlt.« Sie zieht mich auf ihren Schoß wie eine Fünfjährige. Ich glaube, sie hat mir verziehen.

»Tut mir leid, dass ich dich angebrüllt hab, kleine Wicke«, sagt sie und zieht mich in ihre Wärme.

Ich drücke sie zur Antwort. »Soll ich uns Tee machen?«, frage ich.

»Ist wohl besser, wir haben so viel nachzuholen. Aber der Reihe nach: Du hast meinen ganzen Garten verwüstet und ich muss wissen, ob es funktioniert hat.«

Wieder höre ich: *Ich kann nicht mit jemandem zusammen sein, der seiner Schwester so was antut*, und mein Herz krampft sich so fest in der Brust zusammen, dass ich kaum noch Luft kriege. »Keine Chance. Es ist vorbei.«

Grama sagt leise: »Ich hab gesehen, was an diesem Abend passiert ist.« Da verkrampfe ich mich noch mehr, rutsche von ihrem Schoß und gehe den Wasserkessel füllen. Ich hatte ja schon vermutet, dass Grama gesehen hat, wie Toby und ich uns geküsst haben, aber die tatsächliche Gewissheit lässt Schamwellen in mir hochschwappen. Ich kann sie nicht ansehen. »Lennie?« Ihr Ton ist nicht anklagend. Ich entspanne mich ein wenig. »Hör mir mal zu.«

Ich drehe mich langsam um und sehe sie an.

Sie wedelt mit der Hand um den Kopf herum, als wollte sie eine Fliege verscheuchen. »Ich will nicht leugnen, dass es mich für ein oder zwei Minuten sprachlos gemacht hat.« Sie lächelt. »Aber so verrückte Dinge passieren nun mal, wenn Menschen so geschockt und vom Kummer gebeutelt sind. Ich staune, dass wir uns alle noch auf den Beinen halten.«

Ich kann gar nicht fassen, wie bereitwillig Grama das abtut und mir die Absolution erteilt. Vor Dankbarkeit möchte ich ihr vor die Füße fallen. In dieser Sache hat sie sich ganz bestimmt nicht mit Joe beraten, aber seine Worte tun nun weniger weh, und deswegen bringe ich den Mut auf zu fragen: »Glaubst du, dass sie mir das je verzeihen würde?«

»O, meine kleine Wicke, verlass dich drauf, das hat sie längst getan.«

Grama droht mir mit dem Finger. »Joe wiederum, das ist eine andere Geschichte. Der wird Zeit brauchen …«

»So etwa dreißig Jahre«, sage ich.

»Oho – armer Junge, das war vielleicht ein Anblick, Lennie Walker.« Grama guckt mich verschmitzt an. Sie ist wieder keck wie eh und je. »Ja, Len, wenn du und Joe Fontaine siebenundvierzig seid –«, sie lacht. »Dann werden wir eine wunderwunderschöne Hochzeit vorbereiten –«

Mitten im Satz hält sie inne, sie muss mein Gesicht gesehen haben. Ich will ihr die gute Laune nicht verderben und strenge jeden Muskel an, um mein gebrochenes Herz zu verbergen, aber diese Schlacht verliere ich.

»Lennie.« Sie kommt rüber zu mir.

»Er hasst mich«, sage ich.

»Nein«, sagt sie voller Wärme. »Wenn es je einen verliebten Jungen gegeben hat, Schatz, dann ist es Joe Fontaine.«

Grama hat mich zum Arzt geschickt,
der sollte nachsehen,
ob was nicht stimmte
mit meinem Herzen.
Nach einem Haufen Tests sagte der Arzt:
Glück gehabt, Lennie.
Ich wollte ihm ins Gesicht schlagen,
fing aber nur an zu weinen,
so als würde ich untergehen.
Ich konnte nicht glauben,
dass ich ein glückliches Herz hatte,
ich wollte doch nur
so ein Herz
wie Bailey.
Ich hab nicht gehört, wie Grama reinkam
und sich hinter mich stellte,
hab nur ihre Arme gespürt, die sich um mein Zittern legten,
dann den festen Druck ihrer Hände
auf meiner Brust, die alles beieinander,
mich zusammengehalten haben.
Gott sei Dank, hat sie geflüstert,
ehe der Arzt oder ich ein Wort sagen konnten.
Woher wusste sie nur,
dass ich gute
Nachrichten
bekommen hatte?

(Gefunden auf der Rückseite eines Umschlags auf dem Pfad zum Waldschlafzimmer)

33. Kapitel

Als der Tee in den Bechern und das Fenster offen ist und Grama und ich entspannt im schwindenden Licht sitzen, sage ich leise: »Ich möchte mit dir über etwas reden.«

»Nur los, kleine Wicke.«

»Ich will über Mom reden.«

Sie seufzt, lehnt sich in ihrem Stuhl zurück. »Ich weiß.« Sie verschränkt die Arme vor der Brust, hält beide Ellenbogen fest und wiegt sich. »Ich war oben auf dem Dachboden. Du hast den Kasten auf ein anderes Regalbrett gestellt –«

»Ich hab nicht viel gelesen … tut mir leid.«

»Nein, mir tut es leid, in den letzten Monaten hab ich mit dir über Paige reden wollen, aber …«

»Ich hab dich nicht reden lassen.«

Sie nickt kaum merklich. So ernst habe ich ihr Gesicht noch nie gesehen. »Bailey hätte nicht sterben dürfen, ohne mehr über ihre Mutter zu wissen.«

Ich senke den Blick. Das ist wahr – es war ein Irrtum zu denken, Bailey würde nicht alles wissen wollen, was ich weiß, ob es nun wehtut oder nicht. Ich fahre mit den Fingern durch die Überreste von *Sturmhöhe* und warte darauf, dass Grama spricht.

Als sie es tut, ist ihr Ton angespannt, gepresst. »Ich dachte, ich würde euch Mädchen beschützen, aber mittlerweile bin ich mir ziemlich sicher, dass ich nur mich selbst beschützt habe. Es ist so schwer für mich, über sie zu sprechen. Je besser ihr Mädchen sie kennt, hab ich mir gedacht, desto größer der Schmerz.« Sie fegt einen Teil des Buches zu sich heran. »Ich habe mich auf die Rastlosigkeit konzentriert, damit ihr Mädchen euch nicht so verlassen fühlt, damit ihr Paige keine Vorwürfe macht oder – schlimmer noch – euch selbst etwas vorwerft. Ihr solltet sie bewundern. Das ist alles.«

Das ist alles? Hitze steigt in meinem Körper auf. Grama streckt ihre Hand nach meiner aus. Ich rutsche von ihr weg.

»Du hast dir einfach eine Geschichte ausgedacht, weil wir uns nicht verlassen fühlen sollten …« Ich schaue ihr in die Augen und weiche trotz des Schmerzes in ihrem Gesicht nicht aus. »Aber wir *wurden* verlassen, Grama, und wir wussten nicht, warum, wussten gar nichts über sie, abgesehen von einer verrückten Geschichte.« Mir ist danach, eine Faustvoll *Sturmhöhe* zusammenzuraffen und sie damit zu bewerfen. »Warum sagst du nicht einfach, sie ist verrückt, wenn das so ist? Warum hast du nicht die Wahrheit gesagt, egal, wie die aussieht? Wäre das nicht besser gewesen?«

Sie packt mein Handgelenk, fester als beabsichtigt, glaube ich. »Aber es gibt nicht nur eine einzige Wahrheit, Lennie, die gibt es nie. Was ich euch erzählt habe, war nicht einfach irgendeine Geschichte, die ich mir ausgedacht hatte.« Sie versucht, ruhig zu sein, aber ich spüre, dass sie nur

Augenblicke davon entfernt ist, zu doppelter Größe anzuwachsen. »Ja, es ist wahr, dass Paige kein in sich gefestigtes Mädchen war. Wenn man alle Äste in der Krone hat, wird man wohl kaum zwei kleine Mädchen verlassen und einfach nicht wiederkommen.« Da sie nun meine ungeteilte Aufmerksamkeit hat, lässt sie mein Handgelenk los. Sie schaut sich wild im Raum um, als ob die Worte, die sie braucht, an der Wand zu finden wären. Nach einer Weile sagt sie: »Deine Mutter war ein verantwortungsloser Wirbelwind von einer Frau. Doch es ist auch wahr, dass sie nicht der erste Wirbelwind war, der durch diese Familie gefegt ist, und nicht die Erste, die auf diese Art verschwunden ist. Sylvie kam in diesem verbeulten gelben Cadillac wieder zurück in die Stadt, nachdem sie sich zwanzig Jahre lang herumgetrieben hatte. Zwanzig Jahre!« Sie schlägt die Faust auf den Tisch, heftig, die Haufen *Sturmhöhe* machen einen Satz. »Ja, vielleicht hätte ein Arzt einen Namen dafür oder eine Diagnose, aber was spielt es schon für eine Rolle, wie wir es nennen, es bleibt, was es ist, und wir nennen das Rastlosigkeits-Gen, na und? Ist genauso wahr wie alles andere.«

Sie nimmt einen Schluck von ihrem Tee, verbrennt sich die Zunge. »Au«, macht sie ganz untypisch und fächelt sich Luft in den Mund.

»Big denkt, du hast es auch«, sage ich. »Das Rastlosigkeits-Gen.« Auf dem Tisch stelle ich die Wörter zu neuen Sätzen um. Ich schaue zu ihr hoch, weil die Stille mich befürchten lässt, dass dies zuzugeben nicht allzu gut rüberkommt.

Ihre Stirn ist gerunzelt. »Das hat er gesagt?« Grama hat

sich mir angeschlossen, sie schiebt nun auch Wörter auf dem Tisch herum. *Unter dem gütigen Himmel* legt sie neben *ewig verschlossen.*

»Er glaubt, du hältst das nur unter Verschluss«, sage ich.

Sie hört auf, Wörter zu verschieben. In ihrem Gesicht zeigt sich etwas sehr Ungramatypisches, etwas Unstetes, Ausweichendes. Sie mag mir nicht in die Augen schauen, und dann erkenne ich, was es ist, denn in letzter Zeit hab ich das recht gut kennenlernen können – es ist Scham.

»Was ist, Grama?«

Sie presst die Lippen so fest aufeinander, dass sie weiß werden, sie will sie anscheinend versiegeln, damit auch ja kein Wort drüberkommt.

»Was ist?«

Sie steht auf, geht zum Küchentresen, stützt sich darauf und schaut aus dem Fenster auf ein Königreich vorüberziehender Wolken. Ich behalte ihren Rücken im Auge und warte. »Ich habe mich in dieser Geschichte versteckt, Lennie, und ihr Mädchen – und auch Big – habt euch mit mir darin verstecken müssen.«

»Aber eben hast du gesagt –«

»Ich weiß – nicht, dass es nicht wahr wäre, aber es ist auch wahr, dass es verdammt viel einfacher ist, die Schuld beim Schicksal oder in den Genen zu suchen als bei mir selbst.«

»Bei dir?«

Sie nickt, sonst sagt sie nichts weiter, sondern starrt einfach nur zum Fenster hinaus.

Kälte kriecht mir das Rückgrat hoch. »Grama?«

Sie hat sich von mir abgewendet, ich kann ihren Gesichtsausdruck nicht sehen. Ich weiß nicht, warum, aber ich habe Angst vor ihr, es ist, als wäre sie in die Haut einer anderen geschlüpft. Sogar ihre Körperhaltung ist anders, irgendwie schrumpelig. Als sie endlich etwas sagt, ist ihre Stimme zu tief und ruhig. »Ich erinnere mich noch an jede Einzelheit dieses Abends …«, sagt sie und hält dann inne. Ich überlege mir, ob ich nicht weglaufen soll, weg von dieser schrumpeligen Grama, die spricht wie in Trance. »Ich weiß noch, wie kalt es war, viel zu kalt für die Jahreszeit, und dass die Küche voller Lilien war. Ich hatte an diesem Tag alle Vasen gefüllt, weil sie vorbeikommen wollte.« Jetzt lächelt Grama, ich höre es an ihrer Stimme, und ich entspanne mich ein wenig. »Sie trug so ein langes grünes Kleid, eher so was wie ein riesiger Schal, völlig unpassend, typisch Paige – es war immer so, als hätte sie ihr eigenes Wetter dabei.« Das hier habe ich noch nie über meine Mutter gehört, nie hab ich auch nur ein Wort über so was Echtes wie ein grünes Kleid gehört oder eine Küche voller Lilien. »Sie war so unruhig an diesem Abend, sie lief immer in der Küche auf und ab, nein, sie lief nicht, sie wehte hin und her in diesem Schal. Ich erinnere mich noch, dass ich dachte, sie ist wie gefangener Wind, ein wilder Sturm, der hier in der Küche mit mir eingesperrt ist, wenn ich ein Fenster aufmachen würde, wäre sie weg.«

Grama dreht sich zu mir um, als ob ihr endlich eingefallen wäre, dass ich da bin. »Deine Mutter war am Ende ihrer Fahnenstange angelangt und ihre Fahnenstange war nie besonders lang gewesen. Sie war übers Wochenende gekommen, damit ich euch Mädchen sehen konnte. Wenigstens dachte ich, das wäre der Grund, bis sie dann anfing zu fragen, was ich tun würde, wenn sie wegginge. ›Weggehen?‹, hab ich gesagt. ›Wohin? Für wie lange?‹ Und da hab ich dann herausgefunden, dass sie ein Flugticket nach Gott weiß wo hatte, sie wollte nicht sagen, wohin, und dass sie vorhatte, es zu benutzen. Ein One-Way-Ticket. Sie sagte mir, sie könnte es nicht, das Muttersein würde einfach nicht in ihr stecken. Ich hab ihr gesagt, in ihr würde genug stecken, sie könne nicht weggehen, sie hätte die Verantwortung für euch Mädchen. Ich hab ihr gesagt, sie müsse sich zusammenreißen wie jede andere Mutter auf dieser Erde. Ich hab ihr gesagt, dass ihr alle hier wohnen könntet, ich würde ihr helfen, aber sie dürfe nicht einfach so abhauen wie all die anderen in dieser verrückten Familie, das würde ich nicht zulassen. ›Aber wenn ich weggehen würde‹, beharrte sie, ›was würdest du machen?‹ Immer wieder hat sie das gefragt. Ich weiß noch, dass ich immer wieder versucht habe, sie an den Armen festzuhalten, damit sie wieder Vernunft annahm, so wie früher, wenn sie sich als kleines Mädchen zu sehr aufgeregt hatte, aber sie rutschte mir immer wieder durch die Finger, als wäre sie aus Luft.« Grama atmet tief. »An diesem Punkt war ich selbst schon sehr aufgebracht und du weißt ja, wie das ist, wenn ich hochgehe. Ich fing an zu brüllen. Ich hab auch einen guten Schuss Wirbelwind in mir, da ist kein Vertun, besonders als ich jünger war, Big hat recht.« Sie seufzt. »Ich bin ausgerastet, komplett ausgerastet. ›Was glaubst du denn, was ich mache, wenn du weggehst?‹, hab ich gebrüllt. ›Es sind meine Enkelinnen. Aber, Paige, wenn du gehst, kannst du nie wieder zurückkommen. Nie. Für die beiden wirst du tot sein, in ihren Herzen tot – und für mich bist du auch tot. Tot. Für uns alle.‹ Das genau waren meine widerwärtigen Worte. Dann hab ich mich für den Rest des Abends in meinem Atelier eingeschlossen. Am nächsten Morgen war sie weg.«

Ich bin auf meinem Stuhl zusammengesackt, als hätte ich keine Knochen. Grama steht auf der anderen Seite des Raumes in einem Gefängnis aus Schatten. »Ich hab deiner Mutter gesagt, sie soll nie wiederkommen.«

Sie kommt wieder, Mädchen.

Ein Gebet, nie ein Versprechen.

Ihre Stimme ist kaum lauter als ein Flüstern. »Es tut mir leid.«

Ihre Worte sind wie Sturmwolken durch mich hindurchgebraust, sie haben die Landschaft verändert. Ich schau ihre gerahmten grünen Damen ringsherum an, allein drei von ihnen hängen in der Küche, Frauen, die irgendwo zwischen hier und da stecken geblieben sind – jede einzelne Paige, alle Paige in einem wallenden grünen Kleid. Da bin ich mir jetzt sicher. Ich denke daran, wie Grama dafür gesorgt hat, dass unsere Mutter in unseren Herzen nie gestorben ist, wie sie dafür gesorgt hat, dass Paige Walker nie die Schuld dafür tragen musste, ihre Kinder verlassen zu haben. Und ich denke daran, wie Grama sich – ohne unser Wissen – diese Schuld selbst aufgeladen hat.

Ich erinnere mich an das Hässliche, das ich an jenem Abend oben an der Treppe gedacht hatte, als ich mitgehört hatte, wie sie sich bei der Halbmutter entschuldigte. Auch ich hatte ihr die Schuld gegeben. Für Dinge, die nicht mal die allmächtige Grama im Griff hatte.

»Es ist nicht deine Schuld«, sage ich mit einer Gewissheit in der Stimme, die ich noch nie gehört habe. »Das war es nie, Grama. *Sie* ist gegangen. *Sie* ist nicht wiedergekommen – es war ihre Wahl, nicht deine. Egal, was du zu ihr gesagt hast.«

Grama stößt die Luft aus, als hätte sie sechzehn Jahre lang den Atem angehalten.

»O, Lennie«, sagt sie. »Ich glaube, du hast gerade das Fenster aufgemacht«, sie fasst sich an die Brust, »und sie rausgelassen.«

Ich stehe von meinem Stuhl auf und gehe zu ihr, zum ersten Mal begreife ich, dass sie zwei Töchter verloren hat, ich weiß nicht, wie sie das ertragen kann. Und noch etwas geht mir auf. Ich teile diesen doppelten Kummer nicht. Ich habe eine Mutter und ich stehe so dicht vor ihr, dass ich sehen kann, wie das Gewicht der Jahre ihre Haut nach unten zieht, ich kann den Tee in ihrem Atem riechen. Und ich frage mich, ob Baileys Suche nach Mom auch hierher geführt hätte, zurück zu Grama. Das hoffe ich. Sanft lege ich ihr meine Hand auf den Arm, wundere mich darüber, wie so eine große Liebe für einen Menschen in meinem winzigen Körper Platz finden kann. »Bailey und ich haben so ein Glück, dass wir dich haben«, sage ich. »Wir haben den Hauptpreis gewonnen.«

Für einen Moment schließt sie die Augen und dann bin ich plötzlich in ihren Armen und sie drückt mich, als wollte sie mir sämtliche Knochen zerquetschen. »Ich bin diejenige, die Glück gehabt hat«, sagt sie in mein Haar. »Und jetzt, glaube ich, müssen wir unseren Tee trinken. Schluss damit.«

Ich geh wieder zurück an den Tisch und mir wird eines klar: Das Leben ist ein verdammtes Chaos. Echt, ich werde Sarah sagen, dass wir eine neue philosophische Bewegung gründen müssen: Chaosenzialismus anstelle von Existenzialismus: für all jene, die in dem essenziellen Chaos schwelgen, das sich Leben nennt. Denn Grama hat recht, es gibt nicht nur eine Wahrheit, sondern ein ganzes Bündel von Geschichten, die sich alle auf einmal abspielen, in unseren Köpfen, in unseren Herzen, und sich dabei in die Quere kommen. Es ist alles ein wunderbares, katastrophales Chaos. Wie dieser Tag, an dem Mr James mit uns in den Wald gegangen ist und triumphierend gerufen hatte: »Das ist es. Das ist es!«, als die schwindelerregende Kakofonie von Soloinstrumenten versucht hatte, zusammen zu musizieren. Das ist es.

Ich schaue auf den Haufen Wörter, die einmal mein Lieblingsbuch waren. Ich möchte die Geschichte so wieder zusammenbauen, dass Cathy und Heathcliff eine andere Wahl treffen können und sich nicht mehr ständig selbst im Weg sind, damit sie ihren rasenden, vulkanischen Herzen folgen, bis sie sich in den Armen liegen. Aber das kann ich nicht. Ich hole den Mülleimer unter der Spüle heraus und fege Cathy und Heathcliff und den Rest ihres unglücklichen Schicksals hinein.

Später an diesem Abend spiele ich auf der Veranda immer wieder Joes Melodie, dabei überlege ich, in welchen Büchern die Liebe tatsächlich am Ende triumphiert. Bei Lizzie Bennet und Darcy, Jane Eyre kriegt schließlich Mr Rochester, aber der hatte seine Frau eine ganze Zeit lang eingesperrt, und das ist beunruhigend. Dann fällt mir noch Florentino Aziza aus *Liebe in Zeiten der Cholera* ein, doch der musste über fünfzig Jahre auf Fermina warten, um dann auf einem Schiff zu landen, das nirgendwohin fährt. Uah. Ich würd sagen, die literarische Ausbeute ist hier ziemlich mager, und das deprimiert mich. Wie konnte wahre Liebe in den Klassikern nur so selten obsiegen? Und was noch wichtiger ist: Was kann ich dafür tun, dass sie bei mir und Joe obsiegt? Wenn ich ihn doch nur zum Chaosentialismus bekehren könnte … *Wenn ich doch nur Räder am Hintern hätt, ich wär ein Leiterwagen*. Nach allem, was er heute gesagt hat, ist das wohl eine realistische Einschätzung meiner Aussichten.

Wahrscheinlich spiele ich dieses Lied zum fünfzigsten Mal, da merke ich, dass Grama hinter der Tür steht und mir zuhört. Ich dachte, sie hätte sich im Atelier eingeschlossen, um sich vom emotionalen Tumult des Nachmittags zu erholen. Plötzlich befangen, höre ich mitten im Ton auf zu spielen. Sie macht die Tür auf und kommt mit dem Mahagonikasten vom Speicher auf die Veranda. »Was für eine wunderbare Melodie. Ich wette, ich könnte sie mittlerweile selber spielen.« Sie verdreht die Augen, während sie das sagt, stellt den Kasten auf den Tisch und lässt sich auf die kleine Bank fallen. »Aber es ist schön, dich wieder spielen zu hören.«

Ich beschließe, es ihr zu erzählen. »Ich spiele im Herbst wieder für die erste Klarinette vor.«

»O, Schatz«, trällert sie. Im wahrsten Sinne des Wortes. »Das ist Musik für meine unmusikalischen Ohren.«

Ich lächele zwar, aber mir grummelt der Magen. Bei der nächsten Probe will ich es Rachel sagen. Alles wäre so viel leichter, wenn ich sie einfach nur mit einem Eimer Wasser übergießen könnte wie die Böse Hexe des Westens.

»Setz dich doch.« Grama klopft auf das Kissen. Ich setze mich zu ihr, die Klarinette ruht auf meinen Knien. Sie legt ihre Hand auf den Kasten. »Alles hier drinnen darfst du lesen. Mach alle Umschläge auf. Lies meine Zettel, die Briefe. Aber mach dich drauf gefasst, dass nicht alles schön ist, das gilt besonders für die frühen Briefe.«

Ich nicke. »Danke.«

»Schon gut.« Sie nimmt die Hand vom Kasten. »Ich mache einen Spaziergang in die Stadt, da treffe ich mich mit Big im *Saloon*. Ich kann einen starken Drink gebrauchen.« Sie zaust mir durchs Haar und lässt mich und den Kasten allein.

Nachdem ich meine Klarinette weggepackt habe, sitze ich mit dem Kasten auf dem Schoß da und fahre mit den Fingern über den Kreis galoppierender Pferde. Immer wieder. Ich will ihn öffnen und will es doch wieder nicht. Wahrscheinlich werde ich meine Mutter nie näher kennenlernen als jetzt, wer immer sie auch ist, Abenteuerin oder Bekloppte, die Heldin oder die Böse, wahrscheinlich nur eine sehr gestörte, komplizierte Frau. Ich schau rüber zu der Bande Eichen auf der anderen Straßenseite, wie mottenzerfressene Schals hängt das Spanische Moos über ihren gebeugten Schultern, die grauen, knorrigen Burschen stehen zusammen wie eine Gruppe alter, weiser Männer, die über ein Urteil beraten –

Die Tür knarrt. Ich drehe mich um, Grama hat einen knallpinken geblümten Keine-Ahnung-was-das-sein-Soll ... ein Mantel? ...ein Umhang? ... ein Duschvorhang? ... angezogen. Ihr Haar ist offen und wild und scheint unter Strom zu stehen. Sie trägt Make-up, einen auberginefarbenen Lippenstift, Cowboystiefel für ihre Yetifüße. Schön sieht sie aus und wahnsinnig. Das ist das erste Mal seit Baileys Tod, dass sie abends ausgeht. Sie winkt mir zu, dann geht sie die Stufen runter. Ich beobachte, wie sie durch den Garten schlendert. Kurz bevor sie an der Straße ist, dreht sie sich um, dabei hält sie ihr Haar fest, damit der Wind es ihr nicht in die Augen weht.

»He, ich geb Big einen Monat – und du?«

»Soll wohl ein Witz sein. Zwei Wochen, mehr nicht.«

»Du bist dran, Trauzeuge zu sein.«

»Geht klar«, sag ich lächelnd.

Sie erwidert mein Lächeln, aus ihrem königlichen Gesicht blitzt der Humor. Obwohl wir immer das Gegenteil behaupten, hebt nichts die Laune der Walkers so wie der Gedanke an eine weitere Hochzeit von Onkel Big.

»Mach's gut, kleine Wicke«, sagt sie. »Du weißt ja, wo wir sind ...«

»Keine Sorge«, sage ich, auf den Beinen spüre ich das Gewicht des Kastens.

Sobald sie weg ist, klappe ich den Deckel hoch. Ich bin bereit. All diese Zettel, all diese Briefe, die Arbeit von sechzehn Jahren. Ich stelle mir Grama vor, wie sie ein Rezept aufgeschrieben hat, einen Gedanken oder irgendetwas Albernes oder Nicht-so-Schönes, das sie mit ihrer Tochter teilen oder sich einfach nur selber merken wollte, das sie den ganzen Tag in ihre Tasche gestopft mit sich herumgetragen hat, um dann heimlich vor dem Schlafengehen auf den Dachboden zu schleichen und es in diesen Kasten zu legen, diesen Briefkasten ohne Leerungszeiten, Jahr für Jahr, ohne zu wissen, ob ihre Tochter je etwas davon lesen würde, ohne zu wissen, ob das überhaupt jemand tun würde –

Ich schnappe nach Luft. Genau das hab ich doch auch getan. Ich hab Gedichte geschrieben und sie in alle Winde verstreut mit derselben Hoffnung wie Grama, dass irgendwer, eines Tages, irgendwo verstehen könnte, wer ich bin, wer meine Schwester war und was uns passiert ist.

Ich hole die Umschläge heraus, zähle sie – fünfzehn, alle mit dem Namen Paige und dem Jahr darauf. Ich suche den ersten heraus, der vor sechzehn Jahren von Grama an ihre Tochter geschrieben worden ist. Als ich den Finger unter das Siegel schiebe, stelle ich mir vor, dass Bailey neben mir sitzt. *Okay*, sage ich zu ihr und ziehe den Brief aus dem Umschlag, *jetzt lernen wir unsere Mutter kennen.*

Okay, alles ist okay. Ich bin Chaosenzialistin – alles ist okay.

34. Kapitel

Die Shaw Ranch hat eine herausragende Stellung in Clover. Ihre Wiesen und Äcker ziehen sich in grüner und goldener Herrlichkeit vom Bergkamm bis hinunter zur Stadt. Ich gehe durch das Eisentor und dringe bis zu den Ställen vor, in denen ich Toby im Gespräch mit einer wunderschönen schwarzen Stute finde, die er absattelt.

»Ich wollte nicht stören«, sage ich und gehe auf ihn zu.

Er dreht sich um. »Wow, Lennie.«

Wir lächeln uns an wie die Idioten. Ich dachte, es wäre vielleicht irgendwie komisch, ihn zu sehen, aber wir scheinen beide ganz schön begeistert zu sein. Mir ist das peinlich, also gucke ich die Stute zwischen uns an und streichele ihr warmes, feuchtes Fell, spüre die Hitze, die ihr Körper ausstrahlt.

Toby schlägt mir mit dem Ende der Zügel leicht auf die Hand.

»Ich hab dich vermisst.«

»Ich dich auch.« Aber mit einiger Erleichterung stelle ich fest, dass kein Flattern im Magen zu spüren ist, nicht mal, wenn wir uns so in die Augen sehen wie jetzt. Nicht das kleinste Zittern. Ist der Bann gebrochen? Das Pferd schnaubt. Perfekt. Danke, Black Beauty –

»Wie wär's mit einem kleinen Ausritt?«, fragt er. »Wir könnten zum Bergkamm hoch. Ich war gerade da. Eine riesige Elchherde zieht da herum.«

»Toby, eigentlich dachte ich, wir könnten vielleicht mal Bailey besuchen.«

»Okay«, sagt er ohne Weiteres, als hätte ich ihn gebeten, Eis zu holen. Seltsam.

Ich geh nie wieder auf den Friedhof, hab ich mir gesagt. Zwar redet keiner von verrottendem Fleisch, Maden und Skeletten, aber wie kann man das verdrängen? Ich hab alles in meiner Macht Stehende versucht, um diese Gedanken auszuschalten, aber dazu war es absolut notwendig, mich von Baileys Grab fernzuhalten. Doch gestern Nacht, als ich all die Sachen auf ihrer Kommode angefasst habe, wie immer vor dem Schlafengehen, ging mir auf, dass sie nicht wollen würde, dass ich mich an die schwarzen Haare in ihrer Bürste klammere oder die widerliche Schmutzwäsche, die ich mich immer noch weigere zu waschen. Sie würde das total eklig finden: Lady-Havisham-und-ihr-Hochzeitskleid-eklig und trostlos. Ich bekam da so ein Bild von ihr, wie sie auf dem Hügel von Clovers Friedhof sitzt mit den uralten Eichen, Kiefern und Mammutbäumen – wie eine Königin, die Hof hält, und da wusste ich: Die Zeit ist reif.

Obwohl der Friedhof nah genug ist, um zu Fuß hinzugehen, springen wir in den Truck, als Toby fertig ist. Er steckt den Schlüssel ins Zündschloss, dreht ihn aber nicht um.

Durch die Windschutzscheibe starrt er hinaus auf die goldenen Wiesen, wobei er mit zwei Fingern ein Stakkato auf das Lenkrad trommelt. Er bringt sich auf Touren, weil er etwas sagen will. Ich lehne den Kopf an das Seitenfenster und schaue auf die Felder, stelle mir sein Leben hier vor und wie einsam es sein muss. Ein oder zwei Minuten später fängt er mit seiner tiefen, beruhigenden Bassstimme an zu reden. »Ich hab es immer gehasst, ein Einzelkind zu sein. Hab euch beneidet. Ihr wart so eng miteinander.«

Er packt das Lenkrad und starrt geradeaus. »Ich war so fasziniert davon, Bailey zu heiraten, dieses Baby zu kriegen … ich war fasziniert davon, Teil eurer Familie zu werden. Das wird sich jetzt lahm anhören, aber ich hab gedacht, ich könnte dir da durchhelfen. Ich wollte es. Ich wusste, Bailey hätte auch gewollt, dass ich es tu.« Er schüttelt den Kopf. »Und dann hab ich das alles versaut. Ich hab einfach … weiß auch nicht. Du hast verstanden – mir schien, du warst die Einzige, die das tat. Und plötzlich hab ich mich dir so nah gefühlt, zu nah. Ich war ganz durcheinander im Kopf –«

»Aber du hast mir geholfen«, unterbreche ich ihn. »Du bist der Einzige gewesen, der mich überhaupt finden konnte. Ich hab dieselbe Nähe gespürt, obwohl ich das nicht verstanden habe. Ich weiß nicht, was ich ohne dich gemacht hätte.«

Er dreht sich zu mir. »Echt?«

»Echt, Toby.«

Er lächelt mit zusammengekniffenen Augen. »Na ja, ich bin mir ziemlich sicher, dass ich jetzt die Finger von dir lassen kann. Aber ich weiß ja nicht, wie das mit dir und deinen

Frühlingsgefühlen ist ...« Er zieht eine Augenbraue hoch und mustert mich, dann lacht er, ganz frei und unbeschwert. Ich boxe ihn auf den Arm. Er macht weiter: »Also, vielleicht können wir ja ein bisschen Zeit miteinander verbringen – ich glaub nämlich, ich kann Gramas Einladungen zum Essen nicht länger ablehnen, sonst lässt sie mich von der Nationalgarde holen.«

»Kaum zu fassen, du hast gerade zwei Witze in einem Satz gemacht. Irre.«

»Ich bin schließlich nicht die totale Dumpfbacke, weißt du?«

»Ist wohl so. Irgendeinen Grund muss es ja dafür gegeben haben, dass meine Schwester den Rest ihres Lebens mit dir verbringen wollte!« Und einfach so stimmt alles zwischen uns, endlich.

»Na denn«, sagt er und startet den Truck. »Dann muntern wir uns mal mit 'ner Tour zum Friedhof auf.«

»Drei Witze, unglaublich.«

Das ist wahrscheinlich Tobys Wortvorrat für das ganze Jahr gewesen, denke ich, als wir dann schweigend die Straße entlangfahren. Das Schweigen ist voller Spannungen. Meinen. Ich bin nervös. Ich weiß eigentlich nicht, wovor ich Angst habe. Ich sag mir immer, es ist nur ein Stein, es ist nur ein hübsches Stück Land mit prächtigen Bäumen und Aussicht auf die Wasserfälle. Es ist nur ein Ort, an dem der Körper meiner wunderschönen Schwester in einem sexy schwarzen Kleid und Sandalen verrottet. Puh. Ich kann nichts dagegen machen. Alles, was ich mir nicht erlaubt habe, mir vorzustellen, überfällt mich: Ich denke an luftlose, leere

Lungen. Lippenstift auf ihrem starren Mund. Das Silberarmband, das Toby ihr geschenkt hatte, an ihrem pulslosen Handgelenk. Ihren Nabelring. Haare und Nägel, die im Dunkeln wachsen. Ihr Körper ohne Gedanken darin. Ohne Zeit. Ohne Liebe. Ein Meter achtzig Erde türmen sich auf ihr. Ich denke daran, wie das Telefon in der Küche geklingelt hat, an das dumpfe Geräusch, mit dem Grama zusammengebrochen ist, dann dieser unmenschliche Ton, der aus ihr aufstieg, der durch die Dielenbretter drang, bis hinauf in unser Zimmer.

Ich schaue rüber zu Toby. Er wirkt überhaupt nicht nervös. Mir wird etwas klar.

»Bist du schon da gewesen?«, frage ich.

»Klar doch«, antwortet er. »Fast jeden Tag.«

»Wirklich?«

Er guckt mich an, langsam dämmert es ihm. »Willst du damit sagen, du bist seitdem nicht wieder da gewesen?«

»Nein.« Ich schaue aus dem Fenster. Ich bin eine furchtbare Schwester. Gute Schwestern besuchen Gräber, trotz grauenvoller Gedanken.

»Grama kommt vorbei«, sagt er. »Sie hat ein paar Rosenbüsche gepflanzt und einen Haufen andere Blumen. Die Friedhofswärter haben ihr gesagt, sie müsse sie wegnehmen, aber jedes Mal, wenn sie ihre Pflanzen rausgerissen haben, hat sie einfach wieder welche eingepflanzt. Schließlich haben sie aufgegeben.« Ich kann gar nicht glauben, dass außer mir alle zu Baileys Grab gegangen sind. Ich kann gar nicht glauben, wie ausgeschlossen ich mich deswegen fühle.

»Und was ist mit Big?«, frage ich.

»Ich finde öfter Stummel von seinen Joints. Ein paar Mal waren wir zusammen da.« Er guckt rüber zu mir und sieht sich mein Gesicht für etwa eine Ewigkeit an. »Das ist nicht so schlimm, Len. Viel leichter, als du denkst. Das erste Mal hatte ich auch richtig Angst.«

Dann kommt mir ein Gedanke. »Toby«, sage ich zögerlich und nehme meinen ganzen Mut zusammen. »Du bist es doch sicherlich gewohnt, ein Einzelkind zu sein …« Meine Stimme wird zittrig. »Aber für mich ist das ganz neu.« Ich schaue raus. »Vielleicht könnten wir …«, plötzlich bin ich zu schüchtern, um meinen Gedanken zu Ende zu führen, aber er weiß, worauf ich hinauswill.

»Ich hab mir immer eine Schwester gewünscht«, sagt er und biegt in eine Parklücke auf dem winzigen Parkplatz ein.

»Gut«, sage ich, ganz und gar erleichtert. Ich lehne mich zu ihm hinüber und gebe ihm den sexlosesten kleinen Schmatz auf die Wange. »Komm mit«, fordere ich ihn auf, »sagen wir ihr, dass es uns leidtut.«

Es war einmal ein Mädchen, das plötzlich merkte, dass es tot war.
Sie verbrachte ihre Tage damit,
das Kinn in die Hand gestützt,
über den Himmelsrand zu spähen.
Sie langweilte sich wie blöde,
hatte sich noch nicht umgestellt
auf die langsamere Gangart des Himmelslebens.
Ihre Schwester schaute immer zu ihr hoch
Und winkte
Und das tote Mädchen winkte zurück,
aber sie war zu weit weg,
ihre Schwester konnte sie nicht sehen.
Das tote Mädchen dachte, ihre Schwester
Könnte ihr Zettel schreiben,
aber die Reise war einfach zu lang
für ein paar hingeworfene Worte hier und da,
deshalb ließ sie es sein.
Und dann, eines Tages, ging der erdgebundenen Schwester auf,
dass sie oben im Himmel Musik hören konnten.
Und fortan teilte die Schwester ihr alles,
was sie zu sagen hatte,
durch ihre Klarinette mit.
Und jedes Mal, wenn sie spielte,
sprang das tote Mädchen auf (egal, was sie gerade machte)
Und tanzte.

(Gefunden auf einem Stück Papier zwischen den Büchern der öffentlichen Bibliothek von Clover unter dem Buchstaben B)

35. Kapitel

Ich habe einen Plan. Ich werde Joe ein Gedicht schreiben, doch eins nach dem anderen.

Als ich in den Musiksaal komme, ist Rachel schon dabei, ihr Instrument auszupacken. Das ist der Moment. Meine Hand ist so feucht, dass ich beim Durchqueren des Raumes fürchte, der Griff von meinem Kasten könnte mir aus der Hand rutschen.

»Wenn das nicht John Lennon ist«, sagt sie, ohne aufzuschauen. Ist sie wirklich so schrecklich, dass sie mir Joes Spitznamen unter die Nase reibt? Offenbar, ja. Na gut, denn die Weißglut scheint meine Nerven zu beruhigen. Los geht's.

»Ich fordere dich heraus, ich will erste Klarinette spielen«, sage ich. Wilder Applaus und stehende Ovationen brechen in meinem Kopf aus. Noch nie haben sich Worte aus meinem Mund so gut angefühlt! Hmm. Auch wenn Rachel sie anscheinend nicht gehört hat. Sie fummelt noch immer mit ihrem Blatt und der Blattschraube herum, als ob der Startschuss nicht gerade gefallen wäre, als ob die Startfahne nicht gerade hochgegangen wäre.

Ich will mich gerade wiederholen, als sie sagt: »Du bist ein Nichts, Lennie.« Sie rotzt meinen Namen auf den Boden, als wäre sie angewidert davon. »Er klammert sich derart an dich. Warum bloß?«

Kann dieser Augenblick noch schöner werden? Nein! Ich versuche ganz ruhig zu bleiben. »Das hat nichts mit ihm zu tun«, sage ich und nichts könnte wahrer sein. Mit ihr hat es auch nichts zu tun, nicht wirklich, obwohl ich das nicht sage. Es geht um mich und meine Klarinette.

»Ach was«, sagt sie. »Du machst das nur, weil du mich mit ihm gesehen hast.«

»Nein.« Meine Stimme überrascht mich schon wieder mit ihrer Gewissheit. »Ich will die Solos, Rachel.« Da hört sie auf, an ihrer Klarinette herumzufummeln, legt sie auf dem Notenständer ab und schaut mich an. »Und ich fange wieder bei Marguerite an.« Das hab ich auf dem Weg zur Probe beschlossen. Jetzt ist mir ihre ungeteilte, total panische Aufmerksamkeit sicher. »Und ich werde mich auch für All-State bewerben«, sage ich. Das ist mir allerdings neu.

Wir starren uns an und zum ersten Mal frage ich mich, ob sie nicht das ganze Jahr gewusst hat, dass ich beim Vorspielen absichtlich das Handtuch geworfen habe. Vielleicht hat sie gedacht, sie könnte mich so einschüchtern, dass ich darauf verzichte, sie herauszufordern. Vielleicht hat sie gedacht, nur so könnte sie ihren Platz behalten.

Sie beißt sich auf die Lippe. »Und wie wäre es, wenn ich die Solos mit dir teile? Und du kannst –«

Ich schüttele den Kopf. Sie tut mir schon fast leid. Fast.

»Bis September«, sage ich. »Möge die beste Klarinettistin gewinnen.«

Nicht nur mein Hintern, jeder Quadratzentimeter von mir ist im Wind, als ich aus dem Musiksaal fliege, von der Schule weg und in die Wälder, um nach Haus zu gehen und das Gedicht für Joe zu schreiben. Und an meiner Seite bleibt Schritt für Schritt, Atemzug für Atemzug die unerträgliche Tatsache, dass ich eine Zukunft habe und Bailey nicht.

Und da weiß ich es.

Für den Rest meines Lebens wird meine Schwester immer wieder sterben. Trauer währt ewig. Sie vergeht nicht, sie wird ein Teil von dir, Schritt für Schritt, Atemzug für Atemzug. Ich werde nie aufhören, um Bailey zu trauern, weil ich nie aufhören werde, sie zu lieben. So ist das nun mal. Schmerz und Liebe sind miteinander verbunden, man bekommt eines nicht ohne das andere. Ich kann nicht mehr tun als sie lieben und die Welt lieben, ihr nacheifern, indem ich mit Mut und Tatkraft und Freude lebe.

Ohne darüber nachzudenken, biege ich auf den Pfad zum Waldschlafzimmer ab. Um mich herum toben die Wälder vor Schönheit. Sonne ergießt sich durch die Blätter und der von Farnen bedeckte Boden erstrahlt wie mit Juwelen besetzt. Links und rechts sausen Rhododendren an mir vorbei wie Frauen in märchenhaften Kleidern. Um alle möchte ich die Arme schlingen.

Als ich am Waldschlafzimmer ankomme, springe ich aufs Bett und mache es mir bequem. Für dieses Gedicht werde ich mir Zeit nehmen, es wird nicht wie all die anderen sein, die ich hingekritzelt und weggeworfen habe. Ich hole den Stift aus der Hosentasche, ein leeres Blatt Notenpapier aus meiner Handtasche und fange an zu schreiben.

Ich erzähle ihm alles – was er mir bedeutet, was ich mit ihm gefühlt habe und vorher noch nie, was ich in seiner Musik höre. Ich will, dass er mir vertraut, deshalb lege ich alles bloß. Ich sage ihm, dass ich ihm gehöre, dass mein Herz sein ist, und selbst wenn er mir nie vergibt, wird es dennoch so sein.

Schließlich ist das meine Geschichte und ich habe mich entschieden, sie so zu erzählen.

Als ich fertig bin, rutsche ich vom Bett. Dabei bemerke ich ein blaues Plektron, das auf der weißen Decke liegt. Ich muss den ganzen Nachmittag drauf gesessen haben. Ich hebe es auf und identifiziere es sofort als Joes. Er muss zum Spielen hergekommen sein. Ein gutes Zeichen. Ich beschließe, das Gedicht lieber hier für ihn liegen zu lassen, als es in den Briefkasten der Fontaines zu schmuggeln, wie ich ursprünglich geplant hatte. Ich schreibe seinen Namen auf das gefaltete Blatt und lege es aufs Bett – unter einen Stein, damit der Wind es nicht wegweht. Sein Plektron schiebe ich mit unter diesen Stein.

Auf dem Heimweg begreife ich, dass ich zum ersten Mal seit Baileys Tod Worte geschrieben habe, die jemand lesen soll.

36. Kapitel

VOR DEMÜTIGUNG kann ich nicht schlafen. Was hab ich mir nur dabei gedacht? Immer wieder stelle ich mir vor, wie Joe mein lächerliches Gedicht seinen Brüdern vorliest und, schlimmer noch, Rachel. Und alle lachen sie über die arme, liebeskranke Lennie, die keine Ahnung von Romantik hat und nur weiß, was sie von Emily Brontë gelernt hat. Ich hab ihm gesagt: *Ich gehöre ihm.* Ich hab ihm gesagt: *Mein Herz ist sein.* Ich hab ihm gesagt: *Ich höre seine Seele in seiner Musik.* Ich spring von einem Hochhaus. Wer sagt denn so was im 21. Jahrhundert? Keiner! Wie ist es möglich, dass so was an einem Tag wie eine gute Idee klingt und am nächsten total bescheuert?

Sobald es hell genug ist, ziehe ich mir ein Sweatshirt über den Pyjama, und renne durch die Dämmerung zum Waldschlafzimmer, um den Zettel zu holen, aber er ist weg. Ich rede mir ein, dass der Wind ihn weggeweht hat wie all die anderen Gedichte auch. Also ehrlich, wie wahrscheinlich ist es denn, dass Joe da gestern Nachmittag noch aufgetaucht ist. Überhaupt nicht wahrscheinlich.

Sarah leistet mir Gesellschaft, sie gibt mir Demütigungsunterstützung, während ich Lasagne schichte.

Sie kann gar nicht an sich halten und kreischt: »Du wirst erste Klarinette, Lennie. Todsicher.«

»Mal sehen.«

»Das wird dir garantiert helfen, an einer Musikhochschule aufgenommen zu werden. Sogar an der Juilliard.«

Ich atme tief durch. Immer war ich mir wie eine Hochstaplerin vorgekommen, wenn Marguerite das Gespräch in diese Richtung gelenkt hatte … wie eine Verräterin, die einen Plan ausheckt, um meiner Schwester ihren Traum zu stehlen, als er ihr bereits entrissen worden war. Warum ist mir nie in den Sinn gekommen, dass ich an ihrer Seite träumen könnte? Warum war ich nicht mutig genug, überhaupt einen Traum zu haben?

»Ich ginge für mein Leben gern auf die Juilliard«, gestehe ich Sarah. So. Endlich. »Aber ich bin mit jeder guten Musikhochschule zufrieden.« Ich will nur Musik studieren: wie das Leben selbst klingt.

»Wir könnten zusammen gehen«, sagt Sarah, die sich jede Scheibe Mozzarella in den Mund stopft, die ich abschneide. Ich gebe ihr einen Klaps auf die Finger. Sie fährt fort: »Wir könnten uns zusammen eine Wohnung in New York City mieten.« Diese Vorstellung katapultiert Sarah hoch zu den Sternen, scheint mir – mich auch, obwohl mich der eine erbärmliche Gedanke verfolgt: und Joe? »Oder Berklee in Boston«, sagt sie, ihre großen blauen Augen boinken ihr aus dem Kopf. »Vergiss Berklee nicht. Aber egal, wo, wir könnten in Ennui hinfahren, kreuz und quer durchs Land. Am

Grand Canyon rumhängen, vielleicht nach New Orleans fahren –«

»Aaaaaaaaaaaaaaaaaaaaaaaaaargh«, stöhne ich.

»Nicht schon wieder dieses Gedicht. Was kann denn noch bessere Ablenkung sein als die wunderbaren Göttinnen Juilliard und Berklee. Meine Güte. Verdammtunglaublich …«

»Du hast ja keine Ahnung, wie dildonisch es war.«

»*Schönes* Wort, Len.« Sie blättert eine Zeitschrift durch, die jemand auf dem Tresen liegen gelassen hat.

»*Lahm* ist als Wort nicht lahm genug für dieses Gedicht«, murmele ich. »Sarah, ich hab einem Jungen gesagt, dass *ich ihm gehöre.*«

»Das passiert, wenn man achtzehn Mal *Sturmhöhe* liest.«

»Dreiundzwanzig.«

Ich schichte vor mich hin: Soße, Nudeln, *Ich gehöre dir*, Käse, Soße, *mein Herz ist dein*, Nudeln, Käse, *Ich höre deine Seele in deiner Musik*, Käse, Käse, KÄSE …

Sie lächelt mich an. »Weißt du, vielleicht ist das ja okay, irgendwie scheint er doch genauso zu sein.«

»Wie denn?«

»Du weißt schon, wie du.«

Bailey?
Hm.
Kannst du es fassen, dass Cathy diesen Edgar Linton geheiratet hat?
Nein.
Würdest du so was Blödes tun?
Nein.
Ich meine, wie konnte sie das nur
wegwerfen, was sie mit Heathcliff hatte?
Ich weiß nicht. Was hast du, Len?
Was soll ich haben?
Was hast du bloß mit diesem Buch?
Ich weiß nicht.
Doch, du weißt es. Sag's mir.
Es ist schmalzig.
Kommschon, Len.
Ich glaub, ich will das auch.
Was?
Diese Art Liebe fühlen.
Das wirst du.
Woher weißt du das?
Tu ich eben.
Die Zehen verstehen?
Die Zehen verstehen.
Aber wenn ich sie finde, will ich es nicht so vergeigen,
wie sie es getan haben.
Wirst du nicht. Verstehen die Zehen.
Nacht, Bailey.
Len, mir fällt da gerade was ein …
Was?
Am Ende sind Cathy und Heathcliff zusammen, Liebe ist stärker
als alles andere, sogar stärker als der Tod.
Hmm …
Nacht, Len.

(Gefunden auf einem Fetzen Notizblockpapier auf dem Parkplatz der Clover High)

37. Kapitel

Es IST LÄCHERLICH, den ganzen Weg zurück zum Waldschlafzimmer zu laufen, sage ich mir, auf gar keinen Fall wird er da sein, kein Gedicht, in dem New Age und Viktorianer aufeinandertreffen, wird ihn dazu bringen, mir zu vertrauen. Bestimmt hasst er mich immer noch – und jetzt hält er mich obendrein noch für dildonisch.

Aber hier bin ich nun und natürlich ist er nicht hier. Ich lasse mich rücklings aufs Bett fallen, schaue hoch zu den Fetzen blauen Himmels zwischen den Bäumen und halte mich an das reguläre Programm, indem ich noch etwas mehr an Joe denke. Da ist so viel, was ich nicht über ihn weiß. Ich weiß nicht, ob er an Gott glaubt oder Makkaroni mit Käse mag, welches Sternzeichen er ist oder ob er auf Englisch oder Französisch träumt oder was es für ein Gefühl wäre, wenn – uh-oh. Ich hab das Kinderprogramm hinter mir gelassen und bin bei den Filmen ab achtzehn gelandet, weil, o Gott, ich wünschte wirklich, Joe würde mich nicht so hassen, denn ich will *alles* mit ihm machen. Meine Jungfräulichkeit stinkt mir so. Mir scheint, die ganze Welt weiß Bescheid über dieses ekstatische Geheimnis, nur ich nicht –

Da höre ich etwas: ein seltsam klagendes, eindeutig nicht waldartiges Geräusch. Ich hebe den Kopf und stütze mich auf den Ellenbogen ab, damit ich besser lauschen kann, und versuche das Geräusch vom Blätterrascheln, dem fernen Tosen des Flusses und Vogelzwitschern zu isolieren. Das Geräusch rieselt durch die Bäume, wird immer lauter, kommt immer näher. Ich lausche … und dann weiß ich, was es ist, die Töne schlängeln sich jetzt klar und perfekt zu mir herüber – es ist die Melodie von Joes Duett. Ich schließe die Augen und hoffe, dass ich auch tatsächlich Klarinettenklänge höre und nicht Opfer irgendeiner Hörhalluzination meines liebeskranken Hirns geworden bin. Nein, bin ich nicht, denn jetzt höre ich jemanden durchs Unterholz schlurfen und wenig später bricht die Musik ab und dann sind keine Schritte mehr zu hören.

Ich hab Angst, die Augen aufzumachen, aber ich tu es, und er steht vor dem Bett und betrachtet mich. Eine Armee von Ninja-Putten, die alle im Blätterdach gelauert haben müssen, spannen ihre Bögen und lassen die Pfeile aus allen Richtungen auf mich zusausen.

»Hab mir gedacht, dass du hier bist.« Ich kann seine Miene nicht deuten. Nervös? Wütend? Sein Gesicht wirkt unruhig, als wüsste er nicht, was er fühlen soll. »Ich hab dein Gedicht bekommen …«

Ich kann das Blut durch meinen Körper rauschen hören, es dröhnt mir in den Ohren. Was wird er sagen? Ich hab dein Gedicht bekommen und tut mir leid, ich kann dir niemals vergeben? Ich hab dein Gedicht bekommen und ich fühle wie du: *Mein Herz ist dein, John Lennon.* Ich hab dein Gedicht bekommen und im Irrenhaus angerufen – die Zwangsjacke ist im Rucksack. Seltsam. Ich hab Joe noch nie mit Rucksack gesehen.

Er beißt sich auf die Lippe, klopft sich mit der Klarinette aufs Bein. Eindeutig nervös. Das kann nichts Gutes heißen.

»Lennie, ich hab *alle* deine Gedichte.« Was redet er da? Was meint er damit? Er schiebt sich die Klarinette zwischen die Schenkel und hält sie dort fest, während er den Rucksack abnimmt und den Reißverschluss öffnet. Dann holt er tief Luft, zieht eine Schachtel heraus und reicht sie mir.

»Nun, wahrscheinlich nicht alle, aber die hier.«

Ich mache den Deckel auf. Drinnen sind Fetzen Papier, Servietten, Pappbecher, alle mit meinen Worten drauf. Die kleinen Teile von Bailey und mir, die ich verstreut, begraben und versteckt habe. Das kann nicht sein.

»Wie das?«, frage ich verblüfft. Mir wird unbehaglich, wenn ich daran denke, dass Joe alles in dieser Schachtel gelesen hat. All diese intimen, verzweifelten Augenblicke kennt. Es ist schlimmer, als wenn jemand dein Tagebuch liest. Es ist, als ob jemand das Tagebuch liest, das man glaubte, verbrannt zu haben. Und wie ist er an all diese Sachen gekommen? Hat er mich verfolgt? Das wäre perfekt. Endlich verliebe ich mich in jemanden, und der ist dann ein absolut wahnsinniger Irrer.

Ich schaue ihn an. Er grinst ein bisschen und ich sehe ein ganz schwaches Plink. Plink. Plink. »Ich weiß, was du jetzt denkst«, sagt er. »Dass ich ein gruseliger Stalkertyp bin.«

Bingo.

Das amüsiert ihn. »Bin ich nicht, Len. Es kam nur immer wieder so. Zuerst hab ich sie immerzu gefunden und dann, nun ja, hab ich angefangen zu suchen. Ich konnte einfach nicht anders. Das war wie so eine abgedrehte Schatzsuche. Erinnerst du dich noch an diesen ersten Tag im Baum?«

Ich nicke. Joe, der irre Stalker – aber mir ist gerade etwas weitaus Faszinierenderes aufgefallen. Er ist nicht mehr wütend. War es das dildonische Gedicht? Was immer es war, ich bin in einem so wilden Freudentaumel, dass ich ihm nicht mal zuhöre, als er zu erklären versucht, wie in aller Welt diese Gedichte in diesem Schuhkarton gelandet sind und nicht auf dem Müllhaufen oder warum sie nicht von einem Windstoß durch Death Valley getrieben werden.

Ich versuche mich auf das einzustellen, was er sagt: »Weißt du noch, im Baum hab ich dir erzählt, dass ich dich oben an der Great Meadow gesehen hatte? Ich hab dir gesagt, ich hätte gesehen, wie du einen Zettel geschrieben hast, und beobachtet, wie du ihn fallen gelassen hast, als du weggegangen bist. Aber ich hab dir nicht erzählt, dass ich danach das Stück Papier gefunden habe, das sich im Zaun verfangen hatte. Es war ein Gedicht über Bailey. Vermutlich hätte ich es nicht behalten sollen. Ich wollte es dir an diesem Tag im Baum wiedergeben, ich hatte es in der Tasche, aber dann dachte ich, du würdest es seltsam finden, dass ich es überhaupt mitgenommen hatte, deshalb hab ich es behalten.« Er beißt sich auf die Lippe. Ich weiß noch, wie er mir erzählte, er habe gesehen, wie ich etwas fallen gelassen hatte, das ich geschrieben hatte. Aber dass er es hätte *finden* und *lesen* können, war mir nicht in den Sinn gekommen. Er redet weiter: »Und dann, als wir im Baum waren, hab ich gesehen, dass Worte auf die Zweige gekritzelt waren, da dachte ich, du hättest vielleicht noch was anderes geschrieben, aber ich mochte nicht fragen, deshalb bin ich später noch mal hingegangen und hab alles in ein Notizbuch eingetragen.«

Das kann ich nicht glauben. Ich setze mich auf, fische in der Schachtel herum und gucke diesmal genauer hin. Da liegen einige Papierfetzen mit seiner seltsamen Briefbombenattentäterschrift – wahrscheinlich Abschriften von Wänden, Scheunentoren oder anderen praktischen Schreibflächen, die sich mir angeboten hatten. Keine Ahnung, was ich davon halten soll. Er weiß alles – mein Innerstes ist nach außen gekehrt.

Sein Mienenspiel hängt zwischen Sorge und Aufregung fest, aber die Aufregung scheint den Sieg davonzutragen. Er kann kaum an sich halten. »Als ich das erste Mal bei dir zu Hause war, hab ich einen Zettel unter einem Stein in Gramas Garten stecken sehen, dann noch das Gekritzel auf deiner Schuhsohle und an dem Tag, an dem wir die ganzen Sachen rausgestellt haben, Mann … deine Worte waren überall, wo ich hingeguckt hab. Ich bin ein bisschen verrückt geworden, musste feststellen, dass ich immer und überall danach gesucht habe …« Er schüttelt den Kopf. »Hab sogar weitergemacht, als ich so sauer auf dich war. Aber das Seltsamste ist, dass ich schon was gefunden hatte, bevor du mir überhaupt begegnet bist. Das waren nur ein paar Worte auf einem Bonbonpapier auf dem Pfad zum

Fluss. Ich hatte keine Ahnung, wer das geschrieben hatte, na ja, bis dann …«

Er starrt mich an und klopft sich mit der Klarinette aufs Bein. Nun wirkt er wieder nervös. »Okay, sag was. Du darfst dir nicht komisch vorkommen. Die haben nur dazu beigetragen, dass ich mich noch mehr in dich verliebt habe.« Und dann lächelt er und an allen Orten auf dem Erdball, an denen Nacht herrscht, bricht der Tag an. »Sagst du denn nicht mal *quel Trottel?*«

Ich würde eine ganze Menge sagen, wenn ich an dem Lächeln vorbeikäme, das mein Gesicht mit Beschlag belegt hat. Da ist es wieder, dieses *Ich bin verliebt in dich*, das alles auslöscht, was ihm sonst noch über die Lippen kommt.

Er zeigt auf die Schachtel. »Die haben mir geholfen. Ich bin irgendwie ein unnachgiebiger Sturkopf, falls du das noch nicht bemerkt haben solltest. Ich hab sie gelesen – immer wieder, seitdem du mit den Rosen gekommen bist – und hab versucht zu verstehen, was passiert ist, warum du mit ihm zusammen warst, und ich glaube, dass ich es jetzt vielleicht verstehen kann. Weiß auch nicht, als ich die Gedichte zusammen gelesen hab, konnte ich mir allmählich *wirklich* vorstellen, was du durchmachst, wie schrecklich es sein muss …« Er schluckt, guckt zu Boden und scharrt mit dem Fuß in den Tannennadeln. »Auch für ihn. Ich glaub, ich versteh jetzt, wie das passiert ist.«

Wie kann es sein, dass ich monatelang an Joe geschrieben habe, ohne es zu wissen? Als er aufschaut, lächelt er. »Und dann gestern …« Er wirft seine Klarinette aufs Bett. »Hab ich erfahren, dass du mir gehörst.« Er zeigt auf mich. »Dein Arsch gehört mir.«

Ich lächele. »Willst du mich verarschen?«

»Ja, macht aber nichts, weil mein Arsch nämlich dir gehört.«

Er schüttelt den Kopf und die Haare fallen ihm ins Gesicht, dass ich sterben könnte. »Mit Haut und Haar.«

Eine Schar hysterisch glücklicher Vögel sprengt aus meiner Brust in die Welt hinaus. Ich bin froh, dass er die Gedichte gelesen hat. Ich wollte, dass er meine Schwester kennt, und jetzt tut er das irgendwie. Jetzt kennt er das Vorher so gut wie das Nachher.

Er setzt sich auf die Bettkante, nimmt einen Stock und malt damit auf dem Boden, dann wirft er ihn weg und guckt in die Bäume. »Tut mir leid«, sagt er.

»Braucht es nicht. Ich bin froh –«

Er dreht sich zu mir um. »Nicht wegen der Gedichte. Mir tut leid, was ich an diesem Tag gesagt hab, über Bailey. Nachdem ich all die Gedichte gelesen hatte, wusste ich, wie sehr dir das wehtun würde –«

Ich lege ihm den Finger auf die Lippen. »Schon gut.«

Er nimmt meine Hand, führt sie an seinen Mund und küsst sie. Ich schließe die Augen, Schauer durchrieseln mich – es ist so lange her, seit wir uns berührt haben. Er legt meine Hand wieder hin. Ich mache die Augen auf. Er sieht mich fragend an. Er lächelt, aber die Verletzlichkeit und der Schmerz, die immer noch in seinem Gesicht abzulesen sind, schneiden mir ins Herz. »Du tust mir das doch nicht noch mal an?«, fragt er.

»Nie«, platzt es aus mir heraus. »Ich will ewig mit dir zusammen sein!« Okay, diese Lektion hab ich jetzt gründlich gelernt: Man kann den viktorianischen Roman mit einer Gartenschere in Fetzen schneiden, aber man kann den viktorianischen Roman nicht aus einem Mädchen rausschneiden.

Er strahlt mich an: »Du bist verrückter als ich.«

Eine ganze Weile starren wir einander an und in dieser Zeit scheinen wir uns leidenschaftlicher zu küssen als je zuvor, obwohl wir uns nicht berühren.

Ich streiche mit den Fingern über seinen Arm. »Kann nichts dafür. Bin verliebt.«

»Ist das erste Mal«, sagt er. »Für mich.«

»Ich dachte in Frankreich –«

Er schüttelt den Kopf. »Nee, nee, kein Vergleich.« Er berührt meine Wange so zärtlich, dass ich sofort an Gott, Buddha, Mohammed, Ganesh, Maria und alle anderen glaube. »Für mich ist keine wie du«, flüstert er.

»Gleichfalls«, sage ich und unsere Lippen berühren sich. Er schiebt mich zurück aufs Bett, legt sich auf mich, sodass Bein auf Bein, Hüfte auf Hüfte, Bauch auf Bauch trifft und ich sein Gewicht auf jedem Quadratzentimeter von mir spüre. Mit den Fingern fahre ich durch seine seidigen dunklen Locken.

»Ich hab dich vermisst«, murmelt er mir in die Ohren, in mein Haar, dicht an meinem Hals – und immer, wenn er es wiederholt, sage ich: »Ich auch« – dann küssen wir uns wieder und ich kann kaum fassen, dass es in dieser unsicheren Welt irgendetwas gibt, das sich für mich so richtig und wirklich und wahr anfühlt.

Später, als wir wieder aufgetaucht sind, weil wir Sauerstoff brauchen, greife ich nach der Schachtel und fange an, die Fetzen durchzublättern. Es sind viele, aber längst nicht so viele, wie ich geschrieben habe. Ich bin froh, dass es da draußen noch welche gibt, zwischen Felsen, in Mülleimern, an Wänden, auf den Rändern von Büchern, manche fortgespült vom Regen, ausgebleicht von der Sonne, vom Wind davongetragen, einige unauffindbar und einige wird man in den kommenden Jahren noch finden können.

»He, wo ist das von gestern?«, frage ich und lasse die Restpeinlichkeit die Oberhand gewinnen. Nachdem es seinen Zweck erfüllt hat, könnte ich es jetzt doch ganz zufällig zerfetzen.

»Nicht hier. Das ist meins.« Na gut. Träge streicht er mir mit der Hand über den Nacken und den Rücken hinunter. Ich komme mir vor wie eine Stimmgabel, mein ganzer Körper vibriert.

»Du wirst es nicht glauben«, sagt er. »Aber ich glaube, die Rosen haben gewirkt. Bei meinen Eltern – ich sag dir, die können die Finger nicht voneinander lassen. Es ist widerlich. Marcus und Fred schleichen sich nachts rüber zu euch und klauen Rosen, die sie Mädchen schenken, damit die mit ihnen schlafen.« Grama wird begeistert sein. Gut, dass sie so vernarrt in die Fontaine-Jungs ist.

Ich stelle die Schachtel auf den Boden, dreh mich um und seh ihn an. »Ich glaub, *keiner* von euch hat dazu Gramas Rosen nötig.«

»John Lennon?«

Plink. Plink. Plink.

Ich streiche ihm mit dem Finger über die Lippen. »Ich möchte auch alles mit dir machen.«

»O Mann«, sagt er und zieht mich zu sich runter, und dann küssen wir uns so weit in den Himmel hinein, dass wir wahrscheinlich nie wieder zurückkommen werden.

Sollte irgendjemand fragen, wo wir sind, sagt einfach, sie sollen nach oben gucken.

38. Kapitel

Bailey?
Ja?
Ist es öde, tot zu sein?
Das war es, jetzt nicht mehr.
Was ist anders geworden?
Ich hab aufgehört, über den Rand zu gucken –
Was machst du nun?
Schwer zu beschreiben – es ist wie Schwimmen,
aber nicht in Wasser
In Licht.
Mit wem schwimmst du?
Hauptsächlich mit dir und Toby, Grama, Big,
manchmal auch mit Mom.
Und warum weiß ich nichts davon?
Aber das tust du doch, oder?
Schon, ist das nicht wie all unsere Tage am Flying Man's?
Genau, nur heller.

(Eintrag in Lennies Tagebuch)

Grama und ich backen von früh bis spät für Bigs Hochzeit. Alle Fenster und Türen stehen offen, wir können den Fluss hören und die Rosen riechen und die Hitze der Sonne fühlen, die nach drinnen strömt. Wir zwitschern in der Küche herum wie Spatzen.

Das machen wir bei jeder Hochzeit, nur ist es für uns das erste Mal ohne Bailey. Und doch spüre ich ihre Gegenwart heute in der Küche mit Grama mehr als sonst, seit sie gestorben ist. Als ich den Teig ausrolle, kommt sie zu mir, taucht die Hand ins Mehl und schnippt es mir ins Gesicht. Als Grama und ich an die Arbeitsplatte gelehnt unseren Tee nippen, stürmt sie in die Küche und gießt sich auch eine Tasse ein. Sie setzt sich auf jeden Stuhl, weht zur einen Tür rein, zur anderen wieder raus, flitzt zwischen Grama und mir herum, summt leise vor sich hin und steckt den Finger in unseren Teig. Sie ist in jedem Gedanken, den ich denke, jedem Wort, das ich spreche, und ich lasse sie. Ich lasse mich von ihr verzaubern beim Teigausrollen und denke meine Gedanken, spreche meine Worte, während wir backen und backen. Gemeinsam haben wir es endlich geschafft, Joe auszureden, dass wir unbedingt eine explodierende Hochzeitstorte haben müssen, nun reden wir über Nichtigkeiten, zum Beispiel was Grama zur großen Party anziehen soll. Ihr Outfit macht ihr einiges Kopfzerbrechen.

»Vielleicht trage ich zur Abwechslung mal Hosen.« Soeben ist die Erde von ihrer Achse gerutscht. Grama hat ein Blumenkleid für jede Gelegenheit – ohne hab ich sie noch nie gesehen. »Und vielleicht lasse ich mir die Haare glätten.« Okay, die Erde ist von ihrer Achse gerutscht und rast nun auf eine andere Galaxie zu. Man stelle sich Medusa mit einem Föhn vor. Glattes Haar ist ein Ding der Unmöglichkeit für Grama oder jeden anderen Walker, selbst wenn bis zum Beginn der Party noch dreißig Stunden Zeit bleiben.

»Was ist los?«, frage ich.

»Ich möchte nur schön aussehen, ist doch kein Verbrechen, oder? Schließlich hab ich mein Sex-Appeal ja nicht verloren.« Nicht zu fassen, Grama hat gerade Sex-Appeal gesagt. »Nur eine kleine Dürreperiode, mehr nicht«, murmelt sie leise. Ich dreh mich um und schau sie an. Sie zuckert die Himbeeren und Erdbeeren und läuft so rot an wie diese.

»O mein Gott, Grama! Du hast dich verknallt.«

»Himmel, nein!«

»Du lügst. Das seh ich.«

Dann kichert sie wild und keckernd. »Ich lüge! Na, was erwartest du denn? Wo du doch schon so lange verrückt nach Joe bist, und jetzt Big und Dorothy … vielleicht hab ich mir was eingefangen. Liebe ist ansteckend, das wissen alle, Lennie.«

Sie grinst.

»Na, und wer ist es? Hast du ihn neulich Abend im *Saloon* kennengelernt?«

Das war seit Monaten das einzige Mal, das sie unter Leute gegangen ist. Grama ist nicht der Typ für Onlinedates. Jedenfalls glaube ich nicht, dass sie das ist.

Ich stemme die Hände auf die Hüften. »Wenn du es mir nicht sagst, werde ich morgen eben Maria fragen. Nichts in Clover entgeht ihr.«

Grama kreischt: »Ich schweige wie ein Grab, kleine Wicke.«

Egal, wie ich auch bohre, in den Stunden von Pies, Kuchen und sogar ein paar Schüsseln Beerenpudding, ihre lächelnden Lippen bleiben versiegelt.

Nachdem wir in der Küche fertig sind, hole ich meinen Rucksack, den ich vorher schon gepackt habe, und mache mich auf den Weg zum Friedhof. Sobald ich den Pfad erreiche, fange ich an zu laufen. Die Sonne bricht in vereinzelten Flecken durch das Blätterdach, ich fliege also durch Licht und Dunkel und Dunkel und Licht, durch das flammend grelle Sonnenlicht in den einsamsten gespenstischen Schatten und wieder zurück, hin und her, von einem zum anderen und durch Stellen, an denen sich alles miteinander mischt und zu einem blatterleuchteten smaragdenen Traum wird. Ich renne und renne und dabei löst sich das seit Monaten an mir haftende Gespinst des Todes und fällt von mir ab. Ich laufe schnell und frei, schwebend in einem Moment ganz eigenen, lärmenden Glücks, meine Füße berühren kaum den Boden, als ich der nächsten Sekunde entgegenfliege, der nächsten Minute, Stunde, dem nächsten Tag, der nächsten Woche, dem nächsten Jahr in meinem Leben.

An der Straße zum Friedhof breche ich aus dem Wald heraus. Die heiße Nachmittagssonne liegt träge auf allem, verliert sich zwischen den Bäumen und wirft lange Schatten. Es ist warm und der Duft von Eukalyptus und Kiefern schwer und überwältigend. Ich gehe den Pfad entlang, der sich zwischen den Gräbern hindurchschlängelt, lausche dem

Rauschen der Wasserfälle und erinnere mich daran, wie wichtig es mir wider alle Vernunft war, dass Baileys Grab an einer Stelle lag, wo sie den Fluss sehen, hören und sogar riechen konnte.

Ich bin der einzige Mensch auf dem kleinen Friedhof auf dem Hügel und ich bin froh. Ich lasse meinen Rucksack fallen und setze mich neben den Grabstein, lege meinen Kopf dagegen, schlinge Hände und Arme darum. Wie warm der Stein an meinem Körper liegt. Wir haben diesen gewählt, weil der ein kleines Fach hat, so eine Art Reliquienschrein mit einer Metalltür, in die ein Vogel eingraviert ist. Er sitzt unter den eingemeißelten Worten. Ich fahre mit den Fingern über den Namen meiner Schwester, ihre neunzehn Jahre, dann über die Worte, die ich vor Monaten auf ein Stück Papier geschrieben und im Bestattungsinstitut Grama gegeben habe: *Die Farbe Außergewöhnlich.*

Ich hole ein kleines Notizbuch aus meinem Rucksack. Darin habe ich alle Briefe übertragen, die Grama unserer Mutter in den letzten sechzehn Jahren geschrieben hat. Ich möchte, dass Bailey diese Worte bekommt. Sie soll wissen, dass es nie eine Geschichte geben wird, in der sie keine Rolle spielt, dass sie überall ist wie der Himmel. Ich öffne die Tür und schiebe das Buch in das kleine Fach und dabei höre ich ein Kratzen. Ich greife hinein und hole einen Ring heraus. Mir stockt der Atem. Er ist wunderschön, ein orangefarbener Topas von der Größe einer Eichel. Perfekt für Bailey. Toby hat ihn sicher für sie anfertigen lassen. Ich halte ihn in meiner Hand, von der Gewissheit durchbohrt, dass sie ihn nie zu sehen bekommen hat. Ich wette, mit dem Ring wollten sie warten, bis sie uns endlich von ihrer Hochzeit und dem Baby erzählt hatten. Wie Bailey damit bei der großen Verkündung angegeben hätte. Ich lege ihn auf den Stein, wo ein Sonnenstrahl ihn trifft und ein bernsteinfarbenes Prisma auf die eingravierten Worte malt.

Ich will die ozeanische Traurigkeit abwehren, aber das kann ich nicht. Es ist so eine kolossale Anstrengung, nicht von dem verfolgt zu werden, was verloren ist, sondern verzaubert zu werden von dem, was war.

Ich vermisse dich, sage ich ihr, *ich kann es nicht ertragen, dass du so viel verpasst.*

Ich weiß nicht, wie das Herz das aushält.

Ich küsse den Ring, lege ihn neben das Notizbuch zurück in das Fach und schließe die Tür mit dem Vogel darauf. Dann hole ich die Topfblume aus dem Rucksack. Sie ist total am Ende, trägt nur noch ein paar schwarze Blätter. Ich geh rüber zum Abhang und stelle mich dort genau über die Wasserfälle. Dann nehme ich die Pflanze aus ihrem Topf, schüttele die Erde von den Wurzeln, fasse gut zu, hole weit aus und nach einem tiefen Atemzug lasse ich den Arm nach vorn schnellen und lasse los.

Epilog

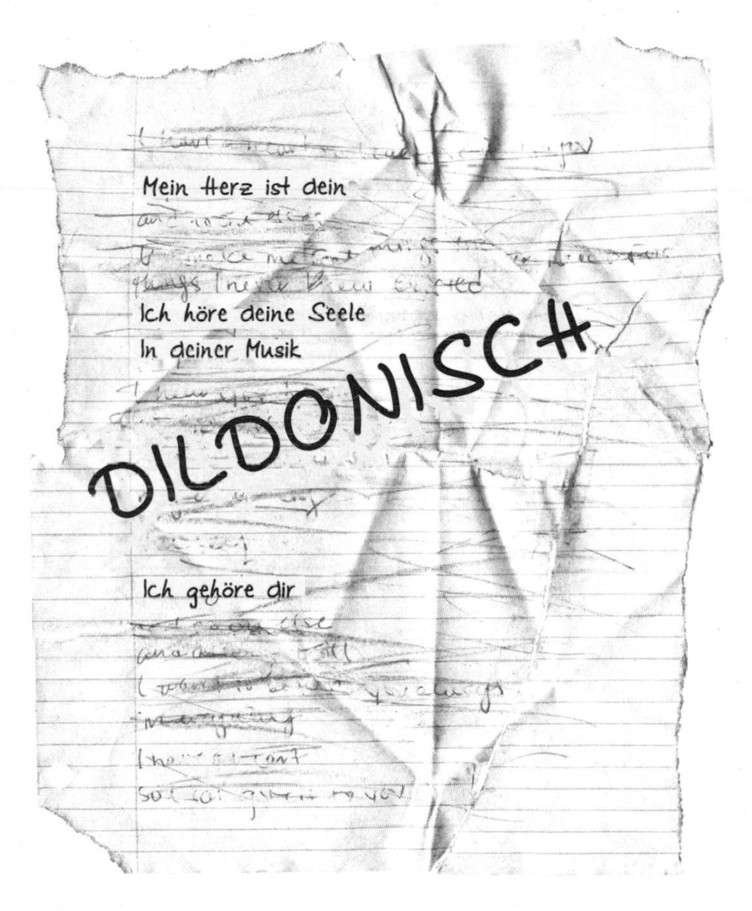

(Gefunden in einem Umschlag auf dem Bett im Waldschlafzimmer)
(Wiedergefunden im Bombodrom, im Papierkorb, von Lennie in Fetzen gerissen)
(Wiedergefunden auf Joes Schreibtisch, mit Tesafilm zusammengeklebt, darübergeschrieben das Wort DILDONISCH*)*
(Gefunden gerahmt und unter Glas, in Joes Kommodenschublade, wo es immer noch liegt)

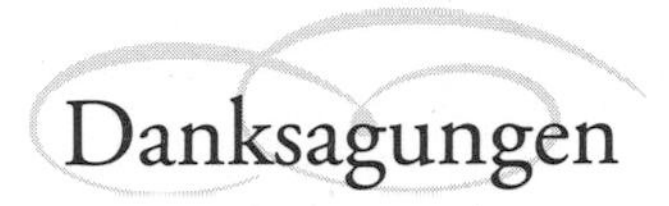

Danksagungen

In liebevollem Gedenken an Barbie Stein,
die wie Himmel überall ist

Ich möchte danken:

Zuerst und vor allen meinen Eltern, allen vieren, für ihre grenzenlose Liebe und Unterstützung. Meinem tollen Vater und Carol, meiner großherzigen Mutter und Ken. Meiner ganzen Familie für ihre unbändig gute Laune und Standhaftigkeit. Meinen Brüdern Bruce, Bobby und Andy, meinen Schwägerinnen Patricia und Monica, meinen Nichten und Neffen Adam, Lena und Jake, meinen Großeltern, ganz besonders der unvergleichlichen Cele.

Mark Routhier für all die Freude, den Glauben und die Liebe.

Meinen fantastischen Freunden, meiner zweiten Familie, für jeden Tag auf jede Weise: Ami Hooker, Anne Rosenthal, Becky MacDonald, Emily Rubin, Jeremy Quittner, Larry Dwyer, Maggie Jones, Sarah Michelson, Julie Regan, Stacy Doris, Maritza Perez, David Booth, Alexander Stadler, Rick

Heredia, Patricia Irvine, James Faerron, Lisa Steindler und James Assatly, der so sehr vermisst wird, und meiner Familie im weiteren Sinn, den Clans der Routhiers, Greens und Blocks ... und vielen anderen, die ich hier nicht alle nennen kann.

Patricia Nelson für Lacher rund um die Uhr und juristisches Fachwissen, Paul Feuerwerker für herrliche Verschrobenheit, Ausgelassenheit und unschätzbare Einblicke in die Orchesterarbeit. Mark H. für unglaubliche Musikalität, erste Liebe.

Dem Fachbereich, den Lehrkräften und den Studenten vom Vermont College of Fine Arts, ganz besonders meinen Wunder wirkenden Mentoren: Deborah Wiles, Brent Hartinger, Julie Larios, Tim Wynne-Jones, Margaret Bechard und der Gastlehrerin Jane Yolen. Und meinen Klassenkameraden: den Cliffhangers, ganz besonders Jill Santopolo, Carol Lynch Williams, Erik Talkin und Mari Jorgensen. Und der VCFA-Crew von San Francisco. Und Marianna Baer – dem Engel am Ende meiner Tastatur.

Meinen anderen unglaublichen Lehrern und Professoren – unter anderen: Regina Wiegand, Bruce Boston, Will Erikson, Archie Ammons, Ken McClane, Phyllis Janowitz, C. D. Wright.

Den Obengenannten, die für dieses Buch Inspiration waren, ein ganz besonderer Dank.

Meine tiefste Wertschätzung und Dankbarkeit gehen an:

Meine Klienten bei Manus & Associates Literary Agency und meine außergewöhnlichen Kollegen: Stephanie Lee, Dena Fischer, Penny Nelson, Theresa van Eeghen, Janet und

Justin Manus und ganz besonders Jillian Manus, die nicht nur über Wasser wandelt, sondern darauf tanzt.

Alisha Niehaus, meiner außergewöhnlichen Lektorin, für ihre Überschwänglichkeit, Tiefe, Einsicht, Güte, ihren Sinn für Humor und dafür, dass sie jede Phase des Prozesses zu einem Fest gemacht hat. Allen bei Dial und Penguin Books for Young Readers dafür, dass sie mich bei jedem triumphalen Schritt auf dem Weg aufs Neue erstaunt haben.

Emily von Beek von Pippin Properties als der besten Agentin der Welt! Ich bin ewig fasziniert von ihrer Fröhlichkeit, Brillanz, Entschlusskraft und Eleganz. Holly McGee für ihren Enthusiasmus, Humor, ihren Grips und ihre Lebensfreude. Elena Mechlin für den Zauber hinter den Kulissen und die Hochrufe. Die Pippin-Frauen sind unvergleichlich. Und Jason Dravis von der Agentur Montiero Rose Dravis für seine visionäre Kraft und sein umwerfendes Know-how.

Und zum Schluss ein ganz tief aus dem Herzen kommendes hammermäßig wahnsinniges Dankeschön an meinen Bruder Bobby, der in seinem Glauben nicht zu erschüttern ist.

Jenny Downham

Bevor ich sterbe

320 Seiten, ISBN 978-3-570-30674-1

Die Ärzte machen der 16-jährigen Tessa wenig Hoffnung. Ihr Kampf gegen die Leukämie scheint nach vier Jahren verloren. Doch Tessa will nicht einfach verschwinden, sie will leben – wenigstens in der Zeit, die ihr noch bleibt. Sie schreibt eine Liste, was sie noch tun will, bevor sie stirbt: einen Tag nur Ja sagen, Drogen nehmen, einen Tag lang berühmt sein, etwas Verbotenes tun, einmal Sex haben. Als Adam auftaucht, ist Sex plötzlich mehr als ein Punkt auf ihrer Liste. Doch darf man lieben, wenn man stirbt?

6437

cbt

www.cbt-jugendbuch.de

Markus Zusak
Der Joker

448 Seiten ISBN 978-3-570-13107-7

In Eds Briefkasten liegt eine Spielkarte – ein Karoass. Darauf stehen drei Adressen. Die Neugier treibt ihn hin zu diesen Orten, doch was er dort sieht, bestürzt ihn zutiefst: drei unerträglich schwere Schicksale, Menschen, die sich nicht selbst aus ihrem Elend befreien können. Etwas in Ed schreit: »Du musst handeln! Tu endlich was!« Dreimal fasst er sich ein Herz, dreimal verändert er Leben. Da flattert ihm die nächste Karte ins Haus ...

6216

www.cbj-verlag.de

Simone Elkeles

Du oder das ganze Leben

400 Seiten ISBN 978-3-570-30718-2

Jeden anderen hätte Brittany Ellis, unangefochtene Nr. 1 an der Schule, lieber als Chemiepartner gehabt als Alex Fuentes, den zugegebenermaßen attraktiven Leader einer Gang. Und auch Alex weiß: eine explosivere Mischung als ihn und die reiche »Miss Perfecta« kann es kaum geben. Dennoch wettet er mit seinen Freunden: Binnen 14 Tagen wird es ihm gelingen, die schöne Brittany zu verführen. Womit keiner gerechnet hat: Dass Brittany und Alex sich mit Haut und Haaren ineinander verlieben. Das aber kann die Gang, der Alex angehört, nicht zulassen ...

6472

www.cbt-jugendbuch.de